고통은 삶 안에서만 터욱헌다.

2019. 10. 18

비익조

比翼鳥

中

이수연 장편소설

비익조

比翼鳥

中

이수연 장편소설

D&C
BOOKS

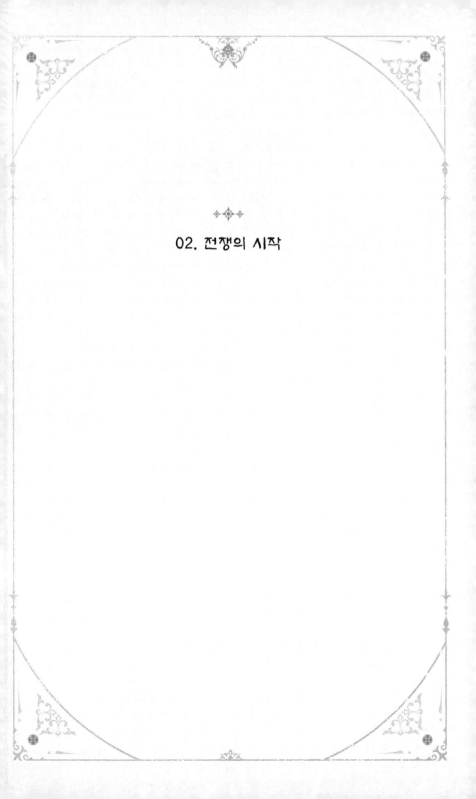

02. 전쟁의 시작

02. 전쟁의 시작

"내가 말했지? 그러다 빼앗긴다고."

비틀린 파이옌의 미소에 준영의 얼굴이 일그러졌다.

"당장 그녀를 놔줘!"

"지금 이러고 있을 시간이 있을까?"

파이옌이 검을 들어 멀리 황궁 밖을 가리켰다. 예리한 그의 검 너머로 수도 정문에서 연기가 피어오르는 것이 보였다. 성벽에서 피어 올린 봉화였다. 준영의 표정이 이전보다 더욱 당혹으로 일그러지는 모양을 지켜보며 파이옌이 기분 좋은 미소를 머금었다.

검은 연기가 하늘을 수놓았다. 적습을 알리는 경보였다. 군대를 이끌고 온 것인가? 긴박한 순간에도 준영은 침착하게 상황을 판단했다. 만일 군대가 수도를 침공했다면 이미 국경에서 긴급한 연락이 당도했을 것이다. 하면, 눈속임인가?

"나투국 수도는 이미 우리 괴혈단의 놀이터가 되었다고."

긴박한 상황을 연출하며 준영을 도발하는 파이옌의 행동은 과장되어 있었다. 애초에 파이옌의 성격이 과장되고 과격한 것은 맞으나, 말보다는 행동이 먼저였던 그가 검을 휘두르는 대신 상황을 내세우는 태도 자체가 이상했다.

침공인가? 아니면 침공을 가장한 납치극인가? 어느 쪽이든 그가 준영을 분노하게 한 것만큼은 분명한 사실이었다. 준영이 들고 있던 검을 고쳐 쥐자 파이옌이 안타깝다는 듯이 턱짓으로 축하연장을 가리켰다.

"대항하면 민간인들이 죽을걸?"

도깨비 가면을 쓴 병사들이 축하연장 곳곳에서 나타나 백성들을 향해 검을 겨누었다. 그 수는 많지 않았으나 어디에서 나타난 건지 모를 갑작스러운 적군의 등장에 연회장이 비명으로 난무했다. 비겁하게 인질로 잡은 백성들을 방패 삼아 숨은 괴혈단에 그들을 향해 창검을 휘두르려던 홍 장군과 병사들이 주춤거렸다.

"어머니!!!"

"윤조야-!"

윤조는 자신의 어머니와 동생들을 향해 검을 겨누고 있는 병사를 발견하고 몸부림을 쳤다. 그녀의 거센 몸짓에 인상을 찌푸린 파이옌이 멀리 계단 아래에서 윤조의 이름을 부르짖는 중년 여인과 어린 아이들을 바라봤다. 병아리의 엄마인가? 파이옌의 눈이 가늘어졌다. 목 놓아 서로를 부르며 울부짖는 두 모녀의 모습이 진정으로 격양된 탓이었다.

'이쪽 세상에 가족이 있다고 듣기는 했지만······.'

그는 불편한 심기를 감추며 혀를 찼다. 마음에 들지 않았다. 사실, 이 상황 중 파이엔의 마음에 드는 건 아무것도 없었다. 굳이 한 가지를 꼽자면 준영을 내려다볼 수 있는 시선 정도랄까. 아니, 조금 더 분명한 한 가지를 꼽자면 그의 것을 자신이 가졌다는 도취감뿐. 불필요한 감정이다. 그가 생각했다.

감상을 지운 그가 머릿속으로 시간을 계산했다. 곧 군대가 몰려올 테지. 더 여유 부렸다간 포위당한다. 파이엔이 무심한 시선으로 신호를 보내자 가면을 쓴 병사들이 물러났다. 그는 몸부림치는 윤조의 목을 강하게 잡아 자신과 마주 보게 했다.

"흡!"

순식간에 돌아간 고개가 파이엔의 얼굴 앞에 멈췄다. 아프게 목을 움켜쥔 그의 손에 급한 숨을 들이마신 그녀의 눈가가 눈물에 젖어 있었다.

"잘 들어. 지금부터 너는 나와 서국으로 간다. 허튼짓했다간 홍준영은 물론이고 너희 가족도 무사하지 못해. 반항하지 않는다면 민간인은 해치지 않겠다."

파이엔의 이야기를 들은 윤조의 두 눈이 떨려 왔다. 빠르게 고개를 끄덕이는 그녀의 모습에 파이엔이 고개를 돌려 준영을 향했다.

"봤지? 윤조는 나와 함께 간다."

"그렇게 놔둘 것 같나!"

"자기 검 하나 제대로 못 드는 팔 병신이 뭘 어쩌겠다고?"

그는 준영을 재차 도발하며 말고삐를 강하게 쥐었다. 땅을 박차고 곧장 앞으로 달려 나간 말이 준영을 향했다. 위협적으로 달려드는 군마를 간신히 피한 준영이 바닥을 뒹굴었다.

"대장군님-!"

멀어지는 윤조의 목소리가 아득했다. 준영이 비명처럼 그녀의 이름을 외쳤다. 자리를 벗어나는 파이옌의 모습에 사람들을 위협하던 괴혈단 병사들도 검을 거두고 도망치기 시작했다. 침공이라면 달아날 이유가 없다.

"대장군! 괜찮은가!"

온 황제가 외쳤으나 준영의 귀에는 아무 소리도 들리지 않았다. 달아나게 해선 안 된다. 절대. 검으로 땅을 짚고 일어난 준영이 급히 파이옌을 뒤쫓기 시작했다.

"폐하와 황후마마를 안전한 곳으로 뫼셔라!"

준영이 파이옌의 뒤를 쫓는 것을 시작으로 홍 장군이 연회장 안에 있던 병사들과 함께 달아나는 괴혈단을 향해 창검을 휘둘렀다. 사람들의 부축을 받은 온 황제와 황후가 다른 곳으로 피신하는 것을 확인한 그가 연회장 안에 모여 있던 사람들을 향해 외쳤다.

"모두 안전한 곳으로 피하시오!"

"하지만 우리 윤조가! 우리 윤조가-!"

"사부인, 어서 피하십시오. 이곳에 계시면 위험합니다."

홍 장군이 윤조의 어머니를 달랬으나, 눈앞에서 적국의 장수에게 납치당하는 딸의 모습을 목격한 어머니의 정신이 온전할 리 없었다. 나래가 급히 윤조의 어머니를 부축하며 홍 장군을 바라봤다.

"홍 장군님, 이곳은 저와 승상님이 있으니 걱정 말고 가 보세요."

"부탁하마."

병사들과 함께 멀어지는 홍 장군을 확인한 나래와 최 승상이 우왕좌왕하는 사람들을 피신시켰다. 그리고 축하연장 밖에서 소란을 듣고 달려온 병사들과 성내를 순찰하던 병사들을 모아 근방을 경계하게 했다. 나래가 남아 있는 병사들의 수를 확인하고 다급히 최 승상에게 물었다.

"병사들이 이것밖에 안 됩니까?"

"성문에서 교전을 알리는 봉화가 올랐으니 아마 그곳으로 몰려간 모양이다."

황궁 입구에서 진을 치고 있어야 할 군대의 모습이 보이지 않았다. 일부러 봉화를 올려 주의를 끈 것인가! 적이 외부도 아니고 황궁 안에서 습격을 해 올 줄이야. 나래가 멀리서 피어오르는 봉화를 노려봤다.

"완전히 당했어요."

구중궁궐九重宮闕. 아홉 번 거듭 쌓은 담 안에 자리한 궁궐이라는 말처럼 황성의 수비를 소수의 전력으로 뚫고 들어온다는 것은 사실상 불가능했다. 겹겹이 담을 지키는 병사들을 피해 백성들이 초대된 연회와 혼례로 경비가 취약했던 중심을 곧장 노리는 것은 더더욱.

'내부에 첩자가 있다.'

"제기랄!"

거하게 뒤통수를 맞았다는 사실에 나래의 입에서 욕지기가 흘러나왔다.

조금 전, 병사들과 함께 황궁 입구를 지키고 있던 길림은 멀리 성곽 위에서 피어오르는 봉화를 발견했다.

"봉화?"

멀리 피어오르는 봉화는 분명 전투가 벌어졌음을 알리는 봉화였다. 적습이라니? 자신이 보고 있는 신호가 진정이란 말인가? 길림의 머릿속이 혼란으로 가득할 때였다. 멀리서 아름답게 치장한 무희들이 헐레벌떡 달려오며 소리쳤다.

"적습! 적습입니다!!!"

헝클어진 머리카락을 풀어 헤친 채 눈물을 흘리는 그녀들의 외침에 길림과 병사들이 심상치 않은 상황을 깨달았다.

"무슨 일인가!"

길림의 외침에 무희 중 한 명이 숨을 고르며 성 정문을 가리켰다.

"저, 저희는 연회에 초청된 무희들입니다. 시간에 늦어 급히 오고 있는데 서국의 군대가 들이닥쳤어요! 어서 가서 막아야 합니다!"

다급한 무희들의 외침에 길림이 난처한 눈으로 황궁과 성문을 번갈아 봤다. 제대로 된 상황을 파악하기 전까지 황궁 앞에서 완전히 병사들을 물릴 수는 없다. 하지만 돌아본 곳, 성곽에서 선명하게 피어오르는 봉화에 그가 어금니를 깨물었다. 정말 적습이라면 이대로 있다간 수도가 위험하다.

"어서요!!!"

무희들의 외침에 길림이 병사들을 돌아보며 말했다.

"보병 한 분대는 자리에 남고 나머지는 나를 따른다!"

그가 황성의 방어를 위한 병사만을 남겨 둔 채 급히 떠나는 모습을 지켜보던 무희들이 볼 위로 흐른 눈물을 닦으며 미소 지었다.

"사내들이란, 여인의 눈물에 약해도 너무 약하다니까."

"아우, 내 머리 다 헝클어졌어. 공들여 장식한 머리인데."

"야, 난 신발 벗어 던지고 달렸거든? 하센 님, 어때요? 저희 연기 괜찮았죠?"

언제 눈물을 보였냐는 듯 왁자지껄하게 떠드는 무희들의 대화에 남아 있던 병사들이 당황하며 무기를 들었다. 무희들 가운데서 그 모습을 지켜보던 하센이 한숨을 쉬었다.

"병사들이 아직 남아 있지 않느냐?"

"아이참, 칭찬 좀 해 주시지!"

"맞아요! 어차피 우리 손에 다 죽을 텐데~"

무희들이 뾰로통한 표정으로 무장한 병사들을 돌아봤다. 병사들의 창검이 그녀들을 향했다. 정체를 밝히라는 병사들의 말에 맨 앞에 있던 연두색 의상을 입은 무희가 다른 무희들을 돌아보며 야살스럽게 미소 지었다.

"보고도 몰라? 꽃보다 아름다운 여희麗姬잖아."

한편, 여희단의 말에 속아 성문으로 향했던 길림은 부서진 성문과 충차를 확인하고 주위를 살폈다. 사방이 고요한 가운데 성벽을 지키던 병사들이 죽어 있었다. 속았다. 급히 고개를 돌려 황궁을 바라본 그가 소리쳤다.

"비상사태다! 나팔을 불어라! 전군! 속히 황궁으로 향한다!!!"

❖

멀리서 적습을 알리는 나팔 소리가 울렸다. 연이어 울려 퍼지는 나팔 소리는 흩어진 수도군을 중앙으로 불러모으는 신호였다. 파이옌이 초조하게 입술을 깨물었다. 병장기가 부딪치는 소리와 함께 몰려오는 군대의 발소리가 가까웠다.

"어디로 도망칠 셈이에요? 이쪽으로 가도 나갈 길은 없다고요!"

자꾸만 황궁 더 깊숙한 곳으로 말을 모는 파이옌을 향해 윤조가 소리쳤다. 그는 뒤따라오는 추격자가 있는지 고개를 돌려 확인하다 윤조를 향했다.

"우리가 어디를 통해 들어왔다고 생각해?"

비웃음 가득한 그의 표정에 불길함을 느끼기도 잠시, 파이옌이 곧장 군마를 몰아 도착한 곳은 일전에 윤조가 시장에 난 불을 잡기 위해 터뜨렸던 황실의 보였다. 그는 멀리 뒤따라오는 나투국 군사를 막으며 시간벌이를 하고 있는 괴혈단 병사들을 바라보며 혀를 찼다. 얼마 못 버티겠군.

그는 폭파된 보 안쪽으로 보이는 검은 통로를 가리켰다. 황실 외부에서 물을 끌어올 때 사용하는 수로였다. 그의 손끝을 따라 수로의 존재를 확인한 윤조의 눈이 크게 뜨였다. 설마, 수로를 통해서? 급히 고개를 들어 바라보는 윤조를 향해 그가 입매를 당겼다.

"수로의 존재를 알게 해 줘서 고마워, 병아리."

윤조는 그가 자신을 도와 화재 현장에 있었던 사실을 기억해 냈다. 황실 보를 이용해 물을 끌어다 쓴다는 작전을 들었던 파이옌이 나투국 황실 내부와 연결된 수로의 시작 지점을 알아낸 게 틀림없었다. 다급해진 윤조가 몸을 크게 들썩이며 소리치기 시작했다.

"도와주세요! 도와주세요!!!"

말 위에서 뛰어내리려는 그녀를 간신히 붙잡은 파이옌이 당수로 그녀를 기절시켰다.

"위험하니 얌전히 있어 달라고."

한편, 윤조를 데리고 사라진 파이옌을 쫓아 왔던 준영은 괴혈단의 병사들에게 가로막혔다. 그들 너머로 파이옌이 도망친 경로를 파악한 준영의 눈이 가늘어졌다.

"저 방향은 분명……."

파이옌이 도망친 곳은 분명 황실의 보가 위치한 곳이었다. 그곳은 막힌 곳일 텐데 어째서? 막다른 길목이 아니라는 가정하에 그곳에서 빠져나갈 만한 곳은 오직 한 군데뿐이었다.

'수로.'

황궁에 침입한 경로도 그곳인가. 그는 방향을 돌려 난리 통에 주인을 잃고 방황하던 말의 등에 올랐다. 필시, 수로를 이용했다면 황궁 서쪽 연못의 물도 빠져 있을 터. 연못과 연결된 수로를 이용한다면 따라잡을 수 있을지도 모른다. 말을 모는 준영의 몸짓이 다급했다.

❈

톡, 하고 차가운 물방울이 윤조의 얼굴 위로 떨어졌다. 움찔거리며 눈꺼풀을 떨던 그녀는 '후드득!' 하는 제법 요란한 소리와 함께 자신의 얼굴을 덮친 축축한 물기에 화들짝 놀라 정신을 차렸다.

"벌써 일어났어? 너무 살살 쳤나."

코앞에서 보이는 파이옌의 모습에 혼례 도중 그에게 납치당했다는 사실을 불현듯 깨달은 윤조가 비명을 지르며 몸부림쳤다. 하지만 어느새 팔다리를 묶어 놓은 것인지 단단히 고정되어 움직일 수가 없었다.

"윽! 이거 당장 안 풀어!"

"얌전히 있어라. 목소리 울린다."

두 사람은 어느새 수로 안이었다. 마주한 수로는 거대했다. 족히 말을 탄 사람이 지나다닐 수 있을 정도였다. 그들의 머리 위, 천장에 맺혀 있던 물방울이 후드득 바닥으로 떨어져 내렸다. 마치 조금 전까지는 물이 가득 차 있었던 것처럼. 그것에 생각이 미치자, 윤조의 시선이 수로 곳곳을 탐색했다. 천장도 벽도 바닥도 온통 물이 고여 있거나 흘러내리는 물의 흔적으로 가득했다.

보통의 수로는 항시 물이 가득 차 있는 상태다. 윤조가 터트린 보가 손상되어 수로를 점검했다고는 하나 그 이후 수로는 물론이고 황실의 보 역시 물이 가득 차 있었을 것이다. 파이옌이 축하연을 노려 수로로 침입을 시도했다 한들 그 안에 물이 가득 찬 상태에서는 진입이 불가능하다. 누군가 수로의 물을 뺐다. 그것도 축하연이 벌어질 시각, 황궁 안에 있던 누군가가.

"누구죠?"

윤조의 물음이 동굴 같은 수로 내부를 울렸다. 수로 안에 준비해 둔 횃불을 한 손에 들고 앞으로 나아가던 파이옌이 그녀를 바라봤다.

"뭐가?"

"당신이 수로를 통해 황궁 안으로 들어올 수 있게 도운 사람."

"오랜만에 만났는데 반갑다는 인사보다 그게 먼저야?"

"하, 참 반갑네요."

"말투가 좀 그렇다?"

"남의 결혼식 망쳐 놓고 그런 말이 나와요?"

"아, 그건 미안. 고의였지만 그래도 미안해."

"재수 없어!!!"

분하다는 듯 입술을 닷 발 내밀고 눈을 흘기는 윤조의 모습에 그가 피식 웃음을 흘렸다. 쌍욕 정도는 들을 줄 알았는데 재수 없다는 정도면 양호하다. 파이옌의 웃음에 윤조가 웃음이 나오느냐며 고래고래 소리쳤지만, 그녀의 입만 아플 뿐이었다. 그녀가 한숨을 쉬며 다시 주제를 옮겼다.

"장난칠 기분 아니에요. 말해요. 누구예요? 당신을 도운 사람."

"아아, 글쎄."

파이옌이 고개를 모로 기울였다.

"아마 나보다는 너와 친한 사람이 아닐까?"

그의 말에 윤조가 미간을 구기며 그를 노려봤다. 그 말인 즉 윤조와도 이미 안면이 있는 사람이라는 뜻이었다. 어쩌면 그녀와 꽤 자주 마주쳤던 사람 중 한 명일 가능성이 높았다. 그녀가 알고 지낸 사람들의 얼굴이 빠르게 스치며 눈앞을 지나쳤다. 대체 누구란 말인가, 배신자는. 감이 오지 않았다. 그녀가 아는 한 그녀가 떠올린 인물들은 나투국을 위해 헌신하며 일생을 살아온 사람들이었다.

그중 자신을 위협했던 혜린의 얼굴도 있었으나 윤조는 고개를 저었다. 아니다. 혜린 무녀는 이미 파이옌을 사로잡기 위해 군대를 이끌고 그와 맞선 적이 있다. 독사 사건 때문에라도 그녀에 대한 의심이 완전히 걷힌 것은 아니었으나, 논리적으로 생각할 때 혜린이 이제 와 파이옌을 돕는다고 이득이 될 만한 것은 아무것도 없었다. 오히려 독이 되면 모를까.

"나를 납치하는 이유는 뭐죠?"

"우리 황제 놈이 죽어 가."

서국의 황제가 죽어 간다? 파이옌의 대답에 윤조의 미간이 깊게 파였다.

"대장군님을 치료했던 것처럼, 서국의 황제를 치료할 목적인가요?"

"그렇지."

서국 황제의 상처가 깊다고 하더니 꽤나 위중한 모양이었다. 하긴, 긴급한 상황이 아니라면 이런 짓도 벌이지 않았겠지. 윤조의 머리가 빠르게 돌아갔다.

전쟁은 이미 종결되었다. 황제의 상처를 치료하기 위해서라면 양국 간에 사절을 보내 도움을 요청할 수도 있을 터. 세작의 일로 나투국의 인심이 들끓었다고는 하나 황제의 신변이 그 정도로 위태롭다면 공식적으로 도움을 청했을 것이다. 하지만 그러지 않았다는 건―.

"제가 그를 치료하면, 그다음은요?"

예리한 질문이었다. 대답 없는 파이옌을 바라보며 윤조는 질문을 멈추지 않았다.

"말해 줘요. 제가 서국의 황제를 치료하면 그다음은 어떻게 되죠? 저를 다시 돌려보내 줄 건가요?"

파이옌의 입술이 한일자로 꾹 다물렸다. 대답에 주저하던 그가 천천히 입을 열었다.

"아니."

윤조의 낯이 눈에 띄게 어두워졌다.

"서국의 황제는 다시 전쟁을 일으킬 생각이군요."

높낮이 없이 떨어지는 윤조의 음성에 파이옌이 그녀를 내려다보며 어금니를 깨물었다.

"그래. 머잖아 이 수도는 불바다가 될 거다."

마치 미래를 예견한 것 같은 말투였다. 말안장에 짐짝처럼 걸쳐
져 있던 그녀가 몸부림을 쳤다. 팔 다리가 묶인 탓에 자칫 머리부
터 바닥으로 추락할 수 있는 상황이었다. 놀란 파이옌이 그녀의 뒷
덜미를 잡아 올렸다.

"뭐 하는 짓이야! 위험하잖아!"

급히 말의 속도를 줄인 그가 윤조를 자신의 앞에 앉게 했다. 팔
이 등 뒤로 묶인 채 파이옌의 두 팔에 갇힌 꼴이 된 윤조가 고개를
돌려 그를 바라봤다.

"서국 황제를 살려 내면 전쟁이 일어날 게 빤한데 제가 그렇게
할 것 같아요?"

"살고 싶다면 놈을 살려야 할 거다. 녀석은 홍준영처럼 마음이
넓지 않아. 괜한 험한 꼴 당하지 말고 순순히 말 들어."

"하, 제 귀가 잘못됐나요? 납치하는 마당에 저를 무척 걱정하는
것처럼 들리네요."

"그래."

윤조는 비아냥거리는 자신의 말에 순순히 인정하는 파이옌을 의
문스럽게 바라봤다.

"걱정이 되니까 하는 소리다. 자존심 세우지 마라. 서국의 분위
기는 나투국과 전혀 달라. 생존을 위해서라면 고개를 숙여라. 비록
그게 죽기보다 싫은 일일지라도."

왠지 모를 분노가 서린 음성이었다.

"목숨을 부지하는 게 살 길이다. 죽고 나면 아무 소용 없어."

"당신이 그랬나요?"

"쓸데없는 질문은 그만하지 그래."

그는 그곳에서 어떤 일을 겪었던 걸까. 무엇인지는 몰라도 그가 이쪽 세계에서 태어나 살아온 삶이 자신만큼이나 녹록치 못했다는 건 알겠다. 분노를 담아 뇌까리면서도 파이엔은 의식적으로 윤조가 말 위에서 떨어지지 않게 양팔과 가슴으로 그녀의 몸을 지지했다. 그런 그의 배려를 윤조가 모를 리 없었다.

떠올려 보면 자신을 구하고 대신 다쳤을 때도 혹은 그 이전에도, 아니 어쩌면 처음부터 그랬다. 무엇이 그로 하여금 자신에게 호의를 갖게 만들었는지 분명하지 않았다. 필요에 의해서일 수도, 다른 이유일 수도 있다. 하지만 분명한 것은 그가 자신을 해치지 않을 것이라는 확신이었다.

"싫은데요? 억지로 끌려가는 마당에 입이라도 놀려야 속이 시원하겠어요. 당신은 내게 호의적이니 말을 멈출 이유가 없죠."

"이것 보게? 당돌한 병아리네?"

"아직 시작도 안 했는데 뭘요. 마음 같아서는 얼굴을 죄다 뭉개 버리고 싶은데. 내 손이 묶여 있는 걸 다행으로 여겨요."

"전부터 느낀 건데 내 얼굴에 무슨 불만 있어? 왜 그렇게 얼굴만 노리는 거야?"

"못생겨서 치우고 싶나 보죠, 뭐."

"누가 못생겼다는 거야!"

빈정대는 그녀의 말에 파이엔이 버럭 성질을 냈다.

"야! 솔직히 이 정도 얼굴이면 어디 가서도 안 빠지거든? 솔직히 그 허여멀겋게 샌님같이 생긴 홍준영보다 내가 낫지!"

"하? 대장군님의 단정한 미모를 지금 어디 양아치 같은 본인 얼굴과 비교하는 거예요?"

"뭐야? 양아치? 야! 너 진짜 말 막 한다?"

"하는 짓도 딱 양아치고만. 내가 틀린 말 했나 뭐!"

"와, 진짜 키는 밤톨만 한 게!"

흥분한 윤조가 휙 몸을 틀어 그의 턱밑에서 눈을 치켜떴다.

"누가 밤톨이라는 거야! 누가! 나도 남들처럼 삼시 세끼 다 먹고 컸으면 쑥쑥 클 수 있었거든!!!"

"아하, 그러셔요? 우리 병아리가 맘마를 못 먹어서 이렇게 작구나?"

"아 진짜 짜증 나!!! 당장 이거 풀어-!!!"

윤조가 성마른 고함을 지르며 난동을 피웠다. 달리는 말 위에서 미친 듯이 몸을 흔들어 대는 그녀의 행동에 파이옌이 기겁하며 손을 뻗다가 그만 그녀의 머리카락을 잡아당겨 버렸다.

"야, 좀 가만히 있어! 이러다 진짜 떨어진다고!"

"아악-! 지금 내 머리카락 잡아당겼어!!!"

"그건 네가 하도 몸을 흔드니까!"

순간 그리 멀지 않은 곳에서 준영의 목소리가 들렸다.

"윤조야-! 들리면 대답하거라! 윤조야!!!"

분명 그의 목소리였다. 목에 핏대를 세우며 파이옌을 향해 소리치던 윤조가 입을 다물고 귀를 기울였다. 준영의 목소리와 함께 빠르게 뒤를 쫓는 말발굽 소리가 들려왔다.

"대장군님!!!"

"젠장, 벌써 따라왔나."

위기감을 느낀 파이옌이 한쪽 팔로 윤조의 허리를 감싸 안은 채 속력을 냈다. 미로같이 얽힌 수로에서 길을 잃지 않기 위해 드문드문 횃대를 걸어 두었던 그는 이제는 거의 뒤까지 바짝 따라붙은 준영의 모습에 입술을 깨물었다.

"파이옌-!!!"

준영의 노호가 습하고 어두운 수로 안에 메아리쳤다. 군마가 달리는 자리 바닥에 고인 물웅덩이에서 거친 물보라가 일었다.

"당장 그녀를 놔줘!"

따라잡았다. 준영이 허리에 차고 있던 검을 뽑아 투창 자세를 취했다.

"이대로 달아나게 놔둘 것 같은가-!"

뒤돌아 준영을 확인한 파이옌은 금방이라도 검을 날릴 것 같은 그의 모습에 위기감을 느끼고 윤조의 뒷덜미를 잡아 그녀의 상체를 허공에 기울였다. 위태롭게 파이옌의 손에 잡혀 있는 윤조의 모습에 준영이 소리쳤다.

"이 개자식!!!!"

"그러니까, 나 서국의 광견이잖아."

준영은 어깨 위로 들었던 검을 회수했다. 잘못했다간 윤조가 다친다. 그의 이마에 식은땀이 흘렀다. 점점 가까워지는 준영과의 거리에 파이옌은 무거운 갑옷을 두른 자신의 군마가 지쳐 간다는 것을 깨달았다. 그는 말안장 한쪽에 걸어 놓았던 물통을 꺼내 뚜껑을 열고 바닥에 쏟아 냈다. 비릿한 동물의 기름 냄새가 윤조의 코끝을 찔렀다.

'기름? 이건, 설마!'

그녀가 급히 몸을 돌려 횃대를 바닥에 던지려는 파이옌의 팔을 잡으려 했으나 양손이 등 뒤로 묶인 상태였다.

"대장군님! 피해요!!!"

다급한 그녀의 외침과 동시에 바닥에 흘려 버렸던 기름에 불이 붙었다. 갑자기 바닥에서 솟아오르는 불길에 놀란 준영의 말이 앞 발을 치켜들었다. 간신히 말에서 떨어지지 않은 준영이 손으로 고삐를 강하게 당겼다.

"윤조야-!!!"

윤조가 필사적으로 몸부림치며 준영을 향했으나 그녀의 허리를 감싼 파이엔의 팔에 더욱 힘이 들어갔다. 멀어지는 그녀를 향해 소리치는 준영의 얼굴이 잔상이 되어 타오르는 불꽃에 이리저리 흔들렸다.

"서국의 병사들이 어떻게 황궁 안에 침입했단 말인가!!!"

분노한 온 황제의 음성이 회의장을 울렸다. 묘길은 그 옆에서 부상당한 황제의 상처 위에 손을 올려 신력을 불어넣었다. 순식간에 핏빛으로 물든 축하연에 모여 있던 모든 신료들도 하나같이 굳은 얼굴이었다. 윤조를 납치한 파이엔이 다행히 백성들은 해치지 않고 물러났으나, 자칫 황제를 암살코자 작정했던 것이라면 나라 전체가 위태로울 수도 있을 상황이었다.

그때 예고도 없이 회의실 문이 벌컥 열렸다. 온 황제를 더불어 신료들의 시선이 한곳을 향했다. 준영이었다. 그는 뒤따르는 길림과 함께 회의장 안으로 발을 디뎠다. 검게 그을린 갑옷을 입고 황제의 앞에 부복했다. 자리에 앉아 있던 황제가 벌떡 일어났다. 상석에서 내려온 그가 준영을 살폈다.

"일어나라, 준영아. 대체 어찌 된 것이냐?"

대장군이라는 호칭 대신 준영의 이름을 부른 황제의 낯에 걱정이 서렸다. 바라본 준영의 옷이며 뺨에 불길에 그을린 흔적이 역력했기 때문이다. 황제와 함께 급히 그 뒤를 따른 묘길이 준영의 상처를 살피며 인상을 썼다.

"화공에 당하신 겁니까?"

그녀가 치료를 위해 손을 가까이 하자 준영이 고개를 저으며 뒤로 물러났다.

"치료는 나중에 받겠습니다."

"하지만―."

"무녀장은 잠시 물러나시오."

온 황제가 묘길을 물리고 준영에게 가까이 다가섰다.

"대장군은 고개를 들고 짐을 보라."

황제의 부름에 고개를 든 그의 눈동자에 이루 말할 수 없는 상실감이 가득했다. 동시에 처절한 분노가 들끓었다. 손바닥이 움푹 파일 정도로 주먹을 그러쥔 그의 팔이 잘게 떨려 왔다.

지난 7년 동안의 전쟁에서도 이토록 분노한 적은 없었다. 이토록 치가 떨릴 정도로 분노가 온몸을 휘감은 일은 없었다. 목숨의 위협을 받았다 한들 이토록 궁지로 몰려 이성을 놓아 버릴 지경은 아니었다. 감정이 폭발할 듯했다. 자꾸만 떠오르는 윤조의 모습에, 자신을 부르짖는 그녀의 비명 같은 외침에. 간신히 비집고 나오는 감정을 틀어쥔 그가 입을 벌렸다.

"괴혈단은 황궁의 수로를 통해 침입했습니다."

그가 몸을 돌려 모여 있던 신료들을 살폈다.

"황궁 안에 있던 누군가가 황실 보와 수로에 있던 물을 빼 두었기에 가능한 일이었습니다."

낮게 가라앉은 음성에서 맹수의 울음소리와 같은 분노가 가득했다.

"황궁으로 몰려올 수도군의 방해를 피하기 위해 성 정문을 충차로 들이받고 봉화에 불을 피우는 대담함까지 보였습니다. 이는 축하연을 노리고 철저하게 계획된 일. 연회에 참여한 모든 신료들과 궁인들을 조사할 것을 허락하여 주시옵소서."

그의 요청에 주변에서 즉각적인 반응이 일었다. 대다수의 신료들이 입을 모아 자신들을 의심하는 것이냐며 목소리를 높였다. 그때 최 승상이 나섰다.

"대장군, 여기 있는 모든 신료들과 궁인들을 추국推鞫[1]하겠다는 것인가?"

준영의 요청을 힐난하는 것 같은 최 승상의 태도에 힘입은 몇몇 신료들이 소리쳤다.

"맞습니다! 이는 말이 안 되는 일입니다!"

"그렇지, 말이 안 되는 일이지. 괜한 시간 낭비 아닌가?"

최 승상이 계속해서 말을 이었다.

"승상인 나를 포함해서 황궁의 수로가 어디에서 시작되어 어디에서 끝나는지, 어디로 연결되며 어디로 이어지는지 알고 있는 사람은 손에 꼽을 터."

---

1) 추국(推鞫): 왕명으로 죄인을 추궁하는 일, 절차.

최 승상은 넓은 소매 안에서 부채를 꺼내 신료들을 지목했다.

"하지만 그와 더불어 이번 연회도감에서 주요 역할을 맡았던 인물들은 그들을 도왔던 궁인을 포함해 모조리 추국을 면치 못하겠지. 또한 파손된 수로의 공사를 맡았던 담당자와 수로를 설계한 토목관 또한 조사를 해야 할 것이고 말이야. 어디 보자, 그럼 이게 다 몇 명인가? 추국장이 넘쳐나겠군."

승상이 한탄하며 준영을 바라봤다.

"대장군, 제시간에 제자리를 지켰던 인물 외에 자리에 없었던 사람을 조사하게."

승상의 말에 황제도 동의하며 고개를 끄덕였다. 아무도 모르게 수로의 물을 뺐다면 연회가 한창일 때를 노렸을 것이다. 하물며 황제가 주관한 연회다. 중요성을 아는 인물이라면 모두 제자리를 지켰을 터. 승상의 말대로 그 시각, 자리에 없던 인물을 추려 내는 게 빠를 것이다.

"대장군, 이번 일로 그대의 분노가 큰 것을 안다. 짐 또한 그러하다. 이번 일은 사안이 사안인 만큼 짐이 직접 추국하겠다. 군사들은 지금 당장 연회 때 참석했던 모든 신료들과 궁인을 모이게 하라. 불복하는 자는 역모로 그 죄를 물을 것이다!"

황명을 받는 궁인들이 급히 황궁 곳곳으로 움직였다. 회의가 끝나자마자 준영은 곧장 밖으로 향했다. 이곳은 최 승상과 폐하께 맡긴다. 지금 자신이 있을 곳은 황궁이 아니었다. 길림이 그의 곁에 바짝 따라 붙었다.

"병사들을 모아라. 추격대를 꾸린다."

"직접 가실 생각이십니까?"

"그래. 국경에 파발은 보냈나?"

"예. 명받은 즉시 출발했습니다."

"필시 국경에 경계가 뚫린 지역이 있다."

"수로가 열렸던 것처럼 누군가가 국경을 넘게 해 주었을 가능성도 있습니다."

배후 세력이 국경까지 손을 쓴 상태라면 추격은 더더욱 힘들어진다. 서국에서 정예 부대를 보내 윤조를 납치하게 한 것은 필시 서국 황제의 신상과 연관이 있을 터. 죽음을 무릅쓰고 나투국 황궁까지 침입한 것을 보면 꽤나 급박한 상황일 것이다.

"서국에 심어 놓은 정보원들에게 연락은 없었나?"

"며칠 전에 연락이 왔을 때만 해도 딱히 의심 가는 정황은 없다고 했습니다."

"괴혈단을 직접 나투국 황궁으로 보낸 데에는 그만한 이유가 있겠지."

전쟁 당시, 아무도 그들의 등장을 예견하지 못했다. 지난 전쟁에서 준영과 홍 장군은 물론이고 서국의 장수 중 누구도 그들의 존재를 예견하지 못했기에 괴혈단의 급습은 아군에 큰 타격을 주었다. 아무도 그 조직의 생성을 몰랐다. 심지어 서국의 다른 장수들과 관료들조차. 오직 그들을 진두지휘한 서국의 황제 키얀 모르를 제외하고는.

"서국 황제의 독단이라고 보십니까?"

"놈의 성정으로 미루어 볼 때 나약한 모습을 드러낼 위인이 아니다. 더군다나 이런 공격적인 침투 방식이라니. 자칫 부대원 모두가 전멸할 수도 있는 작전이었다. 놈이 아니고서는 생각해 낼 수도 없어. 지난번처럼 어쩌면 서국의 관료들조차 이번 일을 모를 확률도

높겠지.”

확실히, 서국 황제는 다수의 목숨이 위태로울 것을 알고도 방어가 아닌 공격으로 응대하는 자였다. 길림은 지난 전투에서 괴혈단을 지휘하던 서국 황제의 공격성을 떠올렸다. 공격을 최대의 방어로 삼아 아군을 위태롭게 한 부대가 바로 괴혈단이 아니던가.

“예, 어쩌면 그 키얀 모르라면−.”

길림이 긍정하며 말을 이었다.

“서국의 수도는 전쟁 중에도 역병으로 어지러웠으니 자신의 목숨마저 위태로운 지금, 앞뒤 가릴 처지가 아니었을 겁니다. 하지만 귀족들은 황실과 달리 다시 전쟁을 치르는 것만큼은 피하려 하고 있죠. 지난 세작 사건만 해도 분쟁이 심했다고 했으니까요.”

지난 전쟁으로 나투국도 타격을 입었지만 가장 큰 타격을 입은 건 서국이었다. 나라의 재건도 힘겨운 상태에서 다시금 전쟁을 일으켰다가는 파멸로 치달을 수 있었다.

주기적으로 연락을 해 오는 정보원들에 따르면, 전쟁에서 패하고 전쟁을 주도했던 황족들 사이에서도 반대파인 귀족들과 함께 목소리를 높이는 자들이 늘었다고 했다. 그것만 봐도 현재 서국의 정세는 무척이나 위태로운 상황이 분명했다.

‘그럼에도 이런 선전 포고 같은 방식을 택했다라−.’

준영의 미간이 좁혀졌다. 그자, 아직도 포기하지 않은 건가? 다시금 전쟁을 일으킬 생각인가? 아니면 그저 죽어 가는 자의 필사적인 몸부림인가?

“윤조 님이 걱정입니다. 행여 치료하지 않겠다고 버티기라도 한다면−.”

"치료할 거다. 거부했다간 본인 목숨이 위태로울 것을 알 테니."

준영의 확언에 길림이 놀란 눈으로 그를 바라봤다.

"그가 회복되면 무슨 일을 벌일지 모릅니다!"

"치료하지 않으면 그녀가 죽는다. 그걸 바라나?"

"죄송합니다. 그런 뜻은 아니었습니다."

준영은 다른 때보다 날카롭게 튀어 나간 감정에 잠시 숨을 고르고 다시 말을 이었다.

"일은 이미 벌어졌다. 죽어 가는 이의 발버둥이 아니라면 멈출 생각이 없는 거겠지. 윤조는 상황 판단이 빠른 아이니 살길을 도모할 거다. 그리고 다른 방법을 찾겠지. 나는 그러길 바란다."

그간 준영이 지켜본 윤조라면 거부하다 죽임을 당하는 것보다는 살아서 탈출을 노릴 가능성이 컸다. 생존을 위해 지금껏 고된 나날을 보내 왔던 아이가 아닌가. 지금껏 살아남았다는 것이 자랑스럽다고 말했던 그녀다. 어리석은 행동으로 죽음을 택하진 않을 것이다. 그것은 다행이었다.

단지 걱정되는 것은 그녀가 다른 사람도 아닌 키얀 모르를 상대해야 한다는 점이었다. 파이옌이라면 몰라도 서국의 황제는 쉬이 얕잡힐 자가 아니다. 목숨을 빚졌다 하여 쉬이 마음을 내줄 사람도 아니다. 다른 건 몰라도 그는 지금껏 윤조가 경험하지 못했던 부류의 사람임이 분명했다.

기름진 녹지를 일구어 보편적으로 풍족한 생활을 영위하는 나투국과 달리, 애초에 전사의 나라라 불리는 그곳은 나라 자체가 척박한 바위산 위에 세워진 요새에 가까웠다. 나투국의 저잣거리에서 느낄 수 있는 인심이나 여유 따위는 통용되지 않는, 피에 젖은 싸움과 광기 어린 환호만이 자리한 세상. 약자에 대한 배려보다는 강자에 대한 우위가 절대적으로 중시되는 세상에 군림하는 황제란 그녀가 겪었던 사람들과는 판이하게 다른 종족일 것이다.

더군다나 그 잔혹성. 키얀의 잔혹성을 떠올린 준영의 낯빛이 어둡게 변했다. 어린아이나 힘없는 여인이라 하여 손속에 자비를 둘 상대가 아니었다. 그럼에도 버틸 것이다. 윤조라면, 자신을 만나기 전까지 치열하게 살아왔던 그녀라면. 버텨야만 했다. 반드시.

"구할 것이다."

그러니, 버텨 다오.

불길에 가로막힌 준영을 뒤로한 채 파이옌의 말은 어둠 속을 달렸다. 횃대를 버린 탓에 사방이 검었다. 멀리 빛이 보이기 전까지는. 앞으로는 말의 거친 숨소리와, 뒤로는 자신을 단단하게 붙잡은 파이옌의 체온이 느껴졌다. 윤조는 말없이 그의 손에 잡혀 있었다. 등 뒤로 묶인 팔에 힘을 주어 조금씩, 아주 조금씩 말이 뛰는 속도에 맞춰 힘을 주었다. 단검의 위치는 이미 확인했다.

'손만 자유로워지면 돼.'

억지로 손을 비틀수록 죄어드는 밧줄이 고통스러웠다. 그녀는 입술을 깨물었다.

갑자기 조용해진 윤조의 모습에 착잡한 시선을 보내던 파이옌은 굳이 그녀에게 말을 걸지 않았다. 출렁이는 말의 강철 갑옷과 달가닥거리는 말발굽 소리가 공간에 가득했다.

말발굽이 바닥을 박차고 허공에서 몸이 흔들리는 때 윤조는 다시 손에 힘을 주었다. 오른손은 거의 줄을 푼 상태였다. 그녀가 숨죽여 슬그머니 오른손을 빼내어 왼쪽 손목에 묶인 줄을 당기기 시작했다. 입구가 점점 가까워질수록 빛이 눈을 어지럽혔다.

'이때다.'

그녀의 눈이 내리감기는 것과 동시에 군마가 수로를 빠져나왔다. 일순 하얗게 느껴질 정도로 밝은 빛이 파이옌의 시야를 가렸다.

동시에 '스릉' 하는 예리한 날붙이의 소리가 들렸다.

순간적으로 가벼워지는 허리춤에 그가 손을 뻗었지만 그보다 단검을 쥔 윤조의 손이 조금 더 빨랐다.

"지금 뭐 하는-!"

강렬한 햇살을 정면으로 맞은 파이옌의 시야가 흐릿했다. 간신히 눈을 뜨자 보이는 건 어느새 손목을 묶은 밧줄을 풀어낸 채, 태양을 등지고 자신을 마주한 윤조의 모습이었다. 그녀가 겨눈 단검이 첨예한 빛을 발했다.

"날 놓아줘요."

빛을 등졌으나 빛을 지닌 그녀의 눈동자가 형형했다. 태양을 머금은 머리카락이 불어오는 바람에 황금빛 실타래처럼 이리저리 흩날렸다. 그녀의 등 뒤로 펼쳐진 초원의 풍경이 그러하듯.

"나를 놓아줘요. 돌려보내 줘요."

화가 난 것 같기도, 평온한 것 같기도 한 윤조의 음성은 상황에 비해 단조로웠다.

"위험하잖아, 병아리."

애써 당혹감을 숨긴 채, 가벼운 어조로 입을 연 파이옌이 항복의

의미로 두 팔을 들어 올렸다. 실없이 웃는 그의 낯에도 윤조의 표정은 변하지 않았다. 그녀는 오히려 언제라도 단검을 빼앗을 듯 거리를 재고 있는 그의 두 손을 확인하고 더욱 바짝 검날을 그의 목으로 향했다.

"손, 머리 뒤로 하고 맞잡아요."

"뭐?"

"두 번 말 안 해요."

파이옌의 목에 닿은 단검에서 피 한 방울이 흘렀다. 이거 만만치 않겠는데. 그의 등골을 따라 식은땀이 흘렀다. 애써 아무렇지 않은 척 표정을 감춘 그가 천천히 손을 내리며 머리 위에 올렸다.

"자, 네 말대로 할 테니까 이것 좀 치우라고."

윤조는 대꾸 없이 눈짓했다. 하는 수 없이 팔을 등 뒤로 한 파이옌이 그녀를 쳐다봤다.

"손, 맞잡아요. 허튼수작 부리지 말고."

"잡았어, 잡았다고. 자, 여기 보이지?"

확인시켜 주려는 듯 파이옌의 머리가 아래를 향했다. 순간 그의 목 가까이 단검을 대고 있던 윤조의 손이 움찔하며 뒤로 물러났다. 순간 고개 숙인 파이옌의 입매가 위를 향했다.

"그래, 그래야 마음 약한 병아리지."

윤조가 아차 하는 사이 순식간에 뻗어 온 파이옌의 주먹이 단검을 움켜쥔 그녀의 손을 세게 쳐 냈다. 공중으로 날아오른 단검이 호선을 그렸다. 윤조가 단검을 잡기 위해 몸을 날렸다. 그녀가 말 위에서 뛰어내릴 것이라고는 생각하지 못했던 파이옌이 급하게 그녀를 붙잡았다.

"다시 한번 말하지만, 그러다 목 부러진다."

짓이기듯 내뱉은 목소리가 거칠었다. 위험했다. 윤조의 옷을 붙든 그의 손이 땀으로 축축했다. 땅에 박힌 단검을 향하던 그녀의 시선이 파이옌을 향했다. 원망 어린 호박색 눈동자. 그럼에도 그 강렬한 빛이 오롯이 자신을 향한다는 사실이 기쁜 까닭은 무얼까. 이유 모를 기쁨도 잠시, 그에게서 벗어나기 위해 몸부림치던 윤조의 손이 그의 뺨을 강하게 때렸다.

"나한테 왜 이래요!"

"아야, 진짜 아프네."

"대체 나한테 왜 이러냐고!!!"

악을 쓰는 그녀의 눈가가 붉게 달아올랐다.

"죽이는 것도 살리는 것도 당신 마음대로라 이거야? 수도가 불바다가 될 거라고? 서국 황제가 전쟁을 포기하지 않았다고? 그걸 알면서 내게 그 사람을 치료하라는 거예요? 다시 수백, 수천의 사람이 죽게 될 텐데! 그걸 알면서도!!!"

"알면서도 하는 거다."

일순 윤조의 입이 다물렸다. 파이옌이 빨갛게 자국 난 뺨을 문지르며 그녀를 바라봤다.

"수백, 수천의 사람이 죽는 걸 알면서도 치르는 게 전쟁이니까."

그의 대답에 굳게 다물린 윤조의 입술이 파르르 떨렸다. 주먹 쥔 두 손이, 온몸이 분노로 타오르는 듯했다.

"대체 왜, 어떻게 그런 말을 그렇게 쉽게 할 수 있어요? 어떻게 그렇게 죽음을 쉽게-! 당신도 알잖아요. 지난 전쟁에 참전했잖아요. 그런데 왜! 대체 왜 그런 끔찍한 짓을 되풀이하게 놔두는 거예

요? 이전에도 이런 삶을 살았어요? 아니잖아요! 당신, 나와 같은
세상에서 왔다며. 대체 왜! 전쟁과는 거리가 먼 삶을 살아왔던 당
신이 왜 이런 선택을 하는 건지 나는 전혀 모르겠다고!!!"

울며 소리치는 그녀의 모습을 바라보던 파이옌의 표정이 이전과
달리 굳어진 것도 같았다. 다음 순간 태양 빛에 음영 진 그의 눈매
가 서늘한 빛을 띠었다.

"무엇 때문이냐고?"

처음으로 마주하는 그의 차가운 얼굴이었다.

"언제나 내 대답은 살기 위해서였다. 살아남기 위해서. 그게 아
니었다면 이 자리에 서 있지도 못했겠지."

'살아남기 위해서'라는 그의 대답이 사무치게 들려왔으나 여전히
이해가 되지 않았다. 살아남기 위해서라면 오히려 죽음의 위협이
있는 전쟁 따위는 멀리하고 평화롭게 살아가면 될 일이 아닌가!

"이해할 수 없어요. 살아남기 위해서 전쟁을 택한다구요? 살기
위해서 죽음이 난무하는 곳에 뛰어든다구요?"

"전에 내가 물었지. 너, 이전 생에 정말 미련은 없는 건지."

"갑자기 그게 무슨 말이에요?"

"너는 몰라도 나는 있다. 그러니 돌아가기 위해서, 파이옌이라는
이름이 아닌 우지훈이라는 원래 내 이름으로 돌아가기 위해서라면
무슨 짓이든 할 거다. 그게 이 세상에서의 전쟁이든, 살인이든 혹
은 그 무엇이든!"

마치 그때의 삶으로 돌아갈 수 있다는 것처럼 들리는 말이었다.

"무슨 뜻이에요? 지금 그 말, 다시 돌아간다는 그 말."

윤조는 보름 전 시장에서 자신을 향했던 그의 질문을 떠올렸다.

이곳에서 새로운 삶을 살고 있으니 과거의 삶은 모른 척해 달라는 자신의 말에 그는 이전의 삶에 미련 따위는 없는 것이냐고 물으며 화를 냈었다.

그래, 화를 냈었다. 그건 그냥 단순한 물음이 아니었다. 처음부터 단순한 이유가 아니었던 것이다. 흔들리는 그녀의 눈동자가 파이옌을 향했다. 파이옌의 입술이 천천히 벌어졌다.

"난 안 죽었어. 너는 죽어서 이곳에 왔는지 모르겠지만, 나는 죽지 않았다고."

🔱

황명을 받든 사람들이 추국장 안으로 모여들었다. 각계의 주요 신료들은 물론이고 연회에 참석했던 궁인들 모두가 모이는 자리였다. 병사들이 지키는 추국장 입구를 지나는 궁인들의 표정이 어두웠다. 제국을 배반한 배신자가 누구인지 추측하는 목소리도 높았다. 시녀와 함께 추국장으로 향하던 혜린은 번잡한 입구로 들어서다 길 가운데를 가로막은 누군가와 어깨를 부딪쳤다.

"윽."

"어머머, 아가씨 괜찮으세요?"

떠밀린 그녀를 호들갑스럽게 부축하던 시녀가 길을 가로막은 자를 살폈다. 그는 다름 아닌 문씨 가문에서 가주의 일을 보좌하는 저작랑著作郎[2]이었다.

---

2) 저작랑(著作郎): 귀족 가문 가주의 밑에서 문서의 초안을 맡아 보던 벼슬아치를 말한다.

"저작랑 아니십니까? 한데, 어디 아프십니까?"

시녀는 그의 몸이 몹시 떨리고 있다는 것을 깨달았다. 한겨울 추위도 물러간 지 오래인데 마치 호환마마라도 만난 사람처럼 온몸을 바들바들 떠는 게 아닌가.

"식은땀도 나는 것 같은데 어디 아프신 것 아닙니까?"

걱정스러운 시녀의 말에 화를 내려던 혜린도 그를 보며 의아한 눈을 했다.

"어디가 많이 안 좋으십니까?"

혜린의 물음에도 그는 넋이 나간 채 식은땀을 흘릴 뿐이었다. 그러다 문득 정신을 차렸는지 자신의 앞에 서 있던 혜린과 시녀를 발견하고 머리가 땅에 닿을 듯이 조아렸다.

"죄, 죄송합니다, 아가씨. 정말 죄송합니다. 정말 죄송합니다. 소인이 죽일 놈입니다. 소인이 진정 죽일 놈입니다. 아가씨, 정말 죄송합니다. 죄송합니다……."

땅바닥에 엎드릴 기세로 연신 사죄하는 그의 모습에 혜린이 의아한 기색을 띠었다. 바라본 저작랑의 두 눈엔 이미 초점이 없었다. 얼굴 위로 비 오듯 흘러내리는 땀이며, 입가에서 침까지 질질 흘리는 그의 모습에 혜린이 뒷걸음질 쳤다.

"아무래도 몸이 많이 안 좋은가 봅니다. 이만 들어가 보겠습니다."

더러운 것을 피하듯 혜린이 저작랑을 지나쳤다. 아버님께서 부른 것인가? 한눈에도 병색이 짙은 자를 황궁에 들이다니. 수행을 맡길 사람이 그리 없는지. 그녀는 대수롭지 않게 그의 곁을 지나쳐 추국장으로 들어갔다. 뒤따르던 시녀가 뒤돌아 저작랑을 살폈으나 그는 여전히 고개를 조아리고 있을 뿐이었다.

"좀 이상한데요. 분명 아침까지만 해도 멀쩡했던 분이 왜 저렇게……."

시녀의 말에 혜린이 혀를 찼다.

"그리 신경 쓰이면 가 보지 그러느냐?"

"아, 아닙니다. 저는 아가씨를 뫼셔야지요."

"됐으니 아버님을 찾아 보거라."

"예, 알겠습니다."

혜린은 멀어지는 시녀를 바라보다 상석으로 고개를 돌렸다. 폐하께서는 아직인가. 어좌 앞뒤로 진을 친 병사들을 살피던 그녀는 준영의 모습이 보이지 않는다는 것을 깨달았다.

"대장군은 어디 계시는 거지?"

이리저리 시선을 옮기다가, 황제보다 먼저 상석에 오르던 무녀장 묘길과 눈이 마주친 혜린이 가볍게 묵례했다. 언제부터 쳐다보고 있었던 걸까? 흰색과 보라색. 묘길은 늘 그렇듯 신비로운 색으로 물든 채 혜린과 눈을 마주하며 미소 지었다.

그때 추국을 알리는 북소리가 울렸다. 온 황제의 등장에 추국장 안의 모든 사람들이 바닥에 엎드려 예를 갖췄다.

"모두 고개를 들라."

자리에서 일어난 사람들이 고개를 들고 상석을 향했다. 온 황제는 평소와 달리 무척이나 심기 불편한 표정이었다. 그가 진중히 입을 열었다.

"다들 이곳에 모이라고 한 이유는 알고 있을 터. 짐은 오늘 적장을 황궁에 끌어들이고 나라를 어지럽힌 역적을 잡아 단죄할 것이다. 최 승상, 이리 주게."

황제의 곁으로 다가간 최 승상은 들고 있던 두루마리를 건넸다.

이번 축하연에 참가한 모든 사람들의 신상이 적힌 문서였다. 그중 이름 앞에 붉은색으로 점이 찍힌 자들이 있었다. 주요한 시간에 연회장을 벗어난 이들이었다.

"이자들을 모두 앞으로 나오게 하라."

"예, 폐하."

최 승상의 신호에 대기 중이던 병사들이 사람들을 끌어내기 시작했다. 곳곳에서 작은 비명이 터졌다. 문 비서랑을 찾아다니던 혜린의 시녀는 자신의 앞으로 병사들의 손에 끌려가는 저작랑을 발견하고 눈을 크게 떴다. 대체 뭐가 어떻게 돌아가는거람! 가주님도 보이지 않는데, 저작랑이 용의자로 잡혀가다니. 시녀가 아무리 주위를 살펴도 문 비서랑의 모습은 보이지 않았다.

두루마리에 기록된 붉은 점이 찍힌 사람 모두를 황제의 앞에 대령한 병사들이 그들의 주변을 에워쌌다. 사람들 사이에서 상황을 지켜보던 혜린의 곁으로 시녀가 조용히 돌아왔다.

"아버님은?"

"이곳에 안 계신 것 같습니다."

"그게 무슨 소리야? 아버님이 이곳에 안 계시다니?"

초조하게 주변을 살피던 시녀가 목소리를 낮추고 속삭였다.

"아무래도 이상합니다. 문 비서랑님도 보이시지 않고, 저작랑이 병사들에게 끌려갔습니다."

시녀의 말에 추국장 앞으로 끌려 나간 사람들을 살피던 혜린의 눈이 커졌다.

"저자가 왜 붙잡혀 있는 것이냐?"

저작랑이 끌려 나간 이유는 단명했다. 그가, 연회의 주요한 시간대에 자리를 비웠기 때문에. 그를 연회에 대동할 만한 사람은 자신 외에 아버지인 문 비서랑뿐이었다. 그런데 아버지가 보이지 않는다? 뭔가 이상했다.

"아버님을 찾아야 한다."

불길한 예감에 혜린이 부리나케 사람들을 헤치고 추국장을 벗어나려 했다. 하지만 출입구는 창을 든 병사들로 막힌 상태였다. 빠져나갈 방법이 없었다. 추국장은 어느 곳을 둘러봐도 밖으로 나갈 만한 길이 보이지 않았다. 그때 출구를 가로막은 병사들 너머로 지나가는 한 무리의 무희들이 보였다.

"저들은 누구인가?"

혜린의 물음에 병사 하나가 뒤돌아 무희들을 확인했다.

"이번 연회에 참석하기로 했던 무희들입니다."

"그런데 왜 저들은 그냥 돌려보내는 것이냐?"

"시간에 늦어 연회장에 발조차 붙이지 못했으니 돌려보내는 거지요. 이런 난리 통에 운이 좋은 무희들입니다."

"참석하지 못했다?"

혜린의 눈이 가늘어졌다. 묘한 기시감이 들었다. 무희들을 좇던 그녀의 시선이 푸른 옷의 무희에게 닿았을 때, 무희가 뒤돌아 그녀를 향했다. 무희의 얼굴을 확인한 그녀의 얼굴이 경악으로 물들었다.

"저자는……!"

놀란 그녀가 무희들을 향해 나아가려 했다. 익히 아는 얼굴이었다. 무희 복장을 하고 베일에 얼굴이 반쯤 가린 채였으나 그 얼굴을 잊을 리 없었다. 저자는 분명 보름 전 파이옌과 함께 도망쳤던 서국의 첩자다.

복면을 했던 당시의 모습과 겹쳐지는 무희의 모습에 혜린이 급히 나아가려 했다. 혜린과 눈이 마주친 하센은 병사들에게 막혀 나오지 못하는 그녀의 모습을 무심하게 바라보다 걸음을 빨리했다. 멀어져 가는 무희들을 바라보며 혜린이 외쳤다.

"비켜라! 저년을 잡아야 한다!"

"나가실 수 없습니다."

"저년은 서국의 첩자다! 보름 전 적장 파이옌과 함께 달아났던 첩자란 말이다!!!"

혜린의 말에 놀란 병사들이 망설이는 기색을 보였으나 이미 무희들은 자리를 뜬 후였다. 소란함에 상석에 올라 있던 황제가 이를 발견하고 소리쳤다.

"무슨 일인가!"

"폐하! 소녀 혜린이옵니다! 조금 전 서국의 첩자가 황궁을 빠져나갔습니다. 속히 잡아야 합니다!"

'첩자'라는 단어에 온 추국장이 술렁였다. 소상히 고하라는 황제의 명령에 혜린이 다급히 소리쳤다.

"무희 복장을 하고 있는 여인들입니다! 보름 전 적장 파이옌과 함께 도망쳤던 자를 그 안에서 보았나이다!"

"병사들은 속히 무희들을 잡아들여라!"

어명이 떨어지기가 무섭게 일대의 병사들이 추국장을 빠져나갔다. 그 뒤를 쫓으려던 혜린을 붙잡은 건 멀리서 들려오는 최 승상의 목소리였다.

"혜린 무녀. 그대는 어딜 가려 하는가?"

돌아본 자리, 상석에서 이쪽을 향하는 최 승상의 시선이 매서웠다.

"무희들이 정말로 첩자라면 좋겠지만, 그대는 추국장을 벗어나려 했던 것인가?"

"그것은—."

쉬이 입을 떼지 못하는 혜린의 모습에 이를 바라보던 온 황제의 눈이 가늘어졌다.

"문 비서랑은 어디에 있는가?"

온 황제의 입에서 나온 물음에 추국장 안에 모여 있던 사람들 모두가 문 비서랑을 찾아 고개를 돌렸다. 그러나 그의 모습은 보이지 않았다.

"추국장 안에 없는 것 같습니다."

병사의 보고에 온 황제가 자리에서 벌떡 일어났다.

"문 비서랑은 어디에 있느냐!"

정확히 혜린을 향한 고함이었다. 치맛단을 그러쥔 혜린의 손에 땀이 찼다. 대체 아버님은 이런 때에 어디에 계신 것인가! 자칫하면 역모로 몰려 집안이 멸문할 수도 있는 상황이었다. 정신을 가다듬은 그녀가 한 걸음 나서며 황제에게 말했다.

"폐하, 소녀 아비인 문 비서랑이 보이지 않아 찾고 있었나이다. 필시, 비서고祕書庫[3]에 계실 것이옵니다. 아버님을 모셔 올 수 있게 허락하여 주시옵소서!"

극비 문서가 가득한 비서고는 비서랑이나 비서감의 직책을 받은 문씨 가문의 사람이 아니라면 자유롭게 열람할 수 없게 되어 있었다. 상황을 파악한 온 황제가 비서고에 사람을 보내 문 비서랑을

---

[3] 비서고(祕書庫): 황실의 비밀 기록만을 모아 둔 서고. 문씨 가문의 관리하에 있다. 문씨 가문 외에는 황족이라 할지라도 열람이 통제된다.

찾을 것을 명령했다. 그러자 혜린이 외쳤다.

"폐하, 병사들을 보낸다면 비서고를 지키고 있는 다른 병사들과 큰 마찰이 있을 것입니다. 소녀 홀로 조용히 아버님을 모셔 올 수 있게 허락하여 주십시오."

"폐하, 아니 될 말입니다! 병사들을 보내 혜린 무녀를 감시하도록 하옵소서."

최 승상이 나서며 접어 둔 부채로 추국장 앞에 끌려 나온 사람 중 한 명을 가리켰다.

"폐하, 저자는 문 비서랑을 보좌하는 저작랑입니다. 이번 사건에 문씨 가문이 연루된 정황이 있을지 모르니 이대로 혜린 무녀를 혼자 보내선 아니 되옵니다."

"승상! 말씀이 지나치십니다! 저희 아버님이 역모를 꾀하기라도 했다는 겁니까!"

"그건 두고 보면 알게 되겠지."

"폐하! 이는 모함이옵니다! 대승상이 제 가문과 아버님을 욕되게 하고 있나이다!"

"조용히 하라―!"

황제가 최 승상이 가리킨 저작랑을 확인하고 말했다.

"무녀 혜린은 병사들과 함께 비서고로 가 문 비서랑을 데려오라."

어명을 들은 혜린의 사나운 시선이 최 승상을 향했다. 표독스러운 그녀의 표정을 정면으로 마주하고도 여유롭게 부채를 펼친 최 승상은 혜린이 병사들과 함께 추국장 밖으로 나가는 것을 확인하고 옅은 미소를 지었다. 그가 부채를 접으며 황제를 향했다.

"폐하, 다시 추국을 시작하시지요."

한편, 병사들의 감시를 받으며 비서고로 향하는 혜린의 발걸음이 무거웠다. 그녀의 곁에 선 시녀는 무장한 병사들을 두려운 눈으로 바라보며 그녀에게 속삭였다.

"아가씨, 가주님께서 비서고에 계실까요? 계시겠죠?"

"계셔야만 한다."

세게 깨문 혜린의 입술에서 핏기가 사라졌다. 반드시 비서고에 계셔야 한다. 그렇지 않으면―. 아니, 그럴 리가 없다. 아버님께서 역모를 일으켰을 리가 없다. 최소한의 탈출구도 만들어 놓지 않고, 자식인 내게 한마디 언질도 없이 무모하게 일을 저지를 분이 아니다. 만약 아버님이 비서고에 없다면 홀로 도망치기라도 했단 말인가!

"아니, 아닐 것이다. 분명 비서고에 계실 것이다. 출입이 통제되어 어명을 전달받지 못하신 것뿐이다. 반드시 그럴 것이다."

혜린의 머릿속에서 복잡한 생각들이 서로 얽히길 반복했다. 어느덧 비서고에 다다른 병사들이 일렬로 멈춰 섰다. 그녀가 병사들을 지나 비서고 안쪽으로 향했다. 비서고 입구를 지키던 병사들이 그녀를 알아보고 기다렸다는 듯이 양옆으로 갈라섰다. 병사들이 자신에게 길을 터 준다는 것은 문 비서랑이 비서고 안에 있다는 뜻이었다.

"여기서부터는 혼자 다녀오겠습니다. 병사들은 비서고의 복도 출입이 금지되어 있습니다."

그녀는 안도했다. 자신의 생각대로 문 비서랑은 비서고 안에 있음이 틀림없었다. 시녀를 잠시 병사들과 함께 기다리고 있게 한 그녀가 홀로 비서고의 복도로 들어섰다. 근심으로 무거웠던 걸음이 점차 가벼워졌다. 굳어 있던 그녀의 표정이 풀어졌다.

"아버님, 아버님, 소녀 혜린입니다. 안에 계십니까?"

긴 복도를 지나 문 비서랑이 있을 법한 비서고의 가장 안쪽에 다다른 그녀가 닫힌 문을 가볍게 두드렸지만 들려오는 대답은 없었다. 집중을 하셔서 듣지 못하시는 건가? 업무를 볼 때면 빈번하게 있는 일이었다.

"아버님, 폐하의 명으로 왔습니다. 잠시 안으로 들어가겠습니다."

낡은 미닫이가 마찰하는 소리와 함께 닫혀 있던 문이 열렸다. 쏟아진 햇살이 빗금처럼 서고 안을 가로질렀다. 그리고 그 가운데, 천장에 매달려 이리저리 흔들리는 발이 있었다.

"아버님?"

한순간 실성한 사람처럼 혜린이 넋 나간 표정으로 입을 틀어막았다. 밧줄에 목이 옥죄인 채 천장에 매달려 흔들리고 있는 이는 분명 자신의 아비인 문 비서랑이었다.

"아버님이 왜……."

차마 말을 잇지 못한 그녀의 무릎이 힘없이 꺾였다. 바닥에 주저앉아 대답 없는 아비를 바라보는 그녀의 두 눈에 눈물이 차올랐다.

"어째서, 어째서 이런……."

바닥을 기다시피 하며 비서고 안으로 들어간 그녀가 간신히 몸을 일으켜 문 비서랑을 바라봤다. 그는 이미 숨이 끊어진 채였다. 호흡이 가빠 왔다. 숨을 쉬기가 힘들었다. 충격으로 머리가 아찔한 가운데, 탁자를 그러쥐던 그녀의 손끝에 걸리는 물체가 있었다. 탁자 위 곱게 접힌 화선지. 마치 죽은 이의 서신 같은.

혜린이 급히 손을 뻗어 서신을 펼쳤다. 그것은 유서였다. 그것도 자신의 아비인 문 비서랑이 역모의 죄를 저지른 뒤 참담한 마음을 이기지 못하고 자진한다는 내용의.

"이럴 리가."

유서에는 유려한 필체로 지금까지 서국과 내통한 정황이 빼곡히 적혀 있었다. 분명 문 비서랑의 필체였다.

"이럴 리가 없어. 이럴 리가. 아버지께서 이런-!"

멀리서 병사들의 목소리가 들렸다. 시간이 없었다. 정신을 차린 혜린이 유서를 품 안에 챙긴 채 달아날 곳을 찾기 시작했다. 어떻게 해서든 가문이 멸하는 것만은 막아야 했다. 아버님의 죽음이 절대 역모로 이어져선 안 됐다. 유서가 발견되면 자신은 물론이고 가문 전체가 죽음을 면치 못할 것이다. 이대로 끝낼 수는 없다. 이대로는 절대.

하지만 빠져나갈 구멍이 보이지 않았다. 역모로 추정되는 사건이 일어났고, 대장군의 정혼자가 납치되고, 문 비서랑이 죽었다. 더군다나 문 비서랑을 보좌하는 저작랑까지 용의자로 붙잡힌 상태다. 누가 보아도 정황이 명확한데 어찌 멸문을 막을 수 있단 말인가!

끝이다. 이젠 정말 끝이다. 병사들에게 잡힌다면 분명 공개 처형을 면치 못할 것이다. 백성들 앞에서 역적 가문으로 낙인찍힌 채 수치스러운 죽음을 맞이할 수는 없었다. 절대 그렇게 비참한 죽음으로 사라질 수는 없었다.

'비밀 통로.'

긴박한 상황 속, 문득 혜린의 기억 속에 떠오르는 것이 있었다.

"비밀 통로! 그래! 어딘가에 조부님께서 말씀하셨던 비밀 통로가 있을 거야-!"

오래전 할아버지께 들은 기억이 있었다. 비서고를 짓던 시절, 화재로 비서고의 모든 문서를 잃을까 염려되어 만들어 두었던 지하 통로가 있다고.

비서고의 문을 걸어 잠근 혜린이 샅샅이 내부를 수색하기 시작했다. 찾아야 한다. 찾아야 해. 이곳에서 나가야만 해. 죽은 아비가 바로 근처에 매달려 있다는 것도 잊은 채 그녀는 살기 위해 있는 힘을 다해 비밀 통로를 찾았다.

'어디야. 대체 어디야. 어디에—!'

그때였다. 바닥을 더듬던 그녀의 손이 땅속으로 움푹 들어갔다. 깜짝 놀란 그녀가 손을 떼자 앞에 있던 책장이 뒤로 밀려나며 비밀 통로가 드러났다.

한참이 지나도 혜린이 돌아오지 않자 시녀가 초조하게 제자리를 맴돌았다. 손가락을 깨물며 비서고 복도를 힐끗거리던 시녀는 점점 험악해지는 병사들의 분위기에 발만 동동 구를 뿐이었다.

"아가씨가 왜 이리 늦으시지……."

시간이 지체되자 병사들이 직접 비서고 안으로 들어가려 했다. 비서고를 지키는 병사들과 한차례 마찰이 빚어졌다. 무장한 병사들이 엎치락뒤치락하는 가운데 혜린의 시녀가 비명을 지르며 구석으로 몸을 피했다.

황명을 받든 병사들이 수적으로 우세해서인지 얼마 못 가 비서고의 입구가 뚫렸다. 복도를 가로질러 달려가는 병사들의 모습에 시녀는 나무 뒤에 숨은 채 숨을 죽였다. 어쩌면 좋아, 저러다 아가씨

가 다치기라도 하신다면-! 걱정과 불안이 뒤섞인 눈으로 주시하고 있는데, 비서고 안으로 들어갔던 병사들이 비명을 질렀다. 또 그중 일부는 밖으로 달려 나오며 소리쳤다.

"잡아라! 반드시 찾아야 한다! 멀리 도망가진 못했을 것이다!"

숨어 있던 나무를 지나치는 병사들의 외침에 시녀가 놀란 눈을 했다. 도망이라니? 누구를 말하는 거지? 설마, 아가씨가 도망을 쳤단 말인가? 그때 비틀거리며 밖으로 달려 나온 한 어린 병사가 바닥에 토악질을 하며 비서고 안을 가리켰다.

"사람이! 안쪽에 시체가-!"

시체? 시녀의 안색이 파랗게 질렸다. 시체라니! 대관절 누구의 시체를 말함인가! 치맛단을 그러쥔 그녀가 급히 비서고를 향해 달려갔다.

"시체라니! 대체 그게 무슨 말입니까!"

비서고 앞에 서 있던 병사들을 밀치고 안을 확인한 시녀의 눈이 황망히 커졌다.

"가주님!!!"

비명 같은 부르짖음이 비서고를 울렸다. 차게 식은 문 비서랑의 몸뚱이는 그때까지도 공중에서 천천히 흔들리고 있었다.

"큰일 났습니다! 문 비서랑이 자진했습니다!"

비서고에서 돌아온 병사의 보고에 추국을 이어 가던 온 황제와 최 승상의 표정이 굳어졌다.

"자진이라니! 문 비서랑이 죽었단 말인가?"

황제의 물음에 병사가 고개를 조아리며 답했다.

"예, 폐하. 비서고 안에서 목을 매단 채 죽어 있는 것을 발견했습니다."

"그런! 혜린은? 같이 갔던 혜린 무녀도 비서고에 있는 것이냐?"

"송구합니다, 폐하. 혜린 무녀가 사라졌습니다."

"사라지다니? 그게 무슨 말인가!"

온 황제가 자리에서 벌떡 일어나며 소리쳤다. 그의 곁에 있던 최 승상이 앞으로 나서며 병사를 추궁했다.

"그 말은, 문씨 가문의 영애가 도망쳤다는 뜻인가!"

"아무래도 그런 것 같습니다, 승상. 분명 비서고 안으로 들어가는 것을 보고 철통같이 지키고 있었는데 시간이 지나도 돌아오지 않아……."

"밖으로 나오지도 않았는데 감쪽같이 없어졌단 말인가?"

"예. 분명 비서고 밖으로는 아무도 나오지 않았습니다."

참으로 이상한 일이었다. 들어간 사람은 있으나 나온 이는 없다. 그런데 안에 들어간 사람이 감쪽같이 사라지다니! 미간을 좁힌 황제가 짚이는 것이 있는지 최 승상을 돌아봤다.

"옛 기록에 비서고 내에 비밀 통로가 있다고 했지."

처음 듣는 말이었다. 비서고에 그런 공간이 존재 했다니.

"혜린이 그곳을 알아낸 걸까요?"

"어쩌면. 영민한 아이가 아닌가."

"폐하, 혹 그곳이 어디로 연결되어 있는지 아십니까?"

"내가 알기로는 수도의 우물로 연결되어 있네. 그 비밀 통로를 만들어 둔 이유는 화재로 기록이 소실될까 염려했기 때문이지. 하지만 누군가 그것을 악용해 기록을 밖으로 가져 나올 것을 대비해 우물을 통과해야만 출구를 찾을 수 있도록 만들었다고 했네."

비서고의 문서를 작성하는 먹물은 특별해서 물에 젖는 즉시 붉게 변하며 흐려지는 성질이 있었다. 우물이라. 그렇게 해서 기록의 유출을 막으려던 것인가. 최 승상이 골몰했다. 제국 내에 있는 우물은 황궁 근처만 해도 다섯 곳이 넘는다. 하지만 방도가 없었다. 최 승상이 급히 병사들을 향해 소리쳤다.

"병사들을 총동원해 우물을 수색한다! 한 곳도 빠짐없이 찾아봐야 할 것이다!"

✦

"대장군! 흔적을 찾았습니다!"

같은 시각, 준영은 길림과 함께 황궁 밖으로 난 수로의 출구에서 파이옌의 흔적을 찾는 중이었다. 한 병사가 물기 어린 바닥에 난 말발굽 자국을 발견했다. 그때 반대편에서 다른 병사의 외침이 들려왔다.

"대장군님! 이쪽에도 있습니다!"

다른 방향으로 난 두 개의 흔적. 시간을 벌려는 것인가. 준영이 발자국을 확인하고 고개를 들어 발자국이 나 있는 방향을 바라봤다. 같은 곳을 바라보던 길림이 손에 묻은 흙을 털어 내며 말했다.

"이쪽은 우회로고 저쪽은 곧장 국경으로 향하는 진입로입니다. 어디로 갔을까요?"

보편적으로는 우회로를 택하겠지만 이번은 상황이 조금 달랐다. 나투국 내부에 있는 배후의 도움으로 황궁에 진입했다면 국경에 있는 영지에서도 다르리란 보장이 없었기 때문이다.

준영은 파이옌이 수로를 통해 황궁에 침입했다는 것을 안 직후 국경 부근의 영지 중 서국과 내통하는 곳이 있을 것이라 예상했다. 그의 예상이 맞는다면 파이옌은 진입로를 이용할 것이다. 하지만 만약 아니라면? 갈등하는 사이에도 그는 계속 멀어질 것이다.

"젠장."

파이옌이 국경을 넘기 전에 윤조를 구해야만 한다. 그렇지 않으면-! 마음이 급한 탓에 평정심을 유지하기가 힘들었다.

머리 위로 내리쬐는 태양이 뜨거웠다. 그때 머리 위로 매 울음소리가 들렸다.

삐이이이———!

윤조가 치료했다던 그 매였다. 준영의 머리 위를 맴돌던 매가 땅으로 무언가를 떨어뜨렸다. 가까이 다가가 확인한 준영은 그것이 윤조가 치장하고 있던 혼례용 머리 장식이라는 것을 알았다.

"이건……."

그가 머리 장식을 주워 들고 매를 바라봤다. 매는 이윽고 진입로 쪽으로 방향을 틀어 날아가기 시작했다.

저쪽이다.

"모두 말에 올라라! 저 매를 따라간다!"

준영이 진입로를 따라 국경으로 향하고 있을 무렵, 윤조와 파이옌은 그보다 앞서 평야를 지나 작은 산을 오르고 있었다. 윤조는 이전보다 더욱 단단히 손과 발이 묶인 상태였다. 순간 타고 있던 군마가 크게 흔들렸다. 동시에 몸이 쑥 아래로 떨어지는 느낌에 그녀가 자신도 모르게 비명을 질렀다.

"악!"

"아, 이런."

말의 상태를 확인한 파이옌이 인상을 썼다. 화들짝 놀라 그에게 달라붙어 있던 윤조는 자신을 내려다보는 그의 시선에 기겁하며 거리를 벌렸다. 잠시 뒤, 말에서 내린 그녀의 입에서 한숨이 흘렀다.

"갈수록 태산이라더니, 파이옌 당신 정말⋯⋯."

가관이라는 단어를 일부러 삼키며 혀를 차는 그녀의 눈빛에 극도의 모멸감이 어려 있었다. 자신을 업신여기는 것 같은 그녀의 한숨에 파이옌이 버럭 소리쳤다.

"갑옷이 무거워서 그래! 갑옷이 무거워서! 거기다 너까지 태웠잖아! 잔말 말고 너도 내려와서 같이 밀어!"

"하? 내가 왜요? 잡혀가는 마당에 납치범을 도와줄 이유가 있나?"

진흙탕에 빠진 군마를 바라보던 윤조가 능청스럽게 하품했다.

"밧줄을 풀어 주시든지."

"그랬다간 도망치겠지."

"도와 달라면서요? 싫으면 말고."

흥, 하고 고개를 돌려 버리자 쌍시옷을 들먹이며 욕을 해 대던 파이옌이 그녀의 다리를 묶었던 밧줄을 풀어 주며 말했다.

"다리만이야. 손은 안 돼."

"그럼 말을 어떻게 밀라고!"

"몸으로 밀어!"

파이옌의 말에 어처구니없다는 시선으로 그를 노려보던 윤조는 말 위에서 내려오기 무섭게 파이옌을 발로 차 진흙탕에 넘어뜨렸다. 질척한 진흙 위를 뒹구는 그의 모습에 '오예' 하며 주먹을 쥔 그녀가 빠르게 달아나기 시작했다.

"이런 씨, 야─!!!"

허우적거리며 진흙탕에서 일어난 파이옌이 뒤도 돌아보지 않고 달아나는 윤조의 뒤를 급히 쫓았다. 추격전은 오래가지 못했다. 멀리 가지 못하고 붙잡힌 윤조가 짜증스럽게 발을 굴렀다.

"악! 이거 놔! 더 세게 걷어찼어야 했는데!"

"아오, 이걸 그냥! 말이라도 못 하면!!!"

가까운 나무 아래 윤조를 묶어 둔 파이옌이 진흙 범벅이 된 겉옷을 벗어 던지며 성질을 냈다. 그는 자신을 향해 끝까지 혀를 날름거리며 약 올리는 윤조를 보며 감탄했다.

"참 나, 쬐끄만 게 드세기만 해서는. 야, 병아리."

"왜, 이 멍청아."

"뭐? 멍청? 후, 내가 참는다. 참아."

"안 참으면 어쩔 건데?"

"이게 진짜! 야, 시끄럽고. 여기 늑대 나와. 요란 떨지 마."

"나오긴 뭐가 나와? 늑대? 거짓말도 좀 그럴듯해야 믿든지 말든지 하지."

"지금 거짓말할 상황으로 보이냐?"

"……."

진지한 그의 말에 잠시 눈을 굴리던 윤조가 조심스럽게 되물었다.

"진짜로……?"

"어. 빨리 지나가야 해. 어물거리다 정말 떼로 나온다."

생존이 걸린 문제라면 말이 달라진다. 윤조가 심각한 표정으로 파이옌을 바라보자 파이옌이 진흙탕에서 나오지 못하는 말을 가리키며 고개를 까딱거렸다.

"밀어."

지극히 짧은 명령조였다.

"내가 진짜 살다 살다 납치범을 도와주게 될 줄이야!"

"그 납치범 소리 좀 그만하면 안 되냐?"

말을 밀던 윤조가 무슨 소리냐며 파이옌을 바라봤다.

"납치범한테 납치범이라고 하지 그럼 뭐라고 해요? 범죄자? 흉악범?"

"뭐야?"

"나를, 그것도 내 결혼식 날 군대를 이끌고 파투 낸 사람이! 신부 납치라고요! 신부 납치! 대한민국이었어도 감방 갔어!"

"신부 납치라니. 그거 꽤나 로맨틱한 죄목이네."

"미친놈. 무슨 말이 통해야지."

"이게!"

"아오! 몰라!!! 좀 더 세게 밀어 봐요! 남자가 힘도 못 써!"

"야! 화살 맞고 보름 만에 정상 생활이 가능할 거 같냐? 이게 진짜 남 속도 모르고!"

파이옌이 아픈 옆구리를 움켜쥐었다.

"다 나은 거 아니에요?"

"내가 무슨 슈퍼 히어로냐?"

퉁명스럽게 받아치는 그의 말에 윤조는 문득, 그가 길림이 쏜 화살을 피한 적이 있다는 준영의 이야기를 떠올렸다.

"화살도 피했다면서요?"

"화살?"

"길림 부관님이 쏜 화살을 피했다고 하던데."

"아아, 마령협곡 전투 때 말하는 건가? 홍준영이 그러디? 내가 화살 피했다고?"

"불길도 뚫고 나왔다던데."

"아, 그때 정말 죽는 줄 알았지. 홍준영 목을 벨 수 있었는데 아깝게 됐어."

파이옌의 말에 정색한 윤조가 말을 밀던 손을 멈추며 그를 노려봤다.

"혼자 밀어요."

으르렁, 이를 드러내는 윤조의 표정에 파이옌이 키득거렸다.

"장난이야, 장난. 화살 뭐 피했었지. 까딱하면 머리가 뚫릴 뻔했다고."

그는 자신의 이마를 톡톡 두드렸다. 다시금 양손으로 말을 밀던 윤조는 안 되겠던지 뒤돌아 등으로 말의 엉덩이를 받치고 밀기 시작했다.

"끙! 그걸 어떻게 피했다고요? 보통 사람이라면 못 그럴 텐데."

그녀의 말에 잠시 고민하던 파이옌이 천천히 입을 열었다.

"일종의 어드밴티지advantage야. 내 민첩성은."

"어드밴티지?"

"살아남기 위해 이 세계가 나에게 부여한 능력이랄까? 조사한 바로는 이쪽으로 넘어왔던 과거의 사람들 모두 하나씩 특출 난 재능이 있었다더군."

"과거의 사람들? 이곳으로 넘어온 사람이 우리 말고도 또 있었단 말이에요?"

"맞아."

전혀 몰랐던 사실이었다. 저쪽 세상에서 죽지 않은 상태로 이쪽 세상에 오게 되었다는 파이옌의 말도 그렇거니와 이전에도 우리와 같은 사람들이 있었다니. 지금껏 자신이 다른 세상에 환생한 줄로만 알고 있었던 윤조였다. 모르는 사실이 너무도 많았다. 자신이 다시 태어난 이 세계는 대체 어떤 곳이란 말인가.

"나는, 모르겠어요. 당신이 죽지 않고 이 세계로 왔다는 말도 그렇고, 지금 그 말도 하나같이 처음 안 사실이고. 어디서부터 믿어야 할지…….

"너는 이 세계에서 환생했다고 철석같이 믿는 것 같았으니 그럴 만도 하지."

군마가 간신히 진창을 빠져나왔다. 온몸에 힘이 빠진 파이옌이 마른 바닥에 털썩 주저앉아 나무에 등을 기댔다.

"후, 다른 세상의 사람이 이곳으로 오게 되면 한 가지씩 능력이 주어지는 것 같아. 나는 민첩성이고, 너는 신력인가?"

"신력은 대대로 피에서 피로 전해지는 능력이랬어요."

"그럼 특정 능력을 강화하는 게 네 능력일지도 모르겠네. 나투국 건국 이래로 너만큼 강력한 신력을 지닌 무녀도 없었다고 들었는데. 무녀장인 묘길을 제외하면 말이야."

"특정 능력 강화라. 어쩌면요. 그럼 당신은 그런 능력이 있다는 걸 어떻게 알았죠?"

"알 수밖에. 이전과는 다르게 보이거든. 속도가."

속도가 보인다? 의문하는 윤조를 바라보며 그가 설명을 이어 갔다.

"우지훈인 나는 평범했어. 체대에 다니긴 했지만 신체 기능은 다른 사람과 다를 게 없었다고. 하지만 지금은 아니야. 지금은 보여. 검이 휘둘러지는 것도, 화살이 날아오는 것도, 사람들의 움직임도. 제아무리 빠른 속도로 다가오는 것이라도 그것보다 먼저 몸을 움직일 수 있어."

"슬로 모션처럼 보인다고 이해하면 될까요?"

"어! 정확해. 슬로 모션처럼 보여. 싸움에는 탁월한 능력이지."

"그래서 막을 수 있었군요. 대장군님의 검."

보름 전, 홍씨 가문의 저택에서 싸움이 벌어졌을 때. 준영은 분명 파이옌의 사각지대를 파악하고 그의 머리 위로 검을 내리쳤다. 누구보다 신속하고 빠른 동작이었다. 하지만 파이옌은 그 검을 막았다. 마치 검이 떨어질 자리를 미리 알고 있었다는 듯이.

"사각지대도 없는 건가요?"

"시야각이 넓거든."

"완전 야생 동물이네요."

"야, 인간적인 예우는 좀 지켜 주지?"

그녀는 파이옌의 핀잔을 듣는 둥 마는 둥 자신만의 생각에 빠져들었다. 단순히 민첩성만 부여됐다고 보기에는 시력도 향상됐다. 이 세계가 이곳으로 넘어온 다른 세상의 사람에게 한 가지의 능력을 부여한다고 했으니, 그의 능력은 민첩성이 아니라 신체 능력의 향상일 것이다. 민첩성이 좋아졌다고 해도 눈이, 다른 신체가 따라가지 못하면 소용없게 되니까.

이 세계에 관해 그가 거짓말을 하는 것 같지는 않았다. 그렇다면 만약, 자신도 그와 같은 상태라면 이 세계가 자신에게 부여한 능력은 무엇일까?

'파이옌의 추측대로 신력의 강화일까?'

확신할 수는 없지만 지금으로서는 그렇게밖에 생각되지 않았다. 이 세계에 태어나 살아오면서 신체적으로는 별다른 특이점이 없었으니까.

하지만 왜, 다른 세상의 사람에게 이 세계가 그런 능력을 부여하는 것이며, 또 왜 사람마다 부여받는 능력이 각기 다른 것일까? 파이옌의 말대로 살아남기 위해 능력을 부여한 것이라면 대체 그 이유는 무엇일까? 이 세계는 무엇 때문에 다른 세상의 사람을 받아들였으며, 또 왜 특정한 능력을 주고 살아남게 하는 것일까? 의문이 꼬리에 꼬리를 무는데, 순간 파이옌의 고함이 들렸다.

"야! 내 말 듣고 있어?"

"아, 뭐라고 했죠?"

"출발한다고 했다. 출발한다고."

나름 시간을 끌었다고 생각했는데 파이옌이 꺼낸 해시계를 확인하니 얼마 지나지 않았다. 추격대와의 격차를 조금이라도 줄여야 하는데. 그런 윤조의 생각을 읽기라도 한 듯 파이옌이 윤조의 손목을 묶은 줄을 잡아당기며 빙그레 미소 지었다.

"머리 굴리는 소리 다 들린다."

쳇, 눈치는 빨라서는. 관찰한 바, 파이옌은 계획적인 스타일은 아닌 반면 눈치가 빠르고 임기응변에 능한 스타일 같았다. 신체 능력까지 향상됐으니 더할 나위 없이 좋은 조건이다. 육감에 의존하는 야생 동물 같으니. 다시금 불손해지는 그녀의 눈빛에 파이옌도 삐뚜름한 표정을 지었다.

"너 지금 속으로 내 욕 했지?"

"들렸어요?"

"진짜냐!"

"욕으로 랩을 해도 모자라죠. 들어 볼래요?"

"됐다, 됐어."

질색하는 그를 향해 윤조가 미심쩍다는 듯이 물었다.

"그런데 늑대 나온다는 말 진짜예요?"

"진짜라고."

"그냥 말 빨리 밀게 하려고 거짓말한 거 아니고요?"

"내가 그런 쓸데없는 거짓말을 왜…….'

일순 파이옌이 입을 다물었다. 심각하게 굳어지는 그의 표정에 윤조가 흠칫 뒷걸음질 쳤다.

"뭐, 뭐예요. 그렇게 무섭게 노려보면 뭐."

"셋 하면 엎드려."

불길한 예감. 갑자기 늑대 이야기를 하다 말고 엎드리라니. 설마 등 뒤에 늑대가? 미동하지 못하고 눈동자만 굴리는 그녀를 향해 파이옌이 소리쳤다.

"하나 둘 셋-!!!"

순간적으로 바닥에 납작 엎드린 윤조의 머리 위로 파이옌의 손이 내려앉았다.

"큰절 자알 받았다?"

툭툭 머리를 두드리는 그의 손길에 상황을 파악한 윤조의 얼굴이 점점 붉게 달아올랐다.

"야-!!!"

잔뜩 약 오른 윤조의 외침이 산속에 메아리쳤다.

✦

같은 시각, 서국 황제의 침실 창가로 날아든 까마귀가 메마른 사
내의 팔 위로 내려앉았다. 하센이 보낸 까마귀였다. 손놀이를 하듯
까마귀를 올린 팔을 빙그르르 돌리던 키얀은 내심 즐거운 미소를 머
금었다. 그때 침소 문이 열리며 황자 스안이 시녀와 함께 들어왔다.

"아바마마, 소자 아바마마의 식사를 가져왔습니다."

고개 숙여 문안 인사를 올리던 스안은 키얀의 팔에 올라앉은 까
마귀를 발견하고 눈을 반짝였다.

"소식이 왔나요?"

"그래, 소식이 왔구나."

키얀이 침대 위로 올라오는 스안의 머리를 가볍게 쓰다듬었다.
그는 까마귀의 다리에 묶인 서신을 풀어 읽어 내려갔다.

"무녀를 데려온다는군."

파이옌의 성공 소식에 스안이 기뻐하며 서신을 받아 읽었다.

"파이옌도 무사한 것 같습니다. 사나흘 정도 걸릴 것 같다는 걸
보니 추격대가 붙은 모양이지요?"

"우리 황자가 똑똑하구나."

키얀이 스안의 머리카락을 만지작거리며 창밖으로 시선을 돌렸
다. 보름 전보다 야윈 턱 선이 위태로움을 자아냄과 동시에 날카롭
고 서늘한 분위기를 더해 묘한 인상을 그려 냈다.

"하나 추격대는 걱정 말거라. 국경을 넘지 못하고 죄다 죽을 것이니."

◈

"아직도 삐졌냐?"

"몰라요."

파이엔의 물음에 윤조가 삐딱하게 대꾸했다. 그의 얼굴에 박치기라도 할 심산으로 몸을 크게 움직였으나 파이엔의 움직임이 더 빨랐다. 목뒤가 잡힌 윤조가 신경질적으로 머리를 털었지만 그뿐이었다.

"단단히 삐졌네. 애네, 애."

"야!!!"

"어허, 야라니. 내가 너보다 나이 더 많거든? 너 여기 오기 전에 몇 살이었어?"

"먹을 만큼 먹었다! 왜!"

"아, 진짜 몇 살이었는데?"

"스무 살."

까칠한 윤조의 대답에 파이엔이 그것 보라며 손가락질했다.

"거 봐! 내가 더 많잖아! 나는 스물- 스물? 너 스무 살이나 먹었어?"

"하? 내가 스물이건 서른이건 댁이 무슨 상관?"

"진짜 스무 살이야?"

"그럼 가짜 스무 살도 있어요? 이번에 성인식 치르고 막 무녀 됐거든요? 그러는 그쪽은요?"

"스물."

올해로.

덧붙이는 그의 말에 윤조가 뭐 이런 놈이 다 있냐며 길길이 날뛰었다.

"동갑이네, 동갑! 나이가 더 많기는 무슨!"

"야, 그래도 너 그 얼굴에 그 키에 스무 살은 좀……."

"죽고 싶다고요?"

"하하. 아니."

파이옌과 윤조가 함께 탄 군마가 다시 산길을 달리기 시작한 지 얼마나 지났을까? 점점 멀어지는 수도에 불안해진 윤조가 뒤돌아 길을 살피다 파이옌과 시선이 마주쳤다.

"왜요, 뭐요!"

그녀의 반응에 파이옌이 비웃음을 머금었다.

"왜? 백마 탄 왕자님이라도 오실까 봐?"

"백마 탄 대장군님이거든요?"

"왕자는 아니지만 그래도 성공했네. 한 나라의 대장군의 아내라."

"누가 파투 내서 서약식도 제대로 못 했죠."

"아, 그랬어? 그럼 아직 남남이네."

"하, 서약식만 망친 거지 혼례는 한 거나 다름없거든요! 어느 주둥인지 그런 말이 잘도 나옵니다?"

"입만 험해져서는. 야, 그런데 동갑이라며. 왜 계속 존댓말해? 안 불편해?"

"그쪽이 불편한 사람이라 존댓말 씁니다. 거리 두려고. 동갑이라고 괜히 친한 척하지 말란 뜻이죠."

"아, 그러셔."

살살 윤조의 신경을 건드리며 장난을 치던 파이옌은 그녀의 나이가 자신과 같은 스무 살이라는 점이 어쩐지 석연치 않았다.

"그런데 병아리 너, 어쩌다 여기로 오게 됐다고 했지? 사고가 났다고 했었나?"

"네, 사고요."

"무슨 사고였는지 구체적으로 말해 줄 수 있어?"

이상한 기분이 든 윤조가 뒤돌아 그의 얼굴을 바라봤다.

"그건 갑자기 왜요?"

"아니, 그냥. 나랑 비슷한 거 같아서."

"그쪽도 사고당했어요?"

"어. 교통사고."

그의 대답에 윤조가 흠칫 어깨를 움츠렸다. 좋지 못한 기억이 떠올랐기 때문이었다.

"저도 교통사고였어요."

"그래?"

헤드라이트를 켠 오토바이가 자신에게 다가오던 순간이 선명했다. 눈을 질끈 감은 윤조가 말안장을 움켜쥐었다.

"오토바이가……."

"오토바이?"

입을 열던 윤조가 도리질을 치며 말을 돌렸다.

"아니에요. 그러는 당신은요? 사고가 나서 이 세계에 오게 됐다면 자신이 죽지 않았다는 건 어떻게 알죠?"

무언가를 더 물으려던 파이엔도 힘들어 보이는 그녀의 모습에 모른 척 대답했다.

"사고 직후가 아니야. 내가 이곳에 온 건."

그는 맨 처음 자신이 이 세계로 왔을 당시를 떠올렸다. 교통사고 직후 그가 눈을 떴을 때는 병원이었다. 간호사가 말하길, 수술 후 3일 만에 깨어난 것이라고 했다. 그전에도 의식이 돌아왔었다고 들었으나 기억은 없었다. 그러던 중 그는 문득 자신과 함께 다친 사람이 있다는 것을 떠올렸다. 함께 병원에 실려 온 사람은 없는지 묻자 간호사는 중환자실을 가리켰다.

―다행히 고비는 넘겼는데 혼수상태예요.

바로 귓가에서 들리는 것 같은 간호사의 음성에 상념에서 깨어난 파이엔이 숨을 몰아쉬었다.

"아무튼, 내가 이곳에 온 건 입원해 있던 중이야. 멀쩡히 회복하는 중이었다고. 죽었을 리 없잖아."

"그럼 당신은 아기로 태어난 게 아니에요?"

"아니야. 눈을 떠 보니 서국 빈민가 깡촌이었지."

대답하면서도 떠올리기 싫은 듯 그의 미간이 구겨졌다.

"원래는 죽었었다고 하더군. 지금 내 몸."

충격적인 사실이었다.

"죽었었다고요?"

"그래. 죽은 아이의 몸이었다, 이 몸은. 주변 사람들 말로는 숨이 멎은 지 반나절 만에 다시 살아났다더군."

그가 처음 파이엔의 몸으로 깨어났을 때, 온몸에서 느껴지는 엄청난 고통에 치를 떨어야 했다. 팔이며 가슴, 배, 다리 등 할 것 없이 온통 멍투성이인 몸은 원래의 피부색을 알아볼 수 없을 정도로 검붉은 핏기와 보랏빛이 가득했다. 그것이 우지훈이었던 그가 파이옌이라는 노예 신분의 아이의 몸에서 처음 눈을 떴던 때의 일이었다.

"부모도 연고도 없다. 이 세상은 내가 있어야 할 곳이 아니야. 내 몸은 원래의 세상에 살아 있고, 나는 돌아갈 방법을 찾았지. 살기 위해서 무슨 짓이든 해야 했다."

짓이기듯 말을 마친 그가 고개를 돌려 윤조를 바라봤다.

"그런데 너는 아닌 것 같더군. 어머니가 있으니까 말이야."

"어, 그렇죠. 저는 어머니가 계시죠. 아버지도 계셨구요."

"친부모가 맞나?"

"무슨 뜻이에요?"

"정말 너를 낳은 부모가 맞느냔 말이야."

그의 말에 당연하지 않느냐고 소리치려던 윤조가 입을 다물었다. 모르겠다. 이렇게 그의 이야기를 들으니 모든 것이 혼란스러웠다.

하지만 그녀는 분명 태어났을 때의 기억이 있었다. 사고를 할 수 없는 갓난아이였음에도 자신을 대한민국의 '신채영'이라고 인식할 수 있었다. 그 기억은 너무도 강렬했고, 너무도 선명해서 도저히 자신과 분리할 수 없는 것이었다. 동시에 이쪽 세상에서 갓 태어난 자신을 품에 안고 어르던 어머니의 모습 또한 선명했다.

"나는 갓난아이로 태어났어요. 분명 기억한다구요!"

"글쎄, 인간으로서는 사고한다는 게 불가능했던 시절의 기억이 분명한지 나는 잘 모르겠다. 그리고 네가 나와 같다면 태어났던 게 '너'는 아닐 테지. 애초에 네가 어머니라고 여기는 그 여자 배에서 태어난 건 죽은 아이이고, 네가 그 아이의 몸에 들어간 걸지도 모르니까."

"그런……."

말도 안 되는 소리라며 따지려 했으나, 어쩌면 그의 말이 맞을지도 몰랐다. 만약 그의 말대로라면? 지금껏 이러한 사실을 모르고 있던 자신이 만약 그와 같다면? 어쩌면 '나'는 윤조의 몸을 차지하고 있는 '신채영'일지도 모른다. 그런 이유로 '신채영'이 나 자신이라고 느껴지는 이 모든 기억을 조금도 부정할 수 없는 것이라면, 정말 그런 것이라면…….

머리가 아팠다. 익숙했던 모든 것이 기괴한 현실로 다가왔다. 견딜 수 없는 괴리감에 윤조가 입술을 깨물었다.

"그럴 리가 없잖아. 그렇죠? 아니죠? 사실 이것도 다 꿈인가? 내가 결혼 전에 너무 긴장을 해서……."

두려움이 느껴지는 목소리에 파이옌이 가만히 손을 들어 그녀의 뒤통수에 꿀밤을 놓았다.

"차라리 정말 꿈이라면 좋겠다. 나는 너 구하느라 화살 맞은 몸까지 이끌고 지금 이 고생을 하는 거거든?"

"누가 이런 짓 하래요? 목숨 건진 것도 내 덕분이면서!"

윤조의 말에 파이옌이 눈을 가늘게 떴다.

"신력을 써서 나를 구했다는 자각은 있었나 봐? 엄청 혼란스러워 보이던데."

"무의식이었어요. 당신이 아니었더라도 살렸을 거예요."

"아, 그러셔? 무의식? 어중간하게 고쳐 놓고 생색은."

"뭐라고요?"

"목숨을 구해 준 은인한테 너무 짠 거 아니냐?"

"그쪽이야말로 따지고 보면 내가 은인인데 너무한 거 아니에요? 어찌 됐건 내 덕에 살았잖아요! 나는 피 같은 금화까지 빌려줬는데!"

"아, 그건 잘 쓸게."

"뭐야?"

"쓰라고 준 거잖아? 잘 써야지, 그럼."

"참 나, 기가 막혀서 정말."

아픈 뒤통수를 문지르며 분해하던 그녀가 문득 파이엔을 돌아봤다.

"그런데 왜 그랬어요? 그때."

"뭐가."

"왜 나를 구해 줬냐구요."

다치면서까지.

속도를 볼 수 있는 눈과 민첩한 육신이 있으니 자신을 구하려고 들지만 않았다면 피할 수 있었을 것이다.

"그야, 우리 황제 놈이 너를 원하니까……."

"무녀는 저 말고도 많잖아요. 굳이 대신 다치면서까지 나여야만 했던 이유가 있어요?"

"네가 홍준영 상처 치료했다며. 그러니 그랬지."

"정말 그것 때문에 목숨을 걸었다고요?"

빤히 쳐다보는 그녀의 시선에 파이엔이 무어라 말하려다 말고 고개를 휙 돌려 버렸다. 마치 부끄러움을 타는 새색시인 양 달아오른 그의 목에 윤조가 징그럽다는 듯 인상을 썼다.

"무슨 의미예요? 지금 이 반응은?"

"꼬치꼬치 그만 캐물어라, 좀."

"이해가 안 가서 그렇잖아요."

"그러게, 나도 모르겠네. 내가 왜 그런 쓸데없는 짓을 했는지!"

어금니를 꽉 깨물며 웃어 보이는 파이옌의 얼굴에 윤조가 콧방귀를 뀌었다.

"흥, 모르는 게 자랑인가?"

멍청이.

덧붙이는 그녀의 말에 파이옌의 입이 벌어졌다 다물리길 반복했다. 아오, 이걸 그냥 쥐 패 버릴 수도 없고! 말싸움으로는 끝도 없겠다, 끝도 없어.

그만하자며 둘러댄 파이옌이 다시 고개를 돌려 정면을 향하는 윤조의 뒷모습을 힐끗 바라봤다. 자신의 양팔 안에 다소곳이 앉은 윤조의 모습을 지긋이 바라보는 그의 손에 힘이 들어갔다. 열손가락이 말고삐를 힘껏 그러쥐었다. 그녀의 뒷모습에 닿았다가 떨어지긴 반복하는 그의 시선이 야트막한 한숨 같았다.

그렇게 꼬박 하루를 더 달려 몇 개의 산과 들을 지난 파이옌이 말을 세웠다. 하늘은 어느새 동이 터 오고 있었다.

"내려."

"여기가 어디에요?"

"잔말 말고 내려. 이걸로 얼굴 가리고."

새벽 공기가 차가웠다. 파이옌이 말을 멈춘 곳은 국경과 가까운 어느 영지였다. 아직 나투국 영토를 벗어나지도 못했는데 말에서 내리는 그의 모습에 윤조가 의아한 눈을 했다. 그녀는 파이옌이 던져 준, 모자가 달린 장옷을 둘러썼다.

'우회로가 아닌 진입로로 왔다. 산을 넘어왔으니 국경 부근이 확

실할 텐데. 위치가 어디쯤일까?'

윤조가 살았던 마을은 국경에서 가장 동쪽 끝에 자리했다. 무녀 후보생으로 수도에 가기 전까지 그곳을 벗어나 본 적이 없기에 국경 근방에서 자란 그녀조차도 이곳이 어딘지 알 수 없었다. 그녀는 학관에서 봤던 대륙의 지도를 떠올렸다.

산을 지나는 동안 북쪽에 위치한 호수가 나오지 않았으니 산꼭대기 길이 아닌 다른 방향으로 넘어왔다. 돌아가신 아버지께서 국경 근처의 산은 동쪽으로 절벽과 산세가 험하다고 했다. 동쪽이 아니라면 서쪽으로 온 것인가? 산등성이 어느 쪽을 타고 내려왔는지에 따라 위치는 다르겠지만, 추측하면 이곳은 국경의 중앙에서 좀 더 서쪽으로 벗어난 지역일 가능성이 높았다.

'진입로로 곧장 온 것도 그렇고, 나투국 영지에 들어와서 말을 멈추는 것을 보면 분명 국경에도 내통자가 있다.'

아니나 다를까, 허름한 빈 건물 안에 군마를 묶어 두고 파이옌을 따라가자 영지 초입, 출입 통제소에서 그를 마중 나온 사람들이 있었다.

"어서 오십시오."

뒤로는 영지의 병사들을 대동하고 파이옌을 웃는 낯으로 맞이하는 중년 사내는 분명 나투국 사람이었다. 윤조는 마른 체구에 검은 머리카락과 검은 눈동자가 선명한 사내를 살피며 눈살을 찌푸렸다. 국경 영지를 다스리는 성주는 지방 호족들로 총 다섯이었다. 내통자가 있다면 그들 중 하나일 것이라 여겼는데 파이옌을 마중하는 이는 뜻밖에도 갑옷을 입은 군인이었다.

"병마절도사兵馬節度使 박유라고 합니다. 기다리고 있었습니다."

병마절도사라면 수도에서 국경 지역을 관리하라고 직접 파견 보낸 관리가 아닌가? 내통자가 국경에 거주하는 귀족일 거라 단정 지었던 윤조는 뒤통수를 얻어맞은 것처럼 입을 벌렸다.

뚫린 것은 국경이 아니다. 중앙이다. 철저하게 중앙에 구멍이 난 것이다. 황실에서 국경으로 파견 보내는 관리까지 손을 쓸 정도로 힘이 있는 자들은 황제 폐하를 제외하고 나투국의 주요 귀족 가문밖에 없었다. 홍씨 가문을 제외하면 남은 가문은 나래의 최씨 가문, 혜린 무녀의 문씨 가문, 김의령의 김씨 가문 정도였다.

윤조의 머리가 빠르게 굴러갔다. 최씨 가문은 제외하자. 최 승상님은 가장 먼저 세작의 정보를 홍 장군님께 전해 준 사람이 아닌가. 홍씨 가문과 혼인으로 맺어져 제국에서도 가장 위대한 두 가문으로 불리고 있는 가문의 수장이 굳이 나라를 위태롭게 만들 이유는 없을 것이다.

나투국의 유통 시장을 장악하고 있는 김씨 가문의 경우, 몇 해 전 시전 상인들을 대상으로 불법 고리대금을 벌인 정황이 포착되어 좌천된 전적이 있었다. 하지만 이것만으로는 역모를 꾀할 이유가 부족하다.

'문씨 가문은 혜린 무녀가 파이옌을 잡으려고 군대까지 일으켰던 것을 보면 두 사람이 손을 잡았을 가능성은 낮지만…….'

윤조가 손을 들어 턱을 쓰다듬었다. 황후마마는 문씨 가문 출신이다. 때문에 황실의 외척인 문씨 가문의 위세는 어느 가문보다 월등했다.

하지만 어느 황실이건 외척이 세력을 키우는 것은 달가워하지 않는다. 따라서 문씨 가문은 토지의 소유권도, 관리의 등급도 규제당하고 있는 상태였다. 황제 폐하 아래로 아직 자손을 보지 못한 터라 황후마마와의 관계에 문제가 있는 것이 아니냐는 소문도 파다했다. 그리고 황후가 자식을 갖지 못하는 석녀石女가 아니냐는 소문도.

'설마 황후마마께서?'

생각해 보면 중앙의 주요 귀족 가문이라 할지라도 황궁을 뚫는다는 건 쉽지 않은 일이다. 하지만 속단할 수는 없었다. 배후가 누구인지 알기 위해서는 병마절도사 박유라는 자의 입으로 그 이름을 들어야만 했다.

"오, 그쪽이 그 무녀인가 보군요."

윤조가 골몰하고 있는데, 박유가 손을 들어 그녀를 가리켰다.

"듣자 하니 제국이 탄생한 이래로 강력한 신력을 지닌 무녀라던데 말입니다. 대장군과도 혼인한 사이라죠?"

손바닥을 비비며 입맛을 다시는 그의 모습에 파이옌의 얼굴이 구겨졌다. 불편한 그의 심기를 알아챈 박유는 너스레를 떨며 어깨를 으쓱했다.

"국경에는 어린 계집들이 거의 없어서 말이죠. 이런 외진 곳을 지키는 군인들은 늘 외롭잖습니까?"

껄껄거리며 웃는 그의 징그러운 낯에 파이옌이 자신도 모르게 붙잡고 있던 윤조의 팔을 당겨 자신의 뒤로 두었다. 그 모습에 박유가 손사래를 치며 말을 정정했다.

"아이쿠, 말실수였습니다. 서국의 황제께 바칠 귀한 선물을 제가 어찌 감히 탐내겠습니까? 추격대를 피해 묵을 곳을 마련해 두었으니 성으로 가시죠."

그의 뒤를 따라 영지 안쪽 성으로 걸음을 옮기던 파이엔이 윤조를 향해 속삭였다.

"야, 병아리."

그 부름에 윤조가 푹 눌러쓴 모자를 벗고 눈을 맞추려 했지만 그러지 못했다. 조금 더 빠른 파이엔의 손이 다시금 그녀의 모자를 붙잡아 얼굴 아래로 내려 버린 까닭이다.

"뭐 하는 거예요. 불러 놓고."

"쉿, 조용히. 여기 분위기 안 좋다. 짜증 나도 좀 참아. 괜히 걸리면 골치 아파."

"알겠어요. 왜요?"

"탈출 시도할 것 같아서 미리 말하는데 괜히 돌아다니다 험한 꼴 당하지 말고 내 옆에 붙어 있어. 너 혼자 저 많은 병사들을 뚫고 빠져나가는 건 무리니까."

안 그래도 탈출을 어떻게 할지 고민하던 윤조가 뜨끔한 표정을 숨기며 헛기침을 했다.

"탈출 안 해요."

아직은. 누가 배후인지 정보를 얻어야 하니까. 뒷말을 숨긴 그녀가 알겠다며 고개를 끄덕였다. 잠시 미심쩍은 눈으로 윤조를 바라보던 파이엔은 이내 그녀가 상황을 인지하고 포기했다고 생각했는지 손을 들어 그녀의 머리를 툭툭 두드렸다.

"잘 생각했어."

마치 어린아이 다루듯 행동하는 그의 태도에 윤조가 그의 손을 밀어냈다.

"머리, 그만 두드려요."

"손 가기 딱 좋은 위치란 말이야."

"내 알 바 아니거든요?"

"알겠어, 알겠어. 까칠하기는."

박유를 뒤따라간 곳은 성주의 성이었다.

羅懘城나람성

현판의 글씨를 확인한 윤조는 이곳이 자신의 예상대로 국경의 서쪽에 위치한 나람 지방이라는 것을 알았다. 성 안팎으로 포진해 있는 병사들의 분위기가 심상치 않았다.

나람 지방은 악기와 양조법[4]의 발달로 국경에서 드물게 술과 노래가 넘치는 풍족한 땅으로 알려져 있었다. 하지만 건물 안에 들어오는 동안 마주친 모든 사람은 군인뿐이었다. 성 안팎으로 들려온다는 흥겨운 노랫소리도, 즐거운 사람들의 웃음소리도 들리지 않았다.

성은 고요했다. 성으로 오는 동안에도 군인 외의 사람을 보지 못했다. 마치 유령도시라도 된 것 같은 적막감이었다. 성을 관리하는 성주는 어디에 있는 걸까? 성주를 모시는 집사와 하인들은? 파이옌도 이상함을 느꼈는지 성안을 살피는 눈치였다. 그들은 계단을 올라 성 3층으로 향했다.

"이곳을 사용하시면 됩니다. 2층에는 제 방이 있고, 수시로 병사들이 순찰을 돌 것이니 필요한 것이 있으면 언제든지 말씀만 하십시오."

돌아서 복도를 나서려는 박유를 잡은 건 파이옌이었다.

"이곳을 관리하는 성주는 어떻게 됐지? 일하는 하인들도 안 보이던데."

"지하 감옥에 가두고 그 뒤로는 모르겠습니다. 식사를 주지 않았으니 이미 죽지 않았을까요?"

"얼마나 됐지?"

"일주일 정도. 뭐, 눈이며 혀며 여기저기 심하게 당했으니 살아있긴 힘들 겁니다. 출혈이 심했거든요."

고문을 말함이었다. 가벼운 그의 말투에 윤조의 미간이 찌푸려졌다. 마찬가지로 눈살을 찌푸린 파이엔이 어깨를 으쓱이는 박유를 바라봤다. 싸움에 있어 손속이 잔인하기로 둘째가라면 서러울 그였으나 고문을 즐기진 않았다.

"다른 사람들도 모두 죽었나?"

"오, 아니요. 성주는 너무나 완강하게 저항해서 도리가 없었지만, 성주의 처와 하인들은 이 건물 뒤에 있는 별채에서 생활하고 있습니다. 신경 쓰이면 확인하셔도 됩니다. 잘 교육시켜서 별걱정은 안 해도 되겠지만."

박유가 말을 이으며 손뼉을 쳤다.

"아, 귀한 손님이 오셨으니 특별히 1층에 만찬을 준비하라 이르겠습니다. 식사는 함께 드시죠. 좋은 구경거리도 준비할 것이니 모쪼록 즐겁길 바랍니다. 그럼 먼저 실례하겠습니다."

뒤돌아 계단 아래로 사라지는 박유와 병사들의 모습을 바라보던 윤조가 쓰고 있던 모자를 벗었다.

---

4) 양조법: 술을 담그는 기술.

"기분 나쁜 사람이에요."

솔직한 그녀의 감상에 파이옌도 고개를 끄덕였다.

"얍삽한 스타일이네. 딱 질색인데."

"준비하고 내려가죠. 괜히 부딪쳐서 좋을 건 없어 보이니."

"괜찮겠어?"

의외라는 얼굴로 돌아본 자리, 윤조가 후줄근한 장옷을 벗어 팔 위에 걸치고 있었다.

"안 괜찮을 건 또 뭐에요? 대접을 해 준다니 대접을 받으면 되겠죠."

그러는 동안 성안도 탐색하고. 뒷말을 숨긴 그녀가 싱긋 미소 짓 는 모습에 파이옌이 떨떠름한 표정을 지었다.

"그 웃음, 되게 불안하다 너."

"그럼 울까요?"

"아니, 다시 당부하는데 허튼 생각은 마라."

"알겠다고요. 탈출 안 해요."

"믿는다."

어깨를 잡고 진중하게 마주해 오는 파이옌의 시선에 윤조가 얼떨 떨해하며 고개를 끄덕였다. 다시 느끼는 거지만 아무리 생각해도 이 사람은 나를 '걱정'하는 게 맞다. 그녀가 자신의 어깨를 잡은 그 의 손을 힐끗 바라봤다. 같은 세상 사람이라는 것 때문에 갖게 된 동지애인가? 혹은 다른 종류의 감정인가? 굳이 그게 무엇인지 들 춰낼 필요는 없겠지만.

술렁거리는 마음이 이상했다. 자신을 납치한 사람에게 안도감을 느끼다니. 윤조가 그의 손을 밀어내며 말했다.

"믿어 봐요."

때가 되면 깨질 믿음이겠지만, 지금 이 순간 파이옌이 곁에 있어 다행이라고 생각하는 안도감만큼은 진심이었다.

박유가 내준 방은 여인이 쓰던 것 같았다. 빗과 화장품이 올려진 화장대 위에는 커다란 거울도 함께였다. 모습을 비춰 본 윤조는 자신이 아직도 신부 의상을 입고 있다는 것을 깨달았다.

나래와 시녀가 공들여 올려 준 머리가 이리저리 풀려 어깨를 덮고 있었다. 울며 번진 눈 화장은 보기 흉할 정도는 아니었으나 붉게 달아오른 눈두덩을 완전히 감추진 못했다. 참으로 형편없는 신부의 모습이었다. 윤조는 화장대에 놓인 화장품으로 붉어진 눈가를 감췄다. 거울 안의 신부가 초라한 몰골로 빗을 들어 머리를 빗었다.

"가관이네 정말……."

씁쓸하게 읊조리는 그녀의 목소리가 방 안을 울렸다. 추격대는 지금쯤 산을 넘는 중일까? 황궁에서 그 난리가 났으니 대응이 생각보다 늦어질 가능성도 있었다. 그렇게 되면 이대로 나투국으로 돌아가지 못할지도 몰라. 불안에 떨던 윤조가 고개를 털었다. 무릎 위에 올린 두 손을 단단히 마주 잡은 그녀가 숨을 고르며 눈을 감았다.

지금 상황에서는 차라리 늦게 오는 게 낫다. 박유의 군대가 적국의 편으로 돌아섰다는 걸 모르는 상태에서 추격대가 도착한다면 위험하다. 납치되는 동안에는 한시라도 빨리 구출되길 바랐는데 이제는 한시라도 늦게 추격대가 오길 바라야 한다니. 찾아 주길 바라는 마음으로 머리 장식을 흘리고 오긴 했는데, 만약 발견한 사람이 눈치채고 곧장 진입로로 따라왔다면 산의 갈림길에서 조를 나눌 것이다. 그렇게 되면 소수의 인원은 반드시 이곳에 도착하게 된다.

'시간이 얼마 없어. 어떻게든 박유의 입으로 배후가 누구인지 알아내서 이곳을 탈출해야 해. 그들이 적국으로 돌아섰다는 것을 알려야 한다.'

윤조는 혼례복에 장식된 끈을 떼어 내 머리카락을 하나로 질끈 올려 묶었다. 방 안을 돌아보던 그녀가 창문을 확인했다. 소리가 들리지 않게 창문을 열어 밖을 확인한 그녀는 창문 아래로 발 디딜 곳이 없는 것을 확인하고 혀를 찼다. 멀리 성 안팎을 돌아다니는 병사들의 모습이 보였다.

"경비가 삼엄한데…… 정문으로는 안 되겠어."

다른 길을 찾아야 했다. 파이옌이 황궁을 뚫었던 것처럼.

"성의 건축 도면이라도 있으면 좋을 텐데."

서고에 가면 있을지도.

창문을 닫은 그녀가 침대 아래며 장롱 안 등 방 안의 모든 곳을 빠짐없이 살폈다. 마지막으로 침대 위와 베개를 확인하던 그녀는 베개를 감싼 천 안에 무언가 딱딱한 물체가 끼어 있는 것을 발견했다.

"이게 뭐지?"

손으로 더듬어 꺼내자 황금으로 만들어진 귀걸이 한쪽이 나왔다. 꽤나 비싸 보이는 물건에 윤조의 눈이 반짝 빛났다.

"진짜 금인가?"

앙, 하고 깨물어 보니 자국이 남는 게 진짜다.

"원래 이 방 주인의 물건 같네."

귀걸이를 탁자 위에 올려 두려던 윤조의 손이 멈칫했다. 나중에 쓸모가 있을지도. 그녀는 귀걸이를 주머니에 챙기며 자신의 몸을 장식한 장신구를 하나씩 빼 품에 넣어 놨다.

"황금에는 국경이 없지."

샐쭉 웃는 그녀의 표정이 악동 같았다.

잠시 뒤 윤조가 방을 나섰다. 방문 앞에서 그녀가 준비를 마치길 기다리고 있던 파이옌이 고개를 돌렸다.

"울다 나올 줄 알았는데."

툭 던지는 그의 말에 윤조가 어깨를 으쓱했다.

"운다고 상황이 바뀌나요. 기운만 빠지지."

"가만 보면 맹한 건지, 독한 건지 모르겠다니까."

"현실적인 거죠."

단명한 그녀의 대답에 파이옌이 고개를 끄덕였다.

"그래. 너무 현실적이라 무섭더라. 차용증을 미리 준비해 놓는 여자라니."

그는 일전에 침실 서랍에서 한 뭉치의 차용증을 꺼내 들었던 윤조를 떠올리곤 절레절레 고개를 흔들었다.

"이왕이면 준비성이 철저하다고 해 줄래요? 아, 그리고 말 나온 김에 내 금화 내놔요!"

"빌려준 거 도로 뺏기냐?"

"그건 속아서 그랬던 거죠. 이자 비싸게 받을 거야. 차용증 다시 써요."

"이거 계약 위반이다, 너?"

"사기꾼."

통명스럽게 쏘아붙인 그녀가 아래층으로 향했다. 계단을 내려갈 때마다 높이 묶은 머리가 말총처럼 좌우로 흔들렸다. 나비 모양으로 묶인 끈이 팔랑거리는 모양을 가만히 바라보던 파이옌이 중얼거렸다.

"귀엽네."

다음 순간 그는 자신의 입을 틀어막았다. 지레 놀란 그의 두 눈이 동그랗게 커졌다. 내가 지금 뭐라고 한 거지? 스스로 당황한 그가 주춤하며 벽을 짚는데, 윤조가 뒤돌았다.

"뭐 해요? 얼른 내려오지 않고."

말을 마치고 다시 계단을 내려가는 윤조의 뒷모습에 파이옌이 입을 막았던 손을 떼어 냈다.

"곤란해."

중얼거리는 그의 목소리가 무거웠다.

"대장군, 갈림길입니다."

진입로를 따라 윤조가 지났던 산을 오르던 추격대가 중턱 즈음에 위치한 갈림길에 섰다. 준영은 세 갈래 길 모두 말이 지난 흔적이 있음을 알고 읊조렸다.

"함정이군."

갈림길에서 병력을 나눈다면 기습 공격을 할 속셈이겠지. 하지만 적이 한 가지 예상치 못한 일이 있었으니, 준영과 병사들의 길잡이를 해 주는 이가 바로 하늘 위에 있다는 점이었다.

"곧장 매를 따라간다. 혹시 모를 기습에 대비하도록."

같은 시각, 나람성 1층.

연회장에 모인 사람들의 식사가 한창이었다. 곳곳을 경계하는 병사들 때문에 긴장감 속에 수저를 뜨던 윤조는 계속해서 느껴지는 시선에 고개를 들었다. 그러자 맞은편에서 그녀를 빤히 바라보던 박유가 메마른 볼을 씰룩거리며 입매를 당겼다.

"소문으로만 듣던 무녀님을 이리 직접 만나니 감회가 새롭군요. 머리색이 무척 독특해서 시선이 갔습니다. 혹, 불편하십니까?"

"괜찮습니다. 종종 듣는 말이에요."

"신기한 빛깔입니다. 나투국에서는 흔히 찾아볼 수 없는. 제가 독특한 물건을 모으는 취미가 있어서요."

그렇게 말하며 웃는 그의 낯이 꺼림칙했다. 윤조는 별다른 대꾸 없이 젓가락을 움직였다. 그런 박유를 개의치 않고 잘도 음식을 우물거리는 그녀의 모습에 파이옌이 질린 눈을 했다.

"저 면상을 앞에 두고 밥이 넘어가냐?"

박유가 쳐다보지 않는 틈을 타 속삭이는 그의 말에 윤조가 어깨를 으쓱했다.

"홍 장군님이랑 대장군님을 마주하고도 먹었던 밥인데요. 이 정도야, 뭐."

"아, 인정."

하긴, 그 무서운 노인네랑 홍준영 틈에서 식사를 했으면 저런 능글맞은 잔챙이의 위협 정도는 위협도 아니겠군. 하지만 윤조가 신경 쓰지 않는 탓에 더 신경이 쓰이는 그였다.

그러는 중에도 박유는 얄팍하게 기른 콧수염을 만지작거리며 윤조를 바라봤다. 번들거리는 두 눈 가득한 탐욕에 파이옌의 인상이 구겨질 무렵, 박유의 심부름으로 연회장을 빠져나갔던 군사들이

한 무리의 여인들과 함께 돌아왔다.

"오, 마침 유흥거리가 도착했군요."

박유가 자리에서 일어나 손뼉을 마주쳤다. 그러자 병사들이 자신들 뒤에 있던 여인들을 앞으로 끌어내 연회장 가운데로 밀어 넣었다. 거친 행동에 중심을 잃은 여인들이 바닥에 쓰러지듯 엎드렸다. 가까이서 보니 그들의 목과 발에는 사슬이 메여져 있었다.

"내 몸에 손대지 마!"

그들 중 가장 부유한 차림의 여인 하나가 어깨를 잡아채는 병사의 손을 밀쳐 냈다. 박유가 즐겁다는 듯이 그 여인을 가리키며 윤조와 파이옌을 돌아봤다.

"죽은 성주의 부인입니다. 성질은 드세지만 고분고분한 것들은 교육하는 재미가 없지요."

박유의 손가락을 따라 그 여인을 바라보던 윤조가 자리에서 벌떡 일어났다. 여인을 바라보는 윤조의 눈동자가 잘게 떨려왔다. 어떻게, 어떻게 이런⋯⋯.

"언니⋯⋯?"

떨리는 그녀의 부름에 패악질을 하던 여인이 윤조를 바라봤다.

"설마, 윤조니?"

여인이 비틀거리며 자리에 주저앉았다.

"네가 어떻게 여길⋯⋯."

더듬거리는 여인의 두 눈에 눈물이 차올랐다. 여인은 황급히 고개를 돌려 윤조의 시선을 피했다.

"소의 언니 맞지? 언니 맞지⋯⋯?"

떨리는 윤조의 물음에도 여인은 고개를 돌리지 않았다. 이 모습을 지켜보던 박유가 흥미롭다는 듯 턱을 매만졌다.

"오호, 성주의 부인과 아는 사이인가 봅니다?"

그가 굶어 죽게 했다는 성주를 떠올린 윤조가 까드득, 이를 갈았다. 눈앞의 비참한 몰골의 여인은 분명 몇 해 전 귀족에게 시집을 간다며 집을 나갔던 첫째 언니 소의巢懿였다.

그녀의 자태는 여전히 고왔다. 윤조가 기억하는 이전과 다름없이. 그런데 왜 이런 곳에서 이토록 비참한 몰골을 하고 있나. 어여쁘고 당당했던 언니가, 가난이 싫어 부유한 사내에게 시집가 행복을 찾겠다고 가족들도 모두 버린 채 집을 나갔던 언니가 왜 이런 몰골을 하고 있나.

바르르 떨리는 손을 감추려 치맛단을 잡아 보지만 떨림을 주체할 수 없었다. 심상치 않은 윤조의 분위기에 파이옌이 소의와 그녀를 번갈아 봤다. 박유는 여전히 이 상황이 재미있다는 눈치였다.

"언니라면 설마 가족인가요? 호, 이렇게 보니 닮은 것 같기도 하고. 소의의 머리색이 무녀님 같았으면 더 좋았을 것을 말입니다."

그래야 수집 가치가 더 높으니까요.

덧붙이는 그의 말에 발끈한 윤조를 막아선 건 파이옌이었다.

"참아. 여기서 소란 일으켜 봐야 좋을 거 없어."

"하지만—!"

"네가 화내 봤자 저 사디스트만 더 기분 좋게 만드는 거라고. 이성적으로 생각해."

가까스로 화를 억누른 윤조가 숨을 들이켰다. 파이옌의 말이 옳다. 여기에서 소란을 일으켰다간 정보 얻기만 힘들어져. 박유는 그런 윤조의 반응을 즐기는 듯 소의의 턱을 잡아 억지로 자신을 보게 만들었다. 그러고는 반항하는 그녀의 입에 억지로 입을 맞추며 목에 걸린 쇠사슬을 잡아당겼다.

"언-!"

소의를 부르려던 윤조의 입이 다물렸다. 박유에게 강제로 당하면서도 굴복하지 않은 소의의 시선이 윤조를 향했다. 다가오지 말라, 이야기하는 것 같은 소의의 흔들림 없는 눈빛에 윤조가 입술을 깨물었다.

그 뒤로도 식사는 계속되었다. 윤조는 음식을 담은 접시를 들고 시중을 드는 소의가 곁에 올 때마다 소리치고 싶은 마음을 간신히 억누르며 버텼다. 무표정한 얼굴로 덜어 낸 음식을 그녀의 접시 위에 올려 주던 소의는 주먹을 쥔 채 바르르 떨고 있는 윤조의 두 손을 바라봤다.

"많이 컸구나."

지나치며 속삭이는 그녀의 말에 윤조의 눈시울이 달아올랐다. 그녀는 울지 않기 위해 고개를 숙인 채 눈을 감았다.

"그럼 두 분 다 좋은 밤 보내십시오. 추격대가 찾아오거든 알아서 처리하겠습니다."

어차피 갈림길에서 병력을 나눴을 것이니 돌발 상황이 발생해도 큰 위협이 되지는 않을 터였다. 박유의 배웅을 끝으로 만찬이 끝났다. 3층 방으로 돌아온 윤조는 병사들에게 끌려가던 언니의 뒷모습이 잊히지 않았다.

"어떻게 된 거야? 언니라니?"

복도를 살핀 파이옌이 방문을 닫았다. 힘없이 침대에 걸터앉은 윤조가 아픈 머리를 손가락으로 꾹 눌러 짚었다.

"집 나간 첫째 언니예요."

"개 같은 상황이네."

거침없는 그의 욕설에 윤조가 고개를 끄덕였다.

"잘 살고 있는 줄만 알았는데 여기서 이런 식으로 만나게 될 줄은……."

"하인들이랑 같이 붙잡혀 있는 거 같던데."

그가 말을 하다 말고 윤조를 힐끗 바라봤다.

"만나게 해 줘?"

그의 말에 윤조가 퍼뜩 고개를 들었다.

"그렇게 해 줄 수 있어요?"

"만나는 거야 어렵지 않지. 탈출이라면 얘기가 좀 다르겠지만."

탈출은 어차피 쉽지 않을 거다. 그건 윤조의 상황도 마찬가지였다. 하지만 죽은 성주 다음으로 이곳에 대해 잘 알고 있는 사람은 성주의 부인인 소의다. 언니라면 서고에 가지 않고도 이 성의 구조와 탈출로를 알고 있을 거야.

"만나게 해 주세요. 부탁해요."

"어쩐 일로 오셨습니까?"

별채 앞을 지키고 있던 병사가 파이옌을 알아보고 고개를 숙였다.

"인질들 좀 살펴보려고 하는데."

"뒤에 무녀님도 함께 들어가십니까?"

"왜? 문제 있나?"

"아, 아닙니다. 들어가시죠."

필요하면 언제든지 확인하라던 박유의 말이 허튼소리는 아니었던 모양이다. 순순히 길을 비키는 병사를 지나쳐 파이옌과 윤조가 별채 안으로 들어섰다.

"이야아아-!!!"

문을 열고 들어가는 순간 별안간 고함 소리가 들렸다. 얼떨결에 달려드는 여인의 팔을 붙잡아 등 뒤로 꺾은 파이옌이 놀란 눈을 했다.

"뭐야, 갑자기! 놀랐잖아!"

"이거 놔! 이 짐승 같은 놈들!!! 더러운 배신자 같으니-!"

발악하며 그의 손아귀에서 벗어나려 몸부림치는 여인은 다름 아닌 소의였다. 파이옌을 박유의 병사로 착각했는지 온 힘을 다해 그의 손을 뿌리치려던 그녀는 자신을 바라보는 윤조의 시선을 느끼고 고개를 들었다.

"윤조야……."

갈라진 음성으로 자신을 부르는 소의의 모습에 윤조가 참지 못하고 달려가 그녀의 품에 안겼다. 울분이 함께 섞인 서러운 마음이 복받쳤다. 소의는 자신의 품에 안긴 동생을 믿을 수 없다는 듯이 바라보다 손으로 더듬어 마주 안았다.

"윤조야. 내 동생, 윤조. 내 동생……."

하염없이 흐느끼는 소의를 끌어안은 윤조가 어금니를 깨물었다.

"잘 살겠다며! 부유한 귀족에게 시집가서 떵떵거리고 살겠다며! 행복할 거라고 했잖아. 가난 따위 지긋지긋하다고 다 버리고 떠났으면서! 나도 다른 가족들도 다 버리고 가 버렸으면서! 이렇게 있으면 어떡해!"

"미안해, 윤조야. 언니가 미안해. 언니가 너무 미안해. 언니가 너무 못되게 굴어서, 그래서 벌받나 봐. 언니가 널 버리고 가서, 혼자 살겠다고 다 버리고 가서……."

"그렇게 버리고 갔으면 잘 살아야지! 내가 얼마나 힘들었는데! 어머니랑 동생들이랑 얼마나 힘들었는데! 왜 이러고 있어! 왜!!!"

"미안해, 정말 미안해. 언니가 너무 미안해. 미안해……."

"하루 이틀도 아니고 몇 년이야. 살아 있으면 있다고, 잘 살고 있다면 잘 살고 있다고 연락 한번 하는 게 그렇게 힘들었어? 짧은 편지라도 좋았잖아. 결혼해서 잘 살고 있다고, 살아 있다고, 그 한마디 해 주는 게 어려웠어? 왜? 언니 잘 산다고 하면 우리가 언니한테 빌붙어 살기라도 할까 봐? 그래서 편지조차 안 했어? 우리는! 항상 걱정했어. 없는 쌀 구걸해서 먹으면서도, 한겨울에 여름 이불 하나로 몸 녹이면서도 매일같이 집 나간 언니랑 오빠 걱정뿐이었다고!"

"나도 보고 싶었어. 나도 그랬어! 나라고 마음 편했겠어? 나도, 나도 보고 싶었다고!"

"그런데 왜!"

"말할 수가 없었어!!!"

눈물을 삼키던 소의가 참지 못하고 큰 소리로 외쳤다.

"남편에게 말할 수가 없었어. 거짓말을 했어. 천한 신분이 아니라고, 가족들이 모두 전쟁으로 죽었다고, 의지할 곳이 없다고! 천한 신분이라고 하면 아무도 나를 봐 주지 않을 것 같아서, 가난한 집안에 남겨진 식구들까지 있다고 하면 사람들이 나를 무시할 거 같아서, 그렇게는 영영 가난에서 벗어날 수 없을 것 같았어. 매일같이 후회했어. 미안해, 윤조야. 이렇게 못난 언니라 정말 미안해. 이렇게 부끄러운 언니라 정말 미안해. 정말 미안해⋯⋯."

"왜 이런 곳에서, 왜, 왜 하필 언니가⋯⋯!"

차마 말을 잇지 못하는 윤조의 눈에서 눈물이 흘렀다. 주먹 쥔 손으로 소의의 등을 힘없이 내리치던 그녀는 자신을 꽉 끌어안는 소의의 품에 안겨 엉엉 울음을 터뜨렸다. 윤조의 머리에 뺨을 기댄 채 흐느끼던 소의는 눈앞의 윤조가 꿈이 아니라는 것을 확인이라도 하듯 계속해서 그녀의 머리카락이며 등을 매만졌다.

"어떻게 된 거야. 저놈들이 언제부터 여길 장악한 거야?"

정신을 차린 윤조가 소의를 마주 보며 물었다. 해진 옷소매로 눈물을 훔쳐 낸 소의가 간신히 말을 꺼냈다.

"열흘 정도 된 것 같아. 황궁에서 나온 관리들이라고 했어. 서국에서 국경을 위협하는 일이 잦으니, 방어를 위해 폐하께서 보낸 군대라고. 그런데 그날 밤 갑자기 습격했어. 성을 지키던 경비들은 모두 당했고, 성주님도 나도 성에서 일하는 일꾼들도 모두 포로가 됐어."

상황을 설명하던 소의는 다급히 윤조의 손을 붙잡았다.

"성주님은? 성주님은 어찌 계신지 알아? 지하 감옥에 끌려간 이후 한 번도 뵙지 못했어. 살아 계시지? 잘 계신 거지?"

대답을 하려다 말고 윤조가 입을 다물었다. 소의가 계속해서 성주의 행방을 물었으나 윤조는 쉬이 입을 열 수 없었다.

"윤조야, 제발, 제발 그분이 살아 있다고 해 줘. 제발 그분이 살아 있다고."

"언니, 성주님은⋯⋯."

"살아 계신 거지? 밖에 잘 계신 거지? 그렇지?"

간절한 부름에 굳게 다문 윤조의 입술이 파르르 떨렸다. 마주한 시선을 피하며 고개를 젓는 그녀의 행동에 소의의 입에서 다시금 흐느낌이 터졌다.

"아닐 거야, 아닐 거야. 살아 계실 거야. 그렇지? 살아 계실 거야. 살아 계실⋯⋯."

"언니! 정신 차려!!! 언니!"

혼절한 소의를 끌어안은 윤조가 황급히 그녀의 호흡을 확인했다. 파이옌의 도움을 받아 소의를 바닥에 눕힌 그녀가 맥을 짚었다. 곁에서 이를 지켜보던 하인들이 놀라 다가왔다.

"주인마님! 이를 어째! 주인마님 괜찮으실까요?"

"잠시 기절한 것 같아요. 기력이 많이 쇠했어요. 맥박도 얕고."

윤조의 대답에 하인들 중 가장 나이가 많아 보이는 여인이 바닥을 치며 곡소리를 냈다.

"아이고, 아이고! 원통하고 분해서 어쩝니까! 성주님께서 살아 계시다는 믿음 하나로 지금껏 버티셨는데! 아이고!"

"두 분 사이가 어땠나요?"

조심스러운 물음이었다. 이제 와 의미 없는 일일지라도 확인하고 싶었다. 언니가 단 한 순간이라도 행복한 삶을 살았는지. 단 한 순간이라도. 주저하는 듯한 윤조의 물음에 늙은 하녀가 크게 고개를 끄덕였다.

"아무렴요. 정말 보기 좋은 부부였답니다. 4년 동안 모시면서 한 번도 다투는 모습을 본 적이 없어요. 두 분 모두 서로를 얼마나 아끼고 사랑했는지 몰라요."

"그랬군요……."

4년 전이라면 윤조가 수도에서 온 무녀의 눈에 들어 후보생으로 발탁되었을 때였다. 소의가 집을 나선 건 그보다 더 오래된 5년 전이다.

손톱이 파고들 정도로 움켜쥔 윤조의 주먹이 바르르 떨렸다. 4년. 고작 4년이었나, 언니가 행복을 누렸던 시간은. 태어나 고통받은 시간이 스무 해가 넘건만, 그녀가 행복을 누린 시간은 고작 4년이었다. 눈을 감은 소의의 얼굴을 바라보던 윤조가 늙은 하녀를 바라봤다.

"혹시 언니의 아이들은?"

"안타깝게도, 마님께서는 늘 아이를 바랐지만 좀처럼 소식이 없었어요. 의원 말이 아기집이 너무 약해서 평생 아기를 가질 수 없을 거라고 했어요."

하녀의 말에 윤조는 아무 말도 할 수 없었다. 오랜 시간 기근을 겪어 영양이 부족한 지역의 여인들은 후천적으로 불임이 되는 경우가 많았다. 윤조는 소의 역시 그와 같은 경우일 것이라 짐작했다.

가난이 지긋지긋해 벗어나려 했던 소의였다. 집도, 가족도, 고향도 다 버리고 가까스로 사랑하는 사람과 행복을 찾았건만. 기어이 그 가난이란 지독한 놈은 언니의 발목에 상실이란 족쇄를 채운 채 놓아주지 않았다.

하녀가 계속해서 말을 이었다.

"마님께서는 다 자기 탓이라고 하셨어요. 아이를 좋아하는 성주님께 친자식을 안겨 줄 수 없다는 괴로움에 자책하셨죠. 하지만 성주님은 마음 쓰지 말라고 하셨어요. 자손을 위해 첩을 들이라는 마님의 부탁도 거절하고 마님만 사랑하셨어요. 정말로 마님을 사랑하셨어요. 진심으로, 진심으로 아끼고 사랑하셨어요."

눈물을 훔치는 하녀를 바라보며 문득 준영의 얼굴이 떠올랐다. 자신을 사랑하게 될 것 같다는 그의 솔직한 고백에 소리 내어 웃던 밤이 바로 어제 같았다. 자신을 사랑스럽다 어여삐 여겨 주는 그의 시선이, 몸짓이, 하루하루 가까워지던 마음이. 잠시 떨어져 있을 뿐인데도 이토록 그립고 괴로운데, 그런 이를 영영 잃은 언니의 마음은 어찌하면 좋단 말인가.

"파이엔."

조용한 윤조의 부름에 구석에 몸을 기댄 채 대기하고 있던 그가 자세를 바로 했다.

"부탁 좀 해도 될까요?"

"말해 봐."

"언니와 여기 있는 분들께 드릴 음식과 모포가 필요해요. 시간을 허락해 준다면 다친 분들도 치료하고 싶어요."

"알겠어. 밖에 있는 병사에게 말해 가져다줄게."

윤조가 그를 향해 꾸벅 고개를 숙였다.

"고마워요."

"됐어. 알겠으니 좀 있다가 와. 내가 낄 자리는 아닌 것 같으니. 그리고—."

"도망 안 쳐요. 치료 마치고 곧장 방으로 갈게요."

멈칫하던 그는 눈물로 엉망이 된 윤조의 얼굴을 바라보다 이내 고개를 돌렸다. 윤조는 별채를 나서는 그의 뒷모습을 바라보다 묶여 있는 사람들을 향해 말했다.

"다치거나 아프신 분들은 말씀하세요. 치료해 드릴게요."

윤조가 사람들을 치료하고 있을 때 파이옌은 부탁 받은 대로 병사를 시켜 모포와 음식을 가져가게 하는 중이었다. 그는 손에 쥐고 있던 모포를 앞뒤로 흔들며 투덜거렸다.

"내가 지금 뭘 하고 있는 건지 원."

목표한 바를 위해 지금까지 인정사정 두지 않고 이 자리까지 왔건만, 흔들릴 마음이 남아 있었나? 하지만 자신을 질책하는 말투와는 달리 그의 표정은 평온했다. 오히려 입가에는 옅은 미소가 드리워 있었다. 그때 음식을 들고 앞서가던 병사가 별안간 기겁하며 고개를 조아렸다.

"절도사님!"

갑자기 나타난 박유의 모습에 놀란 병사가 눈치를 보며 파이옌을 돌아봤다.

"호, 음식을 어디로 가져가는 거지요?"

"이, 이건……."

"내가 시켰다."

앞으로 나서는 파이옌의 모습에 박유가 턱수염을 쓸어내렸다.

"이러시면 곤란합니다. 별채 안의 것들은 제가 교육 중이었습니다만."

"굶겨서 복종하게 하는 건 전형적인 노예 상인들의 교육법이지."

"잘 알고 계시는군요. 저들은 제가 점령한 이 성의 주민들이니 곧 제 노예나 다름없지요. 앞으로도 몸종으로 부릴 생각이고 말입니다."

마치 왕이라도 된 것 같은 그의 태도에 파이옌이 어처구니없다는 듯 웃음을 터뜨렸다. 박유는 폭소하는 파이옌을 바라보며 표정을 굳혔다.

"무엇이 그리 웃기십니까?"

"무엇이 웃기냐고? 정말 그걸 몰라서 묻는 거야?"

말을 마침과 동시에 파이옌이 순식간의 박유의 뒷덜미를 낚아챘다.

"이, 이게 뭐 하는!"

"이빨 감추고 있으니 호랑이가 고양이 같나?"

싸늘하게 내려앉는 파이옌의 음성에 박유가 입을 다물었다. 파이옌은 고요한 눈빛으로 그를 바라보며 읊조렸다.

"호랑이가 없는 산에서는 여우가 왕 노릇을 한다더니, 네놈이 딱 그 짝이구나. 네놈은 수많은 장기 말 중 하나일 뿐이다. 내가 이 자리에서 네놈의 목을 꺾어 죽인다고 해도 아무도 문제 삼지 않아. 그러니 내 앞에서 왕 노릇 하며 거들먹거릴 생각 따윈 집어 치우는 게 좋을 거다. 나는 인내심이 부족하거든."

순간 그의 머릿속에 인내심이 부족하다며 따지고 들던 윤조의 모습이 떠올랐다. 정말 머리가 어떻게 되어 버린 걸지도 모르겠군. 이렇게 시도 때도 없이 떠오르다니. 파이옌이 짜증스럽게 박유의 목에서 손을 떼며 검을 꺼내 들었다. 첨예하게 반사되는 푸른빛에 옥죄였던 목을 주무르던 박유가 마른침을 삼켰다.

"죽고 싶거든 언제든지 말해. 알겠어?"

파이옌이 겁먹은 그의 눈동자를 확인하고 입매를 당겼다.

"야, 음식 다 식겠다. 어서 날라."

"예? 아, 예!"

검을 검집으로 되돌린 그는 멍청히 서 있던 병사를 지적했다. 병사가 부리나케 달려가는 모양을 바라보며 그도 등을 돌려 자리를 지나쳤다. 파이옌의 멀어지는 뒷모습을 바라보며 자세를 바로 한 박유가 분노에 몸을 떨었다.

"서국의 개새끼가 감히……."

그는 발갛게 달아오른 목뒤를 만지작거리다 조금 전 파이옌의 손목에서 얼핏 보았던 문양을 떠올렸다. 손목에 뭔가 있었는데 그림이었나? 아니, 그림이라기보다는 오히려 글자 같은─ 가만, 글자? 손목에 글자라. 그것이 무엇을 가리키는지 기억해 낸 박유가 야비한 미소를 머금었다.

"그냥 개새끼가 아니라 더러운 노예 새끼였군?"

서국 황제의 수족인 괴혈단의 연고지는 아무도 모른다더니, 과연 그랬던 것인가. 그때 성 입구 쪽에서 누군가의 접근을 알리는 나팔 소리가 들렸다.

"추격대가 벌써 도착했나?"

아니나 다를까, 성안에서 대기 중이던 병사들이 바삐 입구로 달려가며 그에게 보고했다.

"절도사님, 중앙에서 온 추격대가 도착했습니다."

"숫자는?"

"열이 조금 넘습니다."

고작 열이라. 예상대로 갈림길에서 병력을 나눈 것이 분명했다. 박유가 샐쭉한 미소를 지으며 병사에게 말했다.

"내가 갈 때까지 문을 열지 말라고 전하라."

"알겠습니다."

예상대로다. 녀석들의 분대는 잠복시킨 병사들이 처리할 것이다. 어느 길로 가든지 죽음을 면치 못할 테지. 열 명 정도라면 성안으로 끌어들여 쉽게 처리할 수 있다. 박유는 즐거운 미소를 지으며 파이옌이 향한 별채를 바라봤다. 그는 상황을 알리는 대신 발길을 돌렸다.

"노예들이 죽는 건 아깝지 않지만, 그 머리색이 독특한 무녀는 탐이 나는군. 귀찮은 서국 놈을 처리해 버린 뒤 맛보는 것도 나쁘지 않겠지."

박유의 입매가 비열한 선을 그렸다.

비슷한 시각.

부상자들의 치료를 마친 윤조는 약한 신력을 담은 손을 소의의 이마 위에 올렸다. 낡은 탁자 위에 올려놓은 등불이 일렁일렁 그림자를 그려 냈다.

맞닿은 손바닥으로 미지근한 온기가 느껴졌다. 일순 어떤 상황보다도 피부로 맞닿는 현실감이 그녀를 덮쳤다. 고요한 현실 가운데, 이곳으로 오기 전 산중에서 파이옌과 나눴던 대화가 생각났다.

'친자매가 아닐 수도 있다. 죽은 윤조의 육신에 신채영이 들어온 것이라면.'

정말 그런 것이라면 자신은 소의의 동생인 윤조의 몸을 허락도 없이 갈취한 이방인인 셈이었다. 태어나 함께 자라 온 시간이 이토록 생생한데 이 모든 것이 빼앗은 삶일지도 모른다.

한결 편안한 얼굴을 하는 소의를 바라보던 윤조는 신력을 담았던 손을 거뒀다. 점점 정신이 돌아오는지 몸을 이리저리 뒤척이던 소의가 눈을 떴다.

"정신이 좀 들어?"

"윤조야……."

소의가 천천히 몸을 일으켰다.

"언니, 성주님 일은……."

"괜찮아."

윤조가 말을 꺼내려 했으나 소의가 그녀의 말을 잘랐다. 괜찮다 말하며 억지웃음을 짓는 그녀의 표정이 슬펐다.

"어차피 나 같은 천것이 누리기에는 과분한 행복이었지."

"언니……."

"평생 받을 복을 다 받은 느낌이었어. 그런 분이었다, 내 지아비는."

그러니 절대 용서 못 해.

덧붙이는 그녀의 말에 분노가 어렸다.

"절대 용서하지 않을 거야. 그분을 죽게 만든 놈들, 전부 죽여 버리고 말겠어."

주먹을 움켜쥐며 분을 삼키던 그녀는 깊이 숨을 고르며 윤조의 손을 잡았다.

"윤조 너, 여기는 어떻게 온 거야? 같이 온 서국 놈은 또 뭐고?"

"납치당했어."

윤조의 대답에 별안간 굳어 있던 소의의 눈매가 매섭게 변했다.

"납치? 무슨 소리야?"

"서국 황제를 치료할 무녀가 필요한 것 같아."

"무녀? 너! 정식 무녀가 됐구나!"

"응. 그동안 많은 일이 있었어. 정식 무녀도 되고, 남편도 생겼어. 결혼식 중에 납치되는 바람에 파투 나 버렸지만."

"잠깐, 수도에서 대장군님을 치료한 무녀가 대장군님과 혼인한다는 이야기를 듣긴 했는데 설마—."

"맞아. 나야."

"너나 나나 왜 이리 기구하냐. 인생 뭣 같네, 진짜."

마치 어릴 적 괄괄했던 소의의 모습으로 돌아간 것 같은 말투였다.

"그러게."

반가움에 웃음이 났다. 웃을 상황이 아닌데도 묘한 안도감에 미소가 떠올랐다 사라졌다. 그랬다. 자신이 알던 소의는 늘 자신감이 넘치며 괄괄하고 드센 언니였다.

'신채영'은 외동딸이었다. 외가와 친가마저 등 돌린 상황에서 부모 외에 그녀가 마음을 나눌 가족은 존재하지 않았다.

하지만 '윤조'는 달랐다. 제때 끼니를 챙길 수 없는 가난 속에서 유난히 작은 아이로 커 왔던 윤조를 항상 지켜 주었던 사람은 소의였다. 동네 아이들에게 괴롭힘을 당할 때면 항상 어디선가 나타나 윤조의 앞을 막아 주던 등이 있었다.

윤조는 그때의 소의가 무척 커 보였다. 그녀는 누구도 의지할 곳 없던 신채영보다 '언니'라는 존재가 있는 윤조의 삶이 더 좋았다. 감사했다. 고마웠다. 그래서 이해했다. 언니가 집을 나갔을 때, 언니가 자신을 버리고 가 버렸던 순간에도 이해할 수 있었다.

자신은 알았으니까. 가족을 돌보며 자신을 지켜 주던 소의의 등이, 사실은 커다랬던 게 아니라 무척 어린 소녀였음을. 그럼에도 꿋꿋하게 버텨 왔던 것을. 그녀도 '신채영'이었던 자신처럼 얼마나 괴롭고 견디기 힘들었을지 알았으니까.

그래서 원망하지 않았다. 오히려 지금까지 곁에 있어 주어서, 자신을 지켜 주어서 고마웠다. 이끌어 주던 사람이 있어 감사했다. 그것은 이전 생의 '신채영'은 한 번도 누려 볼 수 없었던 호사였으니까. 그럼에도 몇 년 만에 만난 반가운 얼굴을 향해 원망의 말을 던질 수밖에 없던 까닭은 자신이 간절하게 소의의 행복을 빌어 왔기 때문이었다.

순간 윤조는 마음속으로 인정해 버리고 말았다. 가족이다. 이제와 떼어 놓을 수 없는. 자신의 존재가 무엇이든, 떼어 놓고는 생각할 수 없는 가족이라고. 그러니 구해야 한다. 아니, 구하자. 지금의 나는 힘없고 초라하며 불운함에 몸부림 쳤던 신채영이 아닌 '윤조'니까.

그러기 위해서는 싸워야 한다. 싸움은 여전히 무섭고 자신이 나약할지라도. 그녀는 홍씨 가문을 방문했던 때 유모와 했던 대화를 떠올렸다.

—첫째도 기백, 둘째도 기백입니다. 기 싸움에서는 절대 밀리시면 안 돼요.

—예? 저 혹시 지금 누구랑 싸우러 가나요?

—내일, 혹은 오늘 당장 무슨 일이 닥칠지는 아무도 모르는 법. 본디 귀족가 여인네들의 기 싸움은 창칼이 오가는 것보다 무서울 때도 있답니다.

─하지만 싸우는 건 자신이 없는데…….

─그럼 지킨다고 생각하세요. 소중한 것들을 지켜 내는 것이라고.

뭐 이딴 경우가 다 있냐며 거칠게 앞머리를 쓸어 올린 소의가 윤조의 어깨 위로 손을 올렸다.

"널 찾으러 추격대가 올 테니 기회는 그때뿐이야. 이곳에서 탈출하자. 병력이 충분해야 할 텐데."

"정문 외에 밖으로 통하는 다른 길이 있어? 이를테면 밖으로 연결된 수로나."

"이 성에는 수로가 없어. 우물밖에는."

"다른 길은?"

"좀 위험하긴 하지만 나갈 방법이 있긴 해."

소의가 바닥에 깐 모포를 치우고 흙 위에 그림을 그렸다.

"성벽 너머에 지금은 사용하지 않는 망루가 있어. 혹시 적군이 쳐들어왔을 경우 대피하기 위해 성탑의 꼭대기와 망루를 연결하는 작살총이 있으니, 그걸 사용하면 탈출할 수 있을 거야."

"작살총?"

이 세계에도 '총'이라는 개념이 있었던가? 작살총이라는 소의의 말에 윤조가 조금 놀란 눈을 했다. 시대극으로 보면 나투국과 서국이 맞서는 이 세계는 창과 칼로 전투를 벌이던 조선 시대와 비슷한 느낌이었기 때문이다. 하지만 잘 생각해 보면 임진왜란 이후에는 조선에서도 총을 사용했었지. 몰랐던 사실에 놀라기도 잠시, 탈출에 유용하게 사용될 무기가 있다는 말에 그녀가 반색하며 되물었다.

"작살총은 어디에 있어?"

"박유의 방에."

생각에 잠긴 윤조가 잠시 입을 다물었다가 소의를 바라봤다.

"확실한 거지?"

"확실해. 시중들러 몇 번 불려 갔었는데 침실 탁자 위에 올려 둔 걸 봤어. 희귀한 물건이라며 처음부터 탐냈었거든."

확실히. 윤조는 그가 자신의 특이한 머리카락을 탐욕스럽게 바라 봤던 것을 떠올리고 고개를 끄덕였다.

"좋아, 작살총은 내가 구해 볼게."

"아니, 내가 할게. 놈은 밤마다 나를······."

소의는 말을 이으려다 말고 견딜 수 없다는 듯 몸을 부르르 떨며 주먹을 쥐었다.

"시중들라고 나를 부르니 내가 더 접근하기 쉬울 거야."

잠시 두 사람 사이에 적막이 내려앉았다. 소의는 윤조의 어깨를 가볍게 두드리며 옅은 미소로 자신의 결심을 대신 전했다.

성 입구에서 나팔 소리가 들려온 건 그때였다. 그리고 거의 동시 에 별채의 문이 열렸다. 파이옌이었다. 그는 들고 있던 모포를 던 지듯이 낡은 탁자 위에 놓아두고 병사를 시켜 음식을 나누게 했다. 계속해서 들려오는 나팔 소리에 파이옌이 문 밖을 살폈다.

"무슨 신호지?"

"아무래도 추격대가 도착한 것 같습니다."

음식을 나르던 병사의 대답에 그의 미간이 구겨졌다.

"타이밍하고는. 야, 병아리."

"방으로 올라갈까요?"

윤조의 물음에 그가 고개를 저었다.

"아니, 지금 나갔다가 괜히 눈에 띄지 말고 여기 있어. 살펴보고 다시 올 테니까."

"알겠어요."

그가 다시 밖으로 나가고, 소의와 눈을 맞춘 윤조가 마른침을 삼켰다.

"언니, 시간이 없어. 지금 당장 박유의 방에서 작살총을 구해야 해."

"알겠어."

조심스럽게 문틈으로 밖을 살피던 윤조는 입구를 지키고 있는 병사를 발견하고 속삭였다.

"두 명이야."

윤조는 품 안에 넣어 놨던 금 귀걸이와 장신구 몇 개를 꺼내 소의의 손에 쥐여 주었다.

"이걸로 병사들의 관심을 끌 수 있을 거야."

"이 귀걸이는 성주님이 주셨던 건데? 영영 잃어버린 줄 알았는데 어떻게……."

소중한 물건이라며 두 손안에 품은 소의가 눈시울을 붉혔다.

"언니 귀걸이였구나. 찾아서 다행이야."

"고마워."

소의가 눈가를 문질러 닦았다.

"몸이 성치 않은 하인들은 곧장 성탑의 옥상으로 보낼게. 윤조 너, 그 서국 놈 따돌리고 옥상으로 올 수 있겠어?"

"어떻게든 해 봐야지."

사실 파이옌을 따돌리고 안전하게 도망칠 수 있는 확률은 지극히 낮다. 윤조는 자신보다는 박유에게 잡혀 있는 언니와 사람들을 안전하게 탈출하도록 돕는 게 우선이라고 판단했다. 자신을 안전하게 보호해야 하는 의무가 있는 파이옌과 달리 박유는 붙잡아 둔 사람들을 언젠가 전부 죽여 없애고 말 것이다. 증거 인멸을 위해서라도 그가 택할 방법은 그것뿐이었다.

겁먹지 말자. 아직까지 자신은 안전하다. 지금 최우선으로 생각해야 할 건 소의의 안전과 사람들을 탈출시키는 것. 결의를 다진 윤조가 가볍게 손을 말아 쥐었다.

"언니. 혹시나, 혹시나 내가 옥상에 가지 못하거든 사람들과 먼저 몸을 피해."

소의가 안 될 말이라며 윤조의 손을 잡았다.

"무슨 소리야! 무조건 함께 가야 해."

"나 하나 때문에 다들 위험해지는 일이 있어선 안 돼. 언니, 만약 그런 일이 생기거든 날 두고 가야 해."

"헛소리 마! 너를 두 번이나 버릴 수는 없어!"

소의가 윤조의 어깨를 세게 흔들었다.

"너를 이런 식으로 두 번이나 버릴 수는!"

"버리는 게 아니야."

윤조가 자신의 어깨를 움켜 쥔 소의의 팔을 가만히 붙잡았다.

"버리는 게 아니야. 내가 언니를 지키는 거야. 언니가 어릴 적에 나를 지켜 줬던 것처럼 나도 언니를 지킬 수 있게 해 줘."

"너 정말!"

"부탁할게. 내가 빠져나오지 못하거든 날 두고 도망쳐. 그리고 수도의 홍씨 가문으로 가. 홍 장군님과 대장군님께서 어머니와 동생들을 돌봐 주고 계셔. 가서 이곳에서 일어났던 모든 사실을 알려야 해. 그것만이 언니가 나를 도울 수 있는 방법이야. 알겠지? 다른 사람은 믿으면 안 돼. 무조건 홍씨 가문으로 가야 해."

거듭 강조하는 윤조의 부탁에 소의가 마지못해 고개를 끄덕였다.

"알겠어. 꼭 홍씨 가문에 사실을 알릴게."

"고마워, 언니."

자매가 서로의 손을 꼭 잡고 있을 때 밖에서 파이옌의 목소리가
들렸다. 모포로 얼굴을 감추라는 그의 말을 순순히 따른 윤조가 뒤
돌아 별채를 나섰다. 멀어지는 윤조의 뒷모습을 바라보는 소의의
눈빛이 불빛을 따라 일렁였다.

✦

"오, 이게 누구십니까? 대장군님 아니십니까. 이런 누추한 곳까
지 직접 오실 줄이야."

한편 추격대를 맞이하기 위해 성문을 연 박유는 예상치 못한 준
영의 등장에 내심 당황했다. 황궁 내에서 벌어진 무녀 납치 소동으
로 중앙이 소란할 텐데 설마 대장군이 직접 추격대를 지휘해 국경
으로 올 줄이야.

"그대는 누구인가? 나람성의 성주는 어디 있지?"

준영의 물음에 상념에서 깨어난 박유가 정중히 고개를 숙이며 이
름을 밝혔다.

"병마절도사 박유, 대장군님을 뵙습니다. 성주님께서는 요양차
잠시 성을 비우셨습니다."

준영이 그의 말에 고개를 돌려 성 안팎을 호위하고 있는 박유의
병사들을 확인했다.

"중앙에서 보냈나?"

"예. 성주님 대신 성을 지킬 관리가 필요하니까요."

"나람성의 성주가 자리를 비운다는 보고는 받지 못했다."

준영의 말에 박유가 짐짓 놀라며 걱정스러운 표정을 지었다.

"이런, 보고받지 못하셨습니까? 최근 이 부근에서 서국 병사들의 출몰이 잦다 보니 영지가 뒤숭숭합니다. 도적 떼도 들끓고 있으니 파발이 수도로 가던 중에 비명횡사했을 수도 있겠군요."

국경 지역에서는 간혹 수도로 보낸 파발이 중간에 도적 떼에게 당해 죽는 경우도 더러 있었기에 준영도 고개를 끄덕였다.

"추후 확인해 보면 될 일."

"그런데 대장군님께서 예까지 어인 행차신지요? 봉화로 경계 신호를 받긴 했습니다만."

"수도의 무녀가 납치되었다. 금색 머리카락을 가진 무녀. 수상한 자를 보지 못했나?"

"그런, 무녀가 납치되다니. 서국의 소행입니까?"

"그렇다."

"아직까지 수상한 자는 보지 못했습니다. 해가 지면 산은 순식간에 어두워지니 산에서 길을 헤매고 있을지도 모르겠군요. 당장 수색대를 보내겠습니다."

박유는 준영에게 보란 듯이 그 자리에서 일곱 명의 수색대를 꾸려 성 밖으로 내보냈다. 준영은 그런 박유의 행동을 유심히 살폈다. 나람성주가 보이지 않는 것도 그렇고, 뭔가 이상했다. 준영은 나람성에 도착하기 전, 대부분의 병력을 길림에게 맡긴 채 성 주위에 매복하게 했다. 성안에서 전투가 벌어질 경우, 지원을 대비하기 위함이었다.

"밖에서 이럴 게 아니라 안으로 모시겠습니다. 들어가시죠."

박유의 뒤를 따라가며 준영이 힐끗 하늘을 바라봤다. 나람성의 어두운 하늘 위로 매 한 마리가 날고 있었다. 다시 고개를 정면으로 돌린 그가 주변을 살폈다. 함께 온 추격대는 자신을 포함해서 열둘. 일반적으로 병마절도사가 거느릴 수 있는 병사의 수가 3백에서 5백이라는 걸 감안하면 월등히 적은 숫자다.

'하지만 어디까지나 중앙에서 정식으로 보낸 절도사에게 해당되는 일. 누군가가 이번 일을 작당하기 위해 보낸 사람이라면 나람성 성주의 정식 요청도 없었을 터. 비상시가 아닐 때 중앙에서 지방으로 보낼 수 있는 군사의 수는 50이 한계다.'

준영은 앞장서는 박유를 따라 걸으며 성의 정문을 지키는 병사들의 수를 헤아렸다.

'문 안팎으로 넷. 더 안쪽으로 둘. 성벽 위에 다섯. 망루 위의 병사까지, 입구에 몰려 있는 병사만 열둘. 조금 전 수색대로 일곱 명을 내보냈으니, 성안에 있던 병력은 많이 줄어든 셈이다. 거기에 갈림길에 매복까지 심어 놓았다면 남은 인원은 대략 스무 명 정도.'

"이럴 줄 알았으면 식사를 좀 늦게 할 걸 그랬습니다."

"신경 쓰지 말게."

건물 안으로 들어가 1층 연회장을 지나던 준영은 급히 식기를 치우는 하인들을 발견했다. 그는 식사를 조금 전에 마쳤다며 안타깝다는 듯이 이야기하는 박유의 말을 흘려들으며 옆으로 지나치는 하인들을 살폈다. 손목이나 얼굴에 보이는 멍과 타박상. 풍족한 생활을 하는 성주의 하인들이라고는 볼 수 없는 몰골이었다.

'포로로 잡힌 사람들인가. 자칫 전투가 벌어지면 포로들이 위험할 수도 있겠어.'

그러던 중 준영은 계단 입구를 지키고 있는 병사 두 명을 발견하고 눈을 가늘게 떴다. 2층 혹은 3층, 위로 통하는 입구를 통제하는 걸 보면 무언가 중요한 것을 지키는 눈치다.

'설마, 윤조가……'

당장이라도 자리를 박차고 성을 샅샅이 뒤지고 싶은 마음이 굴뚝같았지만 준영은 인내하며 표정을 갈무리했다. 박유는 깨끗이 치운 연회장에서 가장 상석으로 준영을 이끌었다.

"변변찮은 곳이라 죄송합니다. 대장군님께서 직접 오실 줄 알았다면 좀 더 준비를 해 두는 건데 말입니다. 병사들도 지쳤을 테니 시원한 물과 식사를 준비하라 이르겠습니다."

"환대에 감사하네."

"별말씀을요."

준영은 병사들에게 물과 음식을 내오라고 지시하는 박유를 바라보다 시선을 돌려 이번에는 성 내부의 병력을 살폈다.

'연회장을 가운데 두고 1층 기둥마다 빙 둘러 서 있는 병사의 수는 열. 2층으로 이어지는 계단에 두 명. 박유의 옆을 지키는 병사 둘. 심부름으로 보낸 병사들이 둘. 도합 열여섯.'

준영의 예상대로 나머지는 갈림길에 매복시킨 모양이었다. 적어도 성안에서 전투가 벌어질 동안의 손실은 덜었다. 설령 분대가 온다 해도 성 밖에는 길림이 있으니 문제없다. 셈을 하며 탁자를 가볍게 두드리던 준영의 손가락이 움직임을 멈췄다.

그가 함께 온 추격대에게 눈짓했다. 성으로 오기 전 부하들에게 서국과의 내통자가 나람성일지도 모르니 주의해야 한다고 말해 두었던 그였다. 준영의 신호를 받은 추격대원 두 명이 일부러 어슬렁거리며 2층으로 통하는 계단 쪽으로 향했다. 계단을 올라가려는 그들을, 박유의 병사들이 창으로 막아섰다. 순간 소란해진 상황에 이목이 몰렸다.

"무슨 일인가?"

날 선 준영의 물음에 추격대원이 어처구니없다는 듯이 어깨를 으쓱했다. 박유의 병사들에게 시선을 두자 병사들이 주춤거리며 창을 거뒀다.

"위로는 올라가실 수 없습니다."

그들의 말에 준영이 박유를 돌아봤다.

"위에 뭐가 있지?"

"제 집무실이 있습니다. 성주님의 방도 있지요."

"무녀를 납치한 놈이 국경을 넘으려 한다면 이곳을 지나려 할 것이다. 놈이 숨어들지 모르니 성안을 살피라고 했는데 내 부하를 가로막을 셈인가?"

"죄송합니다. 비어 있는 성주님 방에 도둑이 들지도 몰라 경계하라 했는데 병사들이 결례를 저질렀습니다."

박유의 얼굴에 난색이 어렸으나 그는 표정을 갈무리한 채 계단을 지키고 있던 병사들을 물러나게 했다. 어차피 무녀는 지금 이곳에 없다. 괜히 대장군의 심기를 거슬러서 좋을 건 없지. 준영의 부하가 2층으로 올라가는 모습을 지켜보던 그는 남은 병사들에게 조용히 그 뒤를 밟으라고 지시했다. 그러고는 아무 일도 없었던 것처럼 빙글 뒤돌아 준영을 향해 미소 지었다.

같은 시각, 박유의 병사와 파이옌의 뒤를 따라 성의 1층 부엌을 통해 은밀히 연회장을 지나던 윤조는 열린 문틈으로 보이는 준영의 모습에 숨을 삼켰다. 벅차오르는 감정에 자신도 모르게 그의 이름을 부르려던 윤조의 앞을 막아 선 건 파이옌이었다.

"물러나."

그는 멈춰 선 윤조의 팔을 잡아당겼다.

"여기서 소리쳤다간 난전亂戰이다. 홍준영도 추격대도 무사하지 못해."

준영과 추격대를 가운데 두고 원을 그리며 서 있는 박유의 병사들을 확인한 윤조가 고개를 끄덕였다. 돌아서는 발이 차마 떨어지지 않았지만 방도가 없었다.

"가요."

입술을 꾹 깨물고 앞장서 가 버리는 윤조의 모습에 파이옌이 뒤돌아 멀리 보이는 준영을 확인했다.

"여기까지 직접 오다니. 저 녀석 진심인 건가?"

멀어지는 윤조와 준영을 번갈아 보던 그가 얕은 한숨을 쉬었다.

"그래 봤자 변하는 건 없겠지만."

의미 모를 말을 읊조린 파이옌이 뒤돌아 윤조의 뒤를 쫓았다.

파이옌과 윤조가 나간 뒤, 윤조의 말처럼 장신구로 병사들의 관심을 끌려던 소의는 별안간 다시 열리는 별채의 문에 긴장했다.

"여자들은 다 나와. 연회장으로 가 시중들어. 허튼짓할 생각은 말고."

소의를 비롯한 하인들을 불러낸 병사가 그들을 연회장으로 이끌었다.

'이렇게 되면 2층으로 올라가기가 힘들어지는데…….'

갑작스러운 상황에 머리를 굴리던 소의는 도착한 연회장 안, 준영과 추격대를 발견하고 박유의 동태를 살폈다. 그녀는 '대장군'이라는 호칭과 함께 준영에게 고개를 조아리는 박유를 발견하고 생각을 고쳤다.

'박유가 고개를 조아리는 상대라면 설마, 대장군이 직접 온 건가? 윤조를 구하기 위해?'

윤조는 이 사실을 알고 있을까? 어떻게든 전해 줄 수 있으면 좋으련만. 치맛단을 그러쥔 그녀는 준영과 추격대를 경계하느라 정신이 팔린 박유를 확인하고 부엌으로 들어갔다.

'기회다. 박유가 정신이 팔린 틈에 작살총을 찾아야 해.'

그녀는 병사들의 눈을 피해 부엌 안쪽의 2층과 연결된 계단을 찾았다.

"마님, 정말 괜찮을까요?"

"잡혀 있다간 어차피 다 죽는다."

"서둘러야 할 겁니다. 박유가 눈치채기 전에 돌아오셔야 해요."

"알겠네."

치마를 걷어 올린 소의가 급히 계단을 올랐다. 발소리를 내지 않기 위해 신발까지 벗어 던진 그녀는 언제나 계단을 감시하고 있던 병사들이 없다는 것을 깨닫고 안도했다.

"후, 신인지 뭔지 있다면 제발 좀 들어주세요. 이런 식으로 개죽음당하고 싶진 않다고요."

손안에 땀이 찼다. 두 손을 꽉 맞잡은 채 호흡을 길게 내뱉은 그녀가 박유의 방을 찾아 복도를 가로질렀다. 서둘러야 한다. 내가 없어진 것을 박유가 눈치채기 전에 어서!

주위를 살피며 박유의 방 앞에 도착한 그녀가 조심스럽게 방문을 열었다. 그녀는 곧장 안으로 들어가 문을 잠갔다. 그러고는 집무실을 지나 안쪽에 자리한 박유의 침실로 들어갔다. 예상대로 작살총은 탁자 위에 놓인 채였다.

준영의 옆에 앉아, 연회장 식탁 위에 하나둘 놓이는 물과 음식을 바라보던 박유는 어느 순간 이상함을 눈치채고 눈을 가늘게 떴다. 한 명이 부족한 것 같은데. 가만히 부엌과 연회장을 오가던 하인들을 살피던 그는 문득 소의의 모습이 보이지 않는다는 것을 깨닫고 자리에서 벌떡 일어났다.

"왜 그러나?"

준영의 물음에도 난처한 기색을 미처 갈무리하지 못한 그가 잠시 자리를 비우겠다며 빠르게 부엌으로 향했다. 마주 오는 하인들을 거칠게 밀어내며 부엌으로 들어간 그가 소리쳤다.

"소의! 그 계집이 보이지 않는다. 그년이-!"

근처에 있던 하인의 멱살을 잡은 박유가 패악질을 부릴 때였다.

"무슨 일입니까?"

부엌 수납장에서 식기를 꺼내던 소의가 놀라 소리쳤다. 박유는 붙잡고 있던 하인을 던지듯이 밀어내며 그녀에게 다가갔다.

"어딜 갔었지? 계속 보이지 않던데?"

"무슨 소리예요? 부엌일은 그쪽이 지시했잖아요."

박유는 그녀의 손에 들린 식기와 물병을 바라보다 험악하게 인상을 쓰며 그녀의 얼굴 가까이 자신의 얼굴을 들이밀었다.

"허튼짓 안 하는 게 좋을 거야. 곱게 뒈지고 싶다면 말이지."

앞뒤로 그녀를 살피던 박유가 휙 몸을 돌려 부엌을 벗어났다. 멀어지는 그의 모습을 멍하니 바라보던 소의가 비틀거리며 벽을 짚었다. 들키는 줄 알았다. 하인들이 그녀를 부축해 일으켰다.

"마님, 괜찮으세요?"

"괜찮아."

"어, 어떻게 됐나요?"

간절하게 자신을 바라보는 하인들의 물음에 소의는 치마 속에 숨긴 작살총을 손끝으로 더듬으며 고개를 끄덕였다.

✦

계단을 올라 파이옌보다 먼저 2층에 도착한 윤조는 뒤돌아 그가 없다는 것을 확인하고 주변을 살폈다. 방법은 없는 걸까? 자신도 언니도 대장군님도 모두 안전하게 이곳을 빠져나갈 방법은. 자꾸만 떠오르는 준영의 모습에 도리질을 치던 그녀가 벽을 짚었다.

"진정하자, 진정해. 조급하게 생각한다고 될 일이 아니야."

안기고 싶었다. 달려가서 내가 여기에 있다고 소리치고 싶었다. 하지만 지금은 안 된다. 나의 이기로 대장군님을 위험하게 할 수는 없다.

"언니는 괜찮을까?"

윤조가 중얼거렸다. 1층 연회장에 준영과 함께 있는 박유의 모습을 떠올리던 그녀는 지금쯤 박유의 방으로 향했을 소의를 걱정했다.

"박유의 방은 어디쯤일까?"

박유가 파이옌과 윤조 두 사람에게 방을 내주었던 3층은 복도 가장 안쪽에 있는 방이 가장 넓은 방이었으니, 2층도 구조가 같다면 박유의 방은 현재 계단의 입구에서 가장 반대편에 있는 방일 확률이 높았다.

'무사히 성공해야 할 텐데.'

1층의 연회장으로 이목이 집중되었다고 하나 2층과 3층에는 박유의 병사들이 항시 보초를 서고 있었다. 간절함을 담아 기원한 그녀가 자세를 바로 할 때였다. 가까운 곳에서 갑옷 차림의 낯선 사내가 윤조를 바라보고 있었다. 흠칫 놀란 그녀가 뒷걸음질 치자 그녀를 미심쩍게 바라보던 사내의 눈이 점점 놀라움으로 커졌다.

"무녀님?"

사내의 목소리가 조용한 복도를 울렸다. 윤조의 눈동자가 크게 흔들렸다. 바라본 사내는 준영과 함께 온 추격대의 복장을 하고 있었다.

"무녀님, 맞으시죠? 구하러 왔습니다. 대장군님도 함께 오셨어요."

'안 돼.'

윤조가 도리질 치며 다가오는 사내를 피해 뒷걸음질 쳤다. 사내는 그런 윤조가 겁에 질렸다고 생각했는지 사람 좋은 미소를 지으며 손을 내밀었다.

"무사하셔서 정말 다행입니다."

'안 돼.'

윤조가 하얗게 질린 얼굴로 도리질을 쳤다. 사내의 뒤로 장창을

든 박유의 병사들이 보였다. 추격대원을 미행한 자들이었다. 윤조
가 다급하게 소리쳤다.

"뒤를 봐요!"

그녀의 외침에 추격대원이 급히 뒤를 확인했다. 동시에 두 개의
창이 그의 가슴과 배를 관통했다. 핏물이 튀었다. 덜덜 떨리는 손
으로 얼굴에 튄 뜨듯한 피를 매만진 그녀가 멍하니 입을 벌렸다.

"아, 아아……."

말이 되지 못한 언어가 신음이 되어 흘렀다. 박유의 병사들이 추
격대원을 죽였다. 이 사실이 알려지는 순간 나람성은 전쟁터가 되
고 말 거야. 바닥에 쓰러진 시체에서 창을 뽑아 든 박유의 병사들
이 윤조를 향해 다가왔다.

"어이쿠, 험한 꼴 보셨습니다."

주변을 슥 둘러본 두 명의 병사는 복도에 윤조 혼자 있다는 것을
확인하고 그녀의 팔을 잡아챘다.

"파이옌 장군은 어딜 가고 혼자 돌아다니십니까? 설마 조금 전
그 추격대원과 도망치려던 것은 아니지요?"

"이거 놔!"

윤조가 잡힌 팔을 비틀어 빼려고 했으나 병사들은 그런 그녀를
비웃으며 음흉한 대화를 주고받았다.

"혼례식 중간에 잡혀 온 거면 아직 처녀겠지?"

"대장군이 예비 신부를 미리 덮칠 위인은 아니지."

"그래도 혹시 알아? 벌써 붙어먹었을지. 안 그렇습니까? 무녀님."

자신을 바라보는 병사들의 눈에 정욕이 가득했다.

'위험해.'

윤조가 급히 손을 뿌리치려 힘을 주자 그녀를 붙잡은 병사의 손에 더욱 힘이 들어갔다.

"에이, 왜 이렇게 빼시나."

"이거 놓으세요!"

"앙칼지네. 사실 파이옌하고도 그렇고 그런 사이 아니야? 놈이 엄청 싸고도는 것 같던데."

"확인해 보면 되겠지, 확인해 보면."

"지금 무슨 말을! 나를 함부로 다뤘다간 그대들의 상관이 가만있지 않을 겁니다!"

그러자 그 말을 들은 병사들이 씩 웃으며 속삭였다.

"지금 걱정해야 할 게 누군데 그래?"

"무녀님, 도망칠 수 있을 것 같소? 추격대는 여기서 싹 다 죽을 텐데. 어쩌면 파이옌이라는 그 서국 놈도 말이야. 거슬린다고 기회 봐서 없애도 좋다고 했거든."

"맞아. 서국 황제랑은 우리가 거래하면 되지."

윤조의 두 눈이 커다랗게 뜨였다. 애초에 박유는 파이옌과 추격대를 모두 죽일 생각이었나!

"놔! 이거 놔―!"

도망치려는 윤조를 병사들이 앞뒤로 붙잡았다. 비명이 삼켜졌다. 그녀의 뒤에서 입을 틀어막은 병사가 그녀의 목에 창을 겨눴다.

"상처 나면 곤란하잖아. 그치? 얌전히 있으면 안 아프게 끝날 거야."

"읍!!! 으읍읍―!"

"팔팔하네. 팔팔해. 박유 새끼 혼자만 계집년들 독점하고 말이야. 그러니 우리가 화가 나, 안 나?"

"크큭. 야, 살살해라. 물건 상했다가 나중에 곤란해져."

"보는 사람도 없겠다. 입 다물면 아무도 몰라, 아무도."

끈적한 손이 몸부림치는 윤조의 다리를 잡았다. 치마 사이로 들어온 손이 그녀의 종아리를 지나 허벅지를 더듬었다. 처음 느껴 보는 불쾌한 감각에 윤조가 온몸을 비틀었다.

어떻게 하지. 기절시켜야 하나? 하지만 상대는 둘이었다. 작은 동물이면 모를까, 그녀가 신력으로 기절시킬 수 있는 사람은 한 명뿐이었다. 생각할 시간이 없었다. 본능적으로 손을 움직인 그녀가 눈앞의 병사를 붙잡으려는 때였다.

"이건 또 뭐야?"

계단을 올라온 파이옌이 눈앞의 상황을 믿을 수 없다는 듯 눈썹을 치켜세웠다. 그를 발견한 윤조의 눈에서 왈칵 눈물이 쏟아졌다. 파이옌의 시선이 윤조를 붙잡은 병사들을 훑었다. 그녀의 입을 강제로 틀어막은 손과, 치마 속을 더듬던 팔과, 위협하던 창. 그 앞에 널브러져 죽어 있는 추격대의 시체는 신경 쓸 바가 아니었다. 울고 있는 윤조의 모습을 확인한 그의 표정이 섬뜩하게 지워졌다.

"이 씨발 새끼들이."

다음 순간 자리에 있던 파이옌이 사라졌다. 박유의 병사들이 도망치거나 반응할 겨를도 없었다. 찰나의 순간, 윤조의 다리를 더듬던 병사의 팔이 날아갔다. 어찌나 순식간에 잘려 나갔는지 수축됐던 혈관이 피를 뿜어내는 것도 시간이 걸렸다. 공허해진 팔이 있던 자리, 피분수가 일었다.

"흐, 흐아아악! 내 팔! 내 팔이!!!"

"닥치고 있어. 넌 곱게 안 죽인다."

비명을 지르는 병사의 머리를 걷어차 날려 버린 그가 고개를 돌려 윤조의 뒤에서 창을 겨누고 있던 병사를 향했다.

"히이익! 가, 가까이 오지 마―!"

겁에 질린 병사가 들고 있던 창을 더욱 세게 그러쥐며 윤조의 목에 바짝 가져다 댔다. 몸부림치면서 목에 상처가 났는지 쓰라렸다. 인상을 쓴 윤조의 목에서 한 줄기 피가 흘렀다. 병사를 향해 거침없이 다가가던 파이옌이 멈칫, 검을 고쳐 쥐었다.

"씨발, 지랄도 가지가지 한다. 야, 병아리."

파이옌의 부름에 윤조가 그와 눈을 맞췄다.

"잠깐이면 되니까 나만 보고 있어."

알겠다는 듯 윤조가 두 눈을 깜빡였다. 그녀를 인질로 잡은 병사가 허튼수작하면 윤조를 죽여 버리겠다고 협박했다. 그 말을 신호탄으로 파이옌의 손을 벗어난 검이 허공을 갈랐다.

'퍽!' 하고 무언가 관통되는 둔탁한 소리가 바로 윤조의 귓가에 선연했다. 윤조를 붙잡고 있던 병사의 팔이 느슨해지며 바닥을 향했다. 쿵, 하는 소리와 함께 주인 잃은 창이 날카로운 마찰음을 내며 나뒹굴었다.

윤조는 그때까지도 파이옌을 바라보고 있었다. 밀려드는 호흡이 버거웠다. 말 그대로 쓰러지지 않기 위해 간신히 발에 힘을 주고 버텼다. 팽팽하게 계속되는 긴장감을 놓을 수가 없었다. 뻣뻣하게 굳어 있는 윤조의 머리 위로 파이옌이 조심스럽게 손을 올렸다.

"잘했어."

토닥거리는 그의 손길이 다정했다.

"잘했어, 병아리. 잘 참았어."

그는 흐느낌을 참으려 입을 틀어막는 윤조의 머리를 가만히 쓰다 듬었다. 그러고는 그녀를 부축해 벽에 기대게 했다.

"여기 앉아서 1분, 아니 30초만 눈 감고 있어. 알겠지?"

한 손으로 윤조의 눈을 감게 한 그가 빙글 몸을 돌려 옆을 바라봤다. 팔 한쪽을 잃은 채, 기다시피 난간으로 도망치던 병사는 다가오는 파이옌을 발견하고 미친 듯이 소리쳤다.

"살려 줘!!! 살려 줘-!!!"

이미 병사의 비명 소리를 들은 1층 연회장에서 웅성거리는 소리가 들려왔다. 검을 회수해 곧장 난간으로 걸어가던 파이옌은 복잡해진 상황에 혀를 찼다. 이 상태로는 정상적인 방법으로 추격대를 피해 성을 벗어나기가 어렵다. 그가 고민하고 있는데, 난간 가까이 다다른 병사가 악을 쓰며 그를 향해 외쳤다.

"이 미친 새끼! 박유 님이 너를 살려 둘 것 같아!"

"유언 다 했냐?"

파이옌이 비뚜름하게 웃으며 곡도를 흔들었다.

"말할 수 있을 때 더 지껄여 보시든가."

"하! 단신으로 인질까지 데리고 이곳을 빠져나갈 수 있을 거라 생각하나!"

혼자라도 불가능한 건 아니다. 오히려 혼자였다면 더 쉽게 빠져나갈 수 있었을 거다. 하지만 인질이 있는 상태에서는 무리군. 어쩐다. 잠시 생각하던 그는 검을 들어 바닥을 내리쳤다. 그의 행동에 병사가 기겁하며 뒷걸음질 쳤다.

"지, 지금 무슨 짓을!"

"이런 짓."

어차피 난전을 피하기 어렵다면 이쪽에서 일으키는 것도 방법이다. 파이엔은 바닥에 죽어 있던 추격대의 목을 베어 연회장 쪽으로 난 복도의 난간 밖으로 집어 던졌다. 미안하다, 이름 모를 홍준영 부하1. 개인적인 감정은 없어.

⟡

"살려 줘!!! 살려 줘-!!!"

2층에서 비명 소리가 들렸다. 준영과 박유를 포함해 1층 연회장에 모여 있던 모두의 이목이 비명 소리가 들려온 곳으로 향했다. 그때 2층 복도 난간 밖으로 무언가 떨어졌다. 그것이 잘린 사람의 머리라는 것을 알기까지는 그리 오랜 시간이 걸리지 않았다.

음식을 나르던 하인들과 그 근처에 있던 병사들이 비명을 지르며 물러났다. 준영은 머리의 주인이 자신이 염탐을 보낸 추격대 대원이라는 것을 알고 빠르게 검을 뽑았다. 순식간에 벌어진 상황에 준영을 따라 검을 든 추격대와 박유의 병사들이 대치했다. 박유는 낭패 어린 기색으로 준영을 바라봤다.

"대장군님, 검을 거두시죠."

"이 성에서 무슨 일이 일어나고 있는지 알아야겠다."

준영의 눈빛에 어린 단호함에 박유가 검을 뽑으며 소리쳤다.

"다 죽여!!!"

연회장은 순식간에 아수라장이 되었다. 맞붙어 싸우는 추격대와 박유의 병사들의 기세가 험악했다. 식탁 위에 놓여 있던 음식 그릇이 바닥에 떨어지며 요란한 소리를 냈다. 고성과 검이 난무하는 가운데, 소의가 하인들을 모았다.

"연회장 입구를 봉해라! 박유의 병사들이 더 들어오지 못하게 막아야 한다!"

대장군과 추격대의 실력이 좋다고 해도 숫자에서 밀리면 답이 없다. 소의의 말에 하인들이 급히 연회장으로 통하는 1층 출입구를 봉쇄했다.

"너희는 몰래 별채로 가 남아 있는 사람들을 데려 오거라. 나머지는 나를 따라 옥상으로 간다!"

연회장 복판을 지나 간신히 부엌으로 들어온 소의가 여자 하인들과 함께 계단을 올랐다. 그러던 중 대장군이 윤조를 찾고 있다는 것을 떠올린 그녀는 하인들에게 작살총을 주며 꼭대기 층으로 향하라고 한 뒤 올라갔던 계단을 내려와 부엌 밖을 살폈다. 멀지 않은 곳에 박유와 검을 맞댄 준영의 모습이 보였다.

"대장군! 윤조가 이 성에 있습니다—!"

소의의 외침에 준영과 박유가 거의 동시에 고개를 돌려 그녀를 향했다.

"윤조가 이곳에 있습니다! 윤조를 찾아야 해요!"

"저 계집년이!"

박유는 하인들이 봉쇄한 출입구를 발견하고 분노해 소리쳤다. 준영은 소의를 잡으려는 박유를 막아서며 그의 검을 무참히 내리쳤다.

"배후를 대라! 중앙에서 너를 이곳으로 보낸 배후가 누구인가!"

순간 측면에서 창이 날아들었다. 재빨리 몸을 피해 넘어진 탁자 뒤에 숨은 준영이 숨을 고르며 소리쳤다.

"추격대—! 납치된 무녀가 이 성에 있다! 무녀를 찾아라!!!"

준영의 목소리를 들은 추격대가 윤조의 행방을 쫓아 2층으로 향하려 했으나 박유의 병사들에게 가로막혔다. 하지만 파이옌을 쫓기 위해 준영이 직접 정예로 뽑은 부하들인 만큼 추격대의 반격도 만만치 않았다.

"크흑! 뭣들 하는 거냐! 놈들을 죽여라! 이곳에서 한 놈도 살려 보내선 안 된다!!!"

달려드는 추격대를 베어 넘긴 박유가 성난 숨소리를 내며 소의의 뒤를 쫓기 시작했다.

"저 요망한 계집년이-!"

계단 위로 도망친 소의를 발견한 박유의 눈에 핏발이 섰다. 주위를 살피던 준영이 2층으로 올라가는 박유를 발견하고 급히 그 뒤를 쫓았다.

"천하의 잡것 같으니라고! 감히 네가 내 뒤통수를 쳐!!!"

"꺼져! 이 벌레만도 못한 새끼야!"

소의가 뒤따라오는 박유를 향해 악성을 지르며 복도에 진열되어 있던 도자기나 화병 등을 집어 던졌다. 날아오는 도자기에 맞아 주춤했던 박유는 이마에서 흐르는 피를 확인하고 더욱 광분했다.

"찢어 죽여도 시원찮을 년이!!!"

검을 들고 빠르게 달려오는 박유의 모습에 소의가 비명을 지르며 달아났다. 박유의 시선을 자신에게 붙잡아 두기 위함이었다. 지금 놈을 옥상으로 끌어들여선 안 된다. 사람들이 모두 피할 때까지 따돌려야 해. 어떻게든!

점점 다리에서 힘이 빠졌다. 제대로 먹지 못하고 갇혔던 탓에 체력이 급격히 떨어졌다. 소의는 피가 날 정도로 입술을 깨물었다.

가난 속에 보름을 굶었던 적도 있다. 한 달 넘게 풀뿌리만 먹으며 버텼던 적도 있다. 이 정도는 그때에 비하면 아무것도 아니다. 저 놈에게 복수하기 전까지는! 성주님의 원한을 갚기 전에는 절대로 못 죽어!

신발이 벗겨져도 아랑곳없이 내달리던 소의가 복도 모퉁이에서 급히 몸을 틀었다. 그녀를 따라 복도로 들어선 박유는 사라진 소의의 모습에 괴성을 지르며 발을 굴렀다.

"어디냐! 네년을 갈가리 찢어 산짐승의 먹이로 던져 줄 것이다!"

2층 복도의 방문이 쿵쿵거리며 열렸다가 닫히는 소리가 반복됐다.

"어디냐! 어디야!!!"

점점 가까워지는 그의 목소리에 박유의 방에 숨어 있던 소의가 입을 틀어막았다. 잠시 뒤 '쿵!' 하고 방문이 열리는 소리가 들렸다. 가까워지는 발자국 소리는 곧장 침실을 향했다. 소의를 찾아 방을 뒤지던 박유는 자신의 침실 탁자 위에 두었던 작살총이 사라진 것을 발견하고 진노했다.

"이것들이 감히—!"

물건이 던져지고 부서지는 소리가 들렸다. 탁자 아래에서 숨을 참고 있던 소의가 점점 가까워지는 박유의 모습에 급히 몸을 뒤로 빼려다가 의자를 넘어뜨리고 말았다.

"오호라, 거기 있었구나."

야차 같은 박유의 눈동자가 소의를 향했다. 칼을 높이 치켜든 박유가 그녀를 향해 검을 휘두르려는 때였다.

"언니!!!"

퍽! 둔탁한 소리와 함께 벼루로 뒤통수를 세게 맞은 박유가 바닥으로 쓰러졌다.

"윤조야-!"

"언니, 괜찮아? 다친 데 없어?"

윤조가 가쁜 숨을 몰아쉬며 소의를 부축했다. 조금만 늦었더라도 소의가 죽을 뻔했다. 들고 있던 벼루를 놓친 그녀의 손이 덜덜덜 떨려 왔다. 소의가 바닥을 기다시피 다가와 윤조의 손을 잡았다.

"여긴 왜 왔어! 곧장 옥상으로 가지 않고!"

"언니를 두고 어떻게 가!"

"그 서국 놈은?"

"싸우느라 한눈 판 틈에 도망쳤어. 어서 옥상으로 가자. 시간이 없어!"

시야각이 넓다고 했으니, 파이옌은 자신이 어디로 도망쳤는지 이미 알고 있을 것이다. 곳곳에서 전투가 벌어졌다. 소의를 부축해 함께 방을 나선 윤조가 박유의 병사들을 피해 조심히 움직였다. 복도를 지난 두 사람이 곧장 옥상으로 향하는 계단을 밟을 때였다.

"어딜 도망치려고!"

반대편에서 튀어나온 박유의 병사가 두 사람을 위협했다. 뒷걸음질 치던 두 사람이 점점 구석의 벽으로 내몰렸다. 소의의 등 뒤로 열려 있던 창문이 닿았다.

'너무 높아.'

뛰어내릴까 싶어 바닥까지의 높이를 가늠하던 소의가 입술을 깨물었다.

"여기다! 무녀를 잡았다!"

그들의 앞을 막아선 병사가 복도 저편을 향해 소리쳤다. 이대로라면 다시 잡히는 건 물론이고 소의의 목숨이 위험하다.

"윤조야!!!"

그때, 멀지않은 복도 저편에서 몰려드는 병사들을 헤치며 다가오는 준영의 모습이 보였다.

"대장군님!!!"

난전 가운데, 준영과 파이엔이 박유의 병사들과 서로의 검을 맞대고 있었다.

"병아리-!"

파이엔도 위험에 처한 윤조의 모습을 발견하고 소리쳤다. 그러다 한순간 준영과 파이엔의 시선이 윤조와 소의의 등 뒤로 난 창 밖을 향했다.

"바닥에 엎드려라!"

"바닥에 엎드려!"

동시에 내질러진 두 사람의 외침에 윤조와 소의가 빠르게 바닥으로 몸을 낮췄다. 그 순간 창문으로 날아든 화살이 두 사람을 위협하던 병사의 이마를 꿰뚫었다. 순식간에 벌어진 일에, 자리에서 일어난 윤조가 창밖을 확인했다.

"길림 부관님!"

멀리 성벽 위에서 활을 들고 있는 길림의 모습이 보였다.

"나람성을 탈환하라-!!!"

길림의 뒤를 따라 성벽 위에 있던 박유의 병사들을 처치한 준영의 병사들이 성안으로 몰려들어 오고 있었다.

"윤조야! 어서 옥상으로!"

소의가 급히 윤조의 팔을 잡아 옥상으로 향하는 계단을 밟았다.

"이 계집년들, 다 죽여 버리겠어–!!!"

언제 정신을 차린 건지 등 뒤로 괴성을 내지르는 박유의 목소리가 복도를 메아리쳤다. 기겁한 소의가 윤조와 함께 걸음을 서둘렀다. 급한 마음에 내딛는 다리가 부들부들 떨려 왔다. 체력은 이미 한계였다. 허공을 짚은 그녀의 다리가 일순 중심을 잃었다.

"언니!"

그 모습에 윤조가 비명을 질렀다. 간신히 난간을 잡고 버텼으나 발목을 삔 모양이었다.

"이 빌어먹을 몸뚱이–!"

소의가 욕지기를 내뱉으며 윤조를 계단 위로 밀어 올렸다.

"가! 계속 올라가! 작살총은 먼저 간 하인들이 갖고 있어!"

뒤를 돌아보자, 머리에서 피를 흘리고 있는 박유가 광인 같은 몸짓으로 계단을 오르고 있었다. 윤조가 급히 소의의 팔을 자신의 어깨에 둘렀다.

"몇 번이나 말하지만 혼자는 안 가!"

"이 멍청아!!!"

"잔말 말고 일어나! 거의 다 왔어!"

숨이 턱 끝까지 차올랐다. 등 뒤에서 오싹하게 괴성을 질러 대는 박유를 애써 무시한 두 사람이 옥상에 다다랐다.

"마님!"

성 꼭대기에 도착하자 소의를 기다리고 있던 하인들이 보였다.

"문을! 문을 닫아요!"

숨을 고를 틈도 없이 윤조가 급하게 외쳤으나 그보다 박유의 검이 빨랐다. 문 앞에 서 있던 하인 하나가 박유의 검에 그대로 비명횡사했다.

"꺄아악!!!"

피범벅이 되어 눈을 부릅뜬 박유의 모습에 하인들이 비명을 지르며 뒤로 물러났다. 박유가 검을 들어 윤조와 소의를 가리켰다.

"내 저 두 년을 갈가리 찢어 죽일 것이야!!!"

"마님! 마님을 지켜라!"

옥상의 공간은 그리 넓지 않았다. 도망칠 곳은 없었다. 박유를 막기 위해 하인들이 달려들었으나 무기 하나 없는 그들은 박유의 검에 하나둘, 희생될 뿐이었다.

철퍽.

바닥에 피가 홍건했다. 박유의 주위로 이미 네 구의 시신이 뒹굴고 있었다. 시체를 지르밟고 곧장 다가오는 그의 모습에 윤조의 이마 위로 식은땀이 흘렀다. 쿵쿵거리는 심장소리가 머릿속에서 들리는 것 같았다.

그녀가 소의를 부축한 채 뒷걸음 칠 때마다 박유도 빠르게 가까워졌다. 주변의 무수한 소리가 그녀의 귓가를 스쳤으나, 뇌리에 선명히 박혀드는 소리는 하나였다.

'죽는다.'

내면의 소리가 그녀의 머리를 울렸다. 살아 있는 하인들은 부상이 심한 자들이었다. 발목을 다친 소의 역시 도망칠 기력이 남아 있지 않았다. 몸을 지킬 어떠한 무기도, 도와줄 사람도 없었다. 공포에 질린 두 사람의 몸이 굳어졌다.

'내가 해야 해.'

비록 무기는 없었지만 방법이 있다. 유일하게 박유를 무력화할 방법이. 그 방법을 알고, 사용할 수 있는 이는 오직 그녀뿐이었다. 신력을 사용하면 된다. 어떻게든 박유와 접촉해서 기절시키면.

박유의 검이 천천히 위를 향했다. 이를 드러낸 채 즐겁다는 듯이 웃고 있는 그의 모습이 과거 어느 책에서 보았던 악마의 얼굴 같았다. 오금이 저려 움직일 수조차 없었다. 손을 뻗어야 하는데. 어떻게든 닿아, 신력으로 놈을 기절시킬 수만 있다면. 어떻게든 그럴 수 있다면. 바르르 떨며 손을 내미는 윤조의 행동을 바라보던 박유가 비릿한 미소를 지었다.

"먼저 죽고 싶은 게냐? 소원대로 죽여 주마!"

틀렸다. 닿을 수 없다. 죽을 거야. 윤조의 두 눈이 질끈 감겼다. 금방이라도 준영이 나타나 도와주길 간절히 바랐으나, 그런 꿈같은 일은 일어나지 않았다. 윤조는 깨달았다. 이건 드라마나 영화 같은 것이 아닌 참혹한 현실이라는 것을.

어쩌면 준영을 만나 이전 생에서는 누려 보지 못했던 사랑을 받는 동안 자신은 무언가 단단히 착각하고 있었는지도 몰랐다. 이건 오로지 자신을 중심으로 하는 그럴듯하게 짜인 로맨스 드라마나 영화가 아니라는 것을. 이 세계를 '현실'이라 이야기하면서도, 자신은 어쩌면 꿈꿔 왔던 '낭만적인 이야기' 속에 빠져 그려 왔던 이상과 현실을 착각했음을. 모든 게 다 긍정적인 방향으로 흐르고, 문제가 되었던 모든 것이 마침내 완벽히 사라지고 '그들은 행복하게 잘 살았습니다'라는 해피엔딩으로 이번 삶을 이루게 될 것이라고 말이다.

"안 돼-!!!"

대체 무엇에 근거를 두고 그리 헛된 믿음을 아무렇지 않게 품고 있었나.

박유의 검이 내질러지는 순간 거센 힘에 윤조의 몸이 뒤로 밀려났다. 뒤이어 무언가 찢어지고 망가지는 불쾌하고 끔찍한 소리가 귓전을 울렸다. 하인들의 비명 소리가 메아리쳤다.

모든 것이 느려졌다. 전에 파이옌이 말했던 슬로모션으로 돌아가는 세상이 이러할까? 누군가 그녀의 어깨를 강하게 잡는 것이 느껴졌다. 눈을 뜨자 금방이라도 쓰러질 것처럼 창백한 얼굴의 소의가 윤조의 앞을 막아선 채 그녀를 바라보고 있었다.

"윤조야, 꼭 살아야 해."

절대 잊히지 않을 선명한 음성이었다. 윤조는 자신의 어깨를 잡고 있던 소의의 손에서 힘이 빠져나가는 것을 고스란히 느꼈다. 자신을 바라보던 소의의 두 눈이 감기고, 그녀가 가슴을 관통한 박유의 검과 함께 피를 흩뿌리며 바닥으로 무너져 내리는 것까지 전부.

"마님!!! 아아악! 마님!!!"

윤조에게 소의와 그녀의 남편이었던 성주에 대한 이야기를 해 주었던 늙은 하인이 고통스러운 비명을 질렀다. 그와 동시에 박유의 입에서 웃음이 터졌다.

"크하하하! 멍청한 년! 얌전히 있었으면 조금 더 놀아 줬을 텐데 말이다. 제 명을 제가 재촉한 꼴을 보거라—! 다들 눈이 있으면 이 꼴을 보란 말이다! 하하하하!"

소의를 향해 삿대질하며 조소하는 박유의 모습이, 그 시간이 마치 꿈처럼 길었다.

"언니."

입 밖으로 내뱉는 목소리가 자신의 것 같지 않았다.

"언니, 언ㄴ……."

언니가 죽었다. 언니가, 죽었다. 언니가…….

바닥으로 소의의 피가 붉게 번져 갔다. 끅끅거리며 신음을 삼키던 윤조가 비명을 내질렀다.

"아아아악———!"

세상이 하얗게 뒤집혔다. 눈앞에서 새하얀 번갯불이 튀는 것 같았다.

찰나의 순간, 그녀는 미처 알아차리지 못했으나 그건 비유가 아닌 실제였다. 그녀의 온몸에서 터져 나온 새하얀 신력이 마치 벼락처럼 타오르며 박유를 향해 내리꽂혔던 것이다.

아무런 소리도, 아무런 외상도 없었다. 킬킬거리며 소의를 향해 침을 뱉던 박유는 그 모습 그대로 쓰러졌다. 고통스러운 비명도, 짧은 단말마도 없는 죽음이었다. '쿵!' 하는 소리와 함께 박유의 몸뚱이가 바닥을 굴렀다. 동시에 윤조도 정신을 잃고 쓰러졌다.

"병아리!"

준영보다 먼저 옥상에 도착한 파이옌은 피에 젖은 바닥에 쓰러져 있는 윤조를 발견하고 급히 그녀의 숨을 확인했다. 다행히 기절한 것뿐이다. 한숨을 쉰 그는 윤조의 곁에 죽어 있는 소의와 쓰러져 있는 박유를 발견하고 왈칵 인상을 찌푸렸다.

'죽었다?'

얼핏 쓰러진 것처럼 보였지만 그가 사자死者의 모습을 못 알아볼리 없었다. 그가 가장 우려했던 일이 벌어지고 말았다. 이곳에서 박유는 죽어선 안 되는 인물이었다. 다가가 확인했지만 박유의 숨은 이미 끊어져 있었다.

"제길! 대체 무슨 일이……."

그 주변으로도 죽은 하인들의 시체가 즐비했다. 파이옌이 빠르게 상황을 파악했다. 한 사람도 아니고 윤조와 소의, 그리고 소의의 하인들이 모두 옥상에 모여 있었다. 무엇 때문에? 그는 근처에 있던 하인 하나를 잡아 위협했다.

"무슨 일이 있었지? 여기서 뭘 작당하고 있었던 거야!"

"살, 살려 주십시오! 제발 목숨만은!"

"말해!!!"

"그, 그게 마님께서 망루로 탈출하라고……."

"망루?"

하인이 가리키는 방향을 살피자 멀리 성에서 떨어진 낡은 망루 하나가 보였다. 파이옌은 바닥에 떨어져 있는 작살총을 발견하고 그것을 주워 들었다.

"이걸로 탈출할 작정이었군."

시간이 없었다. 그는 작살총을 쏘아 건너편 망루에 연결하고 기절한 윤조를 품에 안았다.

"미안하다……."

조금만 더 빨리 왔어도, 내가 조금만 더 빨랐어도. 힘없이 늘어진 윤조를 바라보며 그가 작게 욕지기를 삼켰다.

"제길, 이 참상을 다 봤겠지. 눈앞에서 제 언니가 죽는 모습을 다 봐 버렸겠지."

준영이 옥상에 도착한 것은 그때였다. 좁은 복도에서 벌어진 난전 속에서 그도 무사하진 못했는지 한쪽 뺨이 긁히고, 다리에서 피가 흐르고 있었다. 성치 않은 건 파이옌도 마찬가지였다. 그는 다시금 상처가 터져 피가 흐르는 옆구리를 무시하며 준영을 바라봤다.

"너무 늦었어. 나도 그리고 너도."

"윤조야-!!!"

준영이 기절한 채 파이옌에게 잡혀 있는 윤조를 발견하고 소리쳤다. 사방이 피와 시체였다. 윤조의 옷에도 붉은 핏물이 선연했다. 나람성의 하인들이 '마님'을 외치며 소리 높여 통곡했다.

쓰러진 박유의 근처에 죽은 여인의 시체가 있었다. 조금 전 윤조와 함께 옥상으로 도망쳤던, 윤조의 존재를 자신에게 소리쳐 알려주었던 바로 그 여인이었다. 그는 죽은 여인이 사라진 나람성주의 부인이라는 것을 깨달았다. 준영이 다급한 몸짓으로 옥상의 난간에 아슬아슬하게 서 있는 파이옌을 향해 다가갔다.

"윤조를 돌려줘."

"안 돼."

"파이옌!!! 이대로 윤조를 서국에 데려가면 그녀는 죽고 말 거다! 그녀가 죽기를 바라나!"

"아니, 오히려 그 반대다."

파이옌이 준영을 쏘아보며 말했다.

"난 이 녀석을 살릴 거야. 너와 함께 있다간 윤조는 죽어."

"헛소리! 그녀를 사지로 몰아넣고 있는 건 오히려 너다!"

"너는 알 수 없겠지. 너는 이 세계의 존재니까."

알 수 없는 말이었으나 준영에게 닿은 파이옌의 눈빛과 음성에는 지나치지 못할 진심이 담겨 있었다.

"너는 결국 윤조를 불행하게 만들 거다."

말을 마친 파이옌이 윤조를 어깨에 걸친 채 곡도의 검집을 밧줄에 걸고 공중으로 몸을 실었다.

"안 돼-!!!"

준영이 달려가 붙잡을 틈도 없이 두 사람의 모습이 저편으로 빠르게 멀어졌다. 곧 길림과 준영의 병사들이 도착했으나 이미 사라진 파이옌과 윤조의 모습은 보이지 않았다.

준영이 비틀거리며 바닥에 무릎을 꿇었다. 축 늘어져 정신을 잃은 채 흔들리던 윤조의 마지막 모습이 머릿속에서 떠나지 않았다. 바르르 떨리는 그의 주먹에, 길림이 조심스럽게 그의 어깨를 잡았다.

"강하신 분입니다. 윤조 님은 괜찮을 겁니다."

길림의 위로에 준영이 힘겹게 몸을 일으키며 윤조와 파이옌이 사라진 성벽 너머를 오래도록 응시했다.

"부관은 병사들과 함께 시신을 수습하고 박유와 박유의 병사들을 압송할 준비를 하라."

준영의 명령에 옥상 위에 쓰러져 있던 박유의 상태를 확인하던 길림이 재차 그의 상태를 확인하고는 놀라 준영을 바라봤다.

"죽었습니다."

길림의 말대로 박유는 이미 숨이 끊어진 상태였다. 생명에 위해를 줄 만한 타살의 흔적은 몸 어디에서도 발견되지 않았다.

"머리에 둔기로 맞은 상처가 있긴 하지만 치명상은 아닙니다. 어떻게 된 일일까요?"

원인을 알 수 없는 죽음이었다. 박유를 이용해 그 배후를 캐려고 했건만. 박유를 사로잡는 것도, 윤조도, 나람성의 안주인도 모두 제대로 구하지 못했다. 준영의 표정이 좋지 않게 일그러졌다. 횃불에 일렁이는 그림자가 그의 마음만큼이나 위태로웠다. 한숨 같은 안타까움이 이리저리 휘청이는 밤이었다.

⟁

뜨거운 욕조에 몸을 푹 담은 것 같은 나른한 기분이었다. 전신이
둥둥 떠 있는 것 같은 감각을 느끼며 윤조는 서서히 정신을 차렸
다. 눈꺼풀이 무거웠다. 간신히 뜬 눈앞으로 빠른 화면을 돌린 것
처럼 주변의 풍경들이 색으로 스쳐 지나갔다. 머리가 어지러웠다.
다시 눈을 감자 몸을 스치는 속도감이 느껴졌다.

망루에 도착한 파이옌이 품 안에 있던 윤조를 바닥에 내려 주고
연결되어 있던 밧줄을 끊었다. 도착한 숲속은 어둠에 잠겨 있었다.

"병아리, 너 괜찮냐? 정신이 들어?"

조금 전부터 품 안에서 느껴졌던 움직임에 파이옌이 윤조를 조심
히 바닥에 눕히며 그녀의 어깨를 흔들었다.

"으……."

다소 거친 손길에 윤조가 신음하며 천천히 눈을 떴다. 울창한 나
무 사이로 보이는 밤하늘에 그녀가 주변을 살피며 머리를 짚었다.

"여긴 어디……?"

"나람성 밖이야. 옥상에서 무슨 일이 있었던 거야?"

천천히 몸을 일으켜 자리에 앉은 그녀는 '옥상'이라는 그의 말에
조금 전에 겪었던 일을 떠올렸다.

"박유가 언니를, 그리고는……."

소의의 죽음과 자신의 몸 안에서 하얗게 폭발하던 신력. 그리고
폭발하듯 터져 나온 신력에 맞아 쓰러지던 박유. 윤조의 기억은 거

기까지였다. 소의의 죽음을 다시금 떠올린 그녀가 더는 말을 잇지 못한 채 멍하니 굳어졌다.

메말라 버린 그녀의 눈동자를 바라보던 파이옌이 인상을 찌푸리며 그녀의 얼굴을 향해 손을 뻗었다. 그녀의 볼이며 옷에 피가 튀어 있었다.

"뭘 했다고 그새 더러워졌냐? 좀 씻어야겠다. 걸을 수 있겠어?"

애써 아무렇지 않게 그녀의 볼에 튄 핏자국을 소매로 닦아 낸 파이옌이 대답 없는 윤조를 일으켰다.

"손잡고, 내 발만 보고 걸어. 어두워서 길이 잘 안보이니까."

윤조는 앞서가는 파이옌을 따라 걸으면서도 자신이 무엇을 하고 있는지 명확히 자각할 수 없었다. 정신과 육체가 분리된 것 같은 기괴한 느낌이었다.

불편한 어둠 속, 시야가 단절되어서일까? 시각 외에 다른 감각이 예민해졌다. 얼굴이며 옷에 튄 피 냄새가 후각을 자극했다. 떠올리고 싶지 않아도 죽어 가던 소의의 모습이 계속에서 되풀이되며 떠올랐다. 사람이 또 죽었다. 이번에는 가족이었다. 내 눈앞에서 피를 흘리며, 나를 살리고.

'그리고 내가 박유를 죽였다.'

인정하고 싶지 않은 현실과의 괴리가 그녀를 더욱 미치게 했다. 순간 윤조는 구역질이 치미는 것을 간신히 참으며 파이옌을 밀쳤다.

"우욱-!"

속이 메스꺼웠다. 소의의 죽음과는 또 다르게 다가온 그 현실은 극명한 분노와 더불어 또 다른 감정을 포함하고 있었다.

'내가 죽였다, 박유를.'

그 힘은 대체 무엇이었을까? 당시 이성을 잃은 상태였지만 윤조는 자신의 몸 안에서 터져 나온 힘이 박유를 향해 폭발하듯 터지던 순간에 누구보다 명확히 그의 죽음을 알 수 있었다. 그건 무의식중에 그녀가 원한 결과이기도 했다.

소의의 죽음으로 폭발한 분노가 신력에 어떤 영향을 준 것인지는 몰라도, 이전과는 비교도 할 수 없을 정도로 강력한 힘이 한순간 박유의 모든 것을 집어삼키고 그의 존재를 지워 버릴 요량으로 터질 듯 뿜어져 나왔다. 그건 극한에서 끌어올린 생생하고 순수한 분노였다. 오로지 눈앞의 존재의 죽음만을 바라는. 그랬다, 그건 그녀 자신이 휘두른 칼날이었다.

그 사실을 깨닫는 순간 윤조는 극심한 자기혐오를 참지 못하고 구역질과 함께 속을 게워 냈다. 속을 게워 낼수록 점점 정신이 또렷해졌다.

파이옌은 배 속이 텅 빌 때까지 토악질을 하는 그녀의 작은 등을 말없이 두드려 주었다.

"헉, 헉……."

"괜찮냐?"

"뭐가요."

윤조가 파이옌의 손을 거칠게 뿌리치며 그를 노려봤다.

"뭐가 괜찮냐는 거냐고!"

폭발한 윤조의 분노가 파이옌을 향했다.

"언니가 죽은 거? 아니면 언니가 죽고 나만 산 거? 그것도 아니면 내가 언니를 죽인 그놈을 죽인 거! 대체 뭐가 괜찮냐는 건데!!!"

머릿속이 뜨거웠다. 뜨겁다 못해 터져 버릴 것만 같았다. 반면 정신은 너무도 또렷했다. 차라리 옥상에서처럼 정신을 놓아 버리는 편이 더 편할 것 같았다.

태어나 전신을 휘감는, 이토록 강렬한 분노는 처음이었다. 주체할 수 없는 감정에 손이, 팔이, 온몸이 덜덜 떨려 왔다. 얼마나 무감각해져야 하는 걸까? 살기 위해 누군가를 죽여야 하는 세계에 발을 들인다는 건 대체 얼마나! 생각에 생각을 거듭할수록 부정적인 감상만 덧입혀졌다. 납치당해 이곳에 오게 된 것도 모두 눈앞의 이 남자 때문이 아니던가!

"왜 나를 데려와서! 왜!!! 대체 나한테 뭘 말하고 싶은 거야! 사람을 죽인다고 당신을 비난했던 내게 보란 듯이 벌이라도 주고 싶은 거야? 이제는 너도 똑같아졌다고 비웃기라도 할 거냐 말이야!"

날 선 원망이 머리를 거치지 않고 곧장 입 밖으로 튀어나갔다. 극렬한 분노에 눈앞이 핑 돌았다. 윤조가 받은 숨을 토하며 머리를 짚었다. 답답한 가슴이 펑하고 터져 버릴 것만 같았다. 뒤죽박죽 온갖 감정이 뒤섞인 두 눈에서 눈물이 줄줄 흐르고 있다는 것도 그녀는 자각하지 못했다. 비틀거리다 자리에 주저앉은 윤조가 파이옌을 올려다봤다.

"나한테 왜 이러는 거야? 나한테 대체 뭘 바라는 거냐고……."

그가 무언가 더 숨기는 것이 있다는 건 이미 예전부터 눈치채고 있었다. 같은 세계에서 왔고, 어떤 식으로 이 세계에서 '파이옌'이란 이름을 갖게 되었으며, 다시 원래 있던 세계로 돌아갈 것이라고 확신하는 그는 가장 중요한 사실을 말하지 않았다. 그것은 바로 '원래의 세계로 돌아가는 방법'이었다.

몰랐기에 이야기를 안 한 걸까? 아니, 그건 아닐 거다. 윤조는 이미 머릿속으로 결론했다. 살아남기 위해 사람을 베어 넘긴다고 했다. 죽지 않기 위해 살아남았다고 했다. 돌아가기 위해 살아간다고 했다. 돌아갈 방법을 모른다면 애초에 죽음에 자진해서 뛰어드는 무모한 짓 따위는 하지 않았을 것이다. 겪어 보니 알겠다. 그가 선택한 삶이 얼마나 말도 안 되는 것이었는지.

하지만 그는 선택했다. 그의 삶을. 살아남기 위해 발버둥 치며, 돌아가기 위해서라면 사람을 베어 넘기는 것조차 두렵지 않아야 할 삶을. 그는 원래의 세계로 돌아갈 방법을 알고 있는 것이 틀림없었다. 그리고 그것이 어떤 방식으로든 '나'와 연관되어 있다는 것도.

사실 그가 나를 필요로 하는 이유는 그가 적국의 장수여서도, 서국의 황제의 명령에 복종하기 때문도 아닌, 그가 원래의 세상으로 돌아가기 위한 최종적인 목적에 나라는 존재가 필요하기 때문은 아닐까?

그런 윤조를 가만히 바라보던 파이옌이 천천히 입술을 움직였다.

"내가 네게 바라는 게 무엇이냐고?"

그는 쉽사리 입을 떼지 못한 채 주먹을 쥐었다. 그가 그녀에게 바라는 것은 단순히 '어떤 것'이라고 정의할 수 있는 명료한 형태가 아니었기 때문이다.

파이옌은 그녀가 아무것도 하지 않기를 바랐다. 그녀가 불행한 그녀의 가족을 구하지도, 제국의 대장군을 사랑하지도, 누군가와 크고 작은 인연을 맺지도, 적과 맞서 싸우거나 원수를 지지도 않은 채 언제든지 이 세계의 모든 것과 작별할 준비가 된 사람이길 바랐다. 그래서 원래는 죽어야 했던 사람을 살리거나, 살아야 했던 자를 죽게 하는 변칙적인 상황을 만들지 않기를 바랐다. 그로 인해 자신이 알던 미래를 어그러뜨려 자신이 원하는 때, 원하는 장소에서 원래의 세상으로 돌아갈 순간을 부디 망치지 않기를 바랐다.

하지만 이미 많은 것이 바뀌었다. 나람성주의 죽음으로 진즉 삶에 대한 미련을 잃어버리고 스스로 목숨을 끊었어야 할 소의가 윤조를 지키기 위해 선택을 바꿨으며, 후에 진행될 사건을 위해 살아있어야 할 박유가 뒤늦은 소의의 죽음이 도화선이 되어 윤조에게 죽었다. 윤조와 소의가 자매라는 사실을 알았을 때, 그는 이미 돌이킬 수 없다는 것을 깨달았다. 이미 만나 버린 두 사람의 시간을 거꾸로 되돌릴 수 없던 그 순간부터 사건은 자신이 알고 있던 내용을 비껴가기 시작했다.

모든 것이 엉망이었다. 다시 원래의 흐름대로 사건을 끌고 가기 위해 그는 인내해야 했다. 기회를 엿봐 억지로라도 흐름을 돌려놨어야 했다.

하지만 그는 인내하지 못했다. 참을 수 없었다. 참지 못했다. 박유의 부하들이 윤조를 붙잡고 희롱하는 모습을 본 그 순간, 윤조의 눈물을 본 순간, 그들에게 분노하고 그들의 목을 벤 순간, 그는 자신이 이제까지 지켜 온, 지켜야 할 모든 원칙을 스스로 깨 버린 것과 다름없었다.

"너는 내가 바라는 것이, 바랐던 것이 무엇인지 몰라."

파이옌이 맨 처음 문 비서랑의 도움으로 세작들과 함께 나투국으로 잠입하기 전부터 그를 가장 놀라게 했던 소식은 '불구'가 되었어야 할 대장군 홍준영을 치료했다는 한 무녀의 존재였다. 그건 변수였다. 그가 알고 있는 일련의 사건에서는 절대 일어나지 않았어야 할 일이었다.

7년 전쟁 후 홍준영은 불구가 되고, 후계자가 없어 약화된 황권과 귀족들의 음모에 나투국은 내부에서 서서히 무너지고, 그 멸망의 끝을 장식하는 이는 길림의 화살에 치명상을 입고도 간신히 목숨을 부지한 서국의 황제여야 했다. 그러기 위해서는 그 무녀를, 윤조를 죽였어야 했다. 발견한 변수를 지웠어야 했다.

하지만 그는 그러지 못했다. 애초에 이상형과는 거리가 먼, 어린아이같이 천진하게 사람을 믿으려 드는, 자신이 가진 전 재산을 내주면서 '열심히 살아가 달라'는 말도 안 되는 조건을 계약으로 거는, 첫 만남부터 엉뚱한 행동으로 자신을 웃게 했던, 새하얀 혼례복을 입고 수줍게 짓던 미소가 예뻤던, 자신과 같은 세상에서 온 그녀를 죽일 수 없었다. 죽게 놔둘 수 없었다.

그녀를 살리고 싶어졌다.

그는 자꾸만 입 밖으로 튀어나오려는 감정을 강하게 내리눌렀다.

'너를 살린 그때부터 내가 무엇을 포기했고, 무엇을 바라는지……'

파이옌은 그녀가 어쩌면 지금으로부터 오랜 뒤의 순간까지도 자신을 이해하지 못할 것이라고 짐작했다. 그는 가슴 깊은 곳에서 술렁이는 감정을 갈무리했다.

"너는 아무것도 몰라."

그는 그렇게 말하며 웃었다.

잠잠하던 우물의 표면이 일렁였다. 누군가 손을 넣어 휘젓기라도한 것처럼 점점 더 세차게 움직이는 물결이 한순간 포말과 함께 헤린을 뱉어 냈다.

"허억! 콜록, 콜록, 흐으……."

참았던 숨을 간신히 토해 낸 혜린이 우물 벽을 짚고 간헐적으로 기침을 해 댔다. 조금만 늦었어도 위험했다.

비서고의 비밀 통로를 따라 도망치다 막다른 곳에서 발견한 수로는 우물로 연결되어 있었다. 수로의 길이는 꽤 길었으며 숨 쉴 공간 없이 물이 가득 찬 상태였다. 출구를 찾지 못하면 그대로 죽는다. 하지만 망설임은 잠시였다. 역적 가문으로 백성들 앞에서 공개 처형당할 바에는 살기 위해 발버둥이라도 치다가 죽는 편이 나았다.

호흡이 정돈되고, 정신을 차린 그녀가 고개를 들어 위를 바라봤다. 우물의 입구에 가득 찬 보름달이 보였다. 참으로 생소한 광경이었다. 달 속에 빠진 것 같은 기묘한 느낌. 우물의 둥근 입구에 가득 찬 달빛이 아름다웠다. 그런 생각과 함께 터져 나온 웃음에 그녀가 자조적으로 키득거렸다. 참으로 나약한 감상이 아닌가! 어떻게든 살아 보겠다고 도망치는 주제에 이런 감상이라니.

"그래도 하늘이 나를 버리진 않는구나."

정신 나간 여자처럼 키득거리며 웃던 그녀가 우물 위쪽과 연결된 도르래와 자신의 앞으로 늘어져 있는 밧줄을 발견했다. 밧줄을 당기자 철걱, 하는 기묘한 소리가 들렸다. 그것이 비서고의 비밀 문이 열릴 때와 마찬가지로 일종의 장치에서 나는 소리라는 것을 알아차린 그녀는 도르래에 묶인 밧줄을 더욱 힘껏 잡아당겼다가 놓았다. 그러자 거짓말처럼 도르래가 저절로 감기며 밧줄이 위를 향해 올라갔다.

그녀는 급히 밧줄을 붙잡았다. 물에 젖은 옷의 무게 때문에 손이 몇 번이고 미끄러졌으나 그녀는 끈질기게 매달렸다. 가까스로 우물을 빠져나온 그녀는 찢어져 피가 흐르는 손바닥을 스스로 치유했다.

"여기가 어디지?"

한 번도 본 적이 없는 장소였다. 사람의 모습은 보이지 않았다. 애초에 인적이 드문 장소 같았다. 추위에 떨며 주변을 살피던 그녀는 어느 너른 정원에 다다랐다. 잡초가 무성한 정원은 사람의 손을 오래도록 타지 않은 티가 났다. 적막만이 감도는 가운데 홀로 서 있는 건물이 있었다.

'어화당語花堂.'

그리고 그곳이 홍씨 가문의 저택에서 멀리 떨어진 별채라는 사실을 깨닫기까지는 그리 오랜 시간이 걸리지 않았다.

"이곳이 왜……."

이곳이 왜 황궁의 비서고와 연결되어 있는 걸까. 언젠가 들은 적이 있었다. 이곳은 분명 죽은 대장군의 어머니가 쓰던 곳이다. 예리하게 변한 그녀의 시선이 자신이 나온 우물로 향했다.

'대장군의 어머니는 분명 우물에 빠져 죽었다고 했지.'

하지만 그녀의 죽음에 관해서는 의견이 분분했다. 홍씨 가문의 안주인인 그녀가 왜 저택을 나서 별채 우물에 빠져 죽은 채로 발견된 것인지, 남겨진 유서조차 없어 의문은 더했다. 공식적으로는 우울증으로 인한 자살이었으나 향간에서는 타살이 아니냐는 말이 돌기도 했다. 하지만 그 주장은 받아들여지지 않았다.

타살에는 그만한 이유가 있어야 한다. 하지만 홍씨 가문의 안주인이자 최씨 가문의 장녀인 그녀를 죽여 이득을 볼 만한 이유는 아무리 생각해 봐도 없었다. 대관절 누가 제국의 제일가는 두 가문에 연을 둔 그녀를 감히 죽이려 계획했단 말인가? 정치적인 목적으로도 사적인 목적으로도 득이 될 건 아무것도 없었다.

이렇듯 그녀의 죽음에는 아직까지 풀리지 않는 숱한 의문이 많았다. 혜린은 어쩐지 자신이 그 의문 가운데, 가장 진실에 근접한 사람이 된 것일지도 모른다는 생각이 들었다.

'비서고, 비밀 통로, 우물, 그 안에서 죽은 채 발견되었던 홍씨 가문의 안주인. 어쩌면 대장군의 어미는 비밀 통로를 빠져나오려 수로를 지나다 호흡을 버티지 못하고 우물 안에서 익사했던 것은 아닐까?'

스치는 생각에 혜린이 눈살을 찌푸렸다.

'하지만 왜? 어쩌다 그녀는 비서고의 비밀 통로에 들어갔던 것일까? 어떻게 비밀 통로의 존재를 알았으며, 또 왜 탈출하고자 했을까?'

우물이 연결된 수로로 뛰어들었다는 건 그만큼 극단적인 상황에 처했다는 뜻이다. 그녀는 혜린 자신처럼 병사들에게, 혹은 누군가에게 쫓기고 있었을 가능성이 높았다. 그녀는 누구에게 쫓긴 것일까? 왜 도망쳤던 걸까? 아마도 무언가 알아서는 안 될 비밀을 알았기 때문은 아닐까?

알아서는 안 될 비밀을 알았다면 분명 비서고의 기록 중 보아서는 안 될 무언가를 보았기 때문일 거다. 그렇다면 보아서는 안 될 비밀은 무엇일까? 그녀는 죽었다. 죽음에는 이유가 있어야 했다. 문씨 가문의 사람으로서 비서고를 관리하는 일을 대대로 해 왔던 혜린의 입장에서는 그런 그녀의 죽음이 좀처럼 납득되지 않았다.

좀 더 가정을 해 보자. 어디까지나 타살이 확실하다는 전제로 보면, 준영의 어머니가 알았던 비밀은 누군가에게 약점이 될 확률이 높았다. 비서고의 기록 중 그녀가 알았던 무언가가 밖으로 새어 나가는 것을 달갑지 않아 한 누군가가 그녀를 뒤쫓았고, 그녀를 죽게 했다. 이러한 자신의 가정이 맞는다면 대체 그 비밀은 무엇이며, 또 누가 그녀를 죽게 만든 것일까?

'비서고의 기록은 곧 황가의 기록. 그렇다면 그녀를 죽인 인물은 황가의 사람이란 뜻인가?'

어쩌면 황실에 약점이 될 만한 무언가를 알았기 때문에 죽었을지도. 그녀는 제국에서 가장 위대한 두 귀족 가문에 연을 둔 여인이었다. 그런 여인을 죽게 했다면 적어도 귀족 가문의 누군가이거나, 혹은 그보다 높은 위치에 있는 자의 소행일 가능성이 높았다.

"쯧, 황후마마와 연락이 닿는다면 좋을 텐데."

지금쯤 황실도 발칵 뒤집어졌을 터였다. 황후전에도 아버님의 죽음이 알려졌다면 황후마마께서 가만히 계시지는 않겠지만, 가문이 역적으로 몰린 만큼 황후께서 나서기 힘들지도 모른다. 아니, 오히려 꼬리를 자르려들겠지. 혜린이 원통함에 손바닥으로 우물 벽을 내리쳤다.

"나라도 아버님을 죽이고 우리 가문을 욕되게 한 자를 반드시 찾아내어 멸하고 말 것이다."

우물에서 간신히 빠져나온 그녀는 갈아입을 옷을 구하기 위해 어화당 안으로 들어갔다. 내부는 쾌적했다. 살아생전에 사용했던 물건을 그대로 둔 모양이었다. 혜린은 옷장을 뒤져 젖은 옷을 갈아입었다.

'말. 말을 구해야 한다. 분명 홍씨 가문의 마구간은 별채에서 가

까운 후원 근처에 자리했지.'

일전에 홍씨 가문을 방문했을 때 대략적인 위치를 알아 두었던 것이 다행이었다. 옷을 갈아입고 곧장 마구간으로 향하려던 그녀는 멈칫, 발길을 돌려 책상 위에 놓인 붓을 들었다. 종이를 펼치고, 붓에 먹을 적셨다. 그러고는 무슨 생각인지 빠르게 문장을 써 내려갔다.

비서고의 비밀 통로 어화당 우물과 연결. 홍씨 가문의 안주인은 비서고에서 무엇을 보았나?

마지막으로 자신의 이름을 작게 적은 혜린이 곱게 접은 종이를 책 사이에 끼워 둔 채 어화당을 나섰다.

홍씨 가문에서 일하는 사람들은 나이가 많아 거동이 불편한 몇몇을 제외하고는 모두 윤조의 혼례식에 참석했기 때문에 사건을 조사하는 동안 황궁을 빠져나올 수 없는 처지였다. 따라서 혜린이 마구간에서 말을 훔쳐 달아날 동안 그녀를 제지할 사람은 아무도 없었다.

"쳇, 병사들이 사방에 쫙 깔렸군."

말을 몰고 시내로 나왔던 혜린은 다시 말머리를 돌렸다. 이대로 성문을 통과했다가는 잡히고 말 터였다. 뭔가 방법이 없나. 도움을 청하기 위해 문씨 가문 저택을 살폈으나 그곳도 병사들에게 이미 포위된 상태였다. 급하게 말을 돌리는데 경계를 서던 병사들 중 하나가 그녀를 발견하고 소리쳤다.

"저 여자를 잡아라! 역적의 수괴다!!!"

수도 안에서 한바탕 추격전이 벌어졌다. 그녀는 쫓아오는 금군을 피해 시가지를 가로질렀다. 질주하는 말에 놀란 사람들이 양옆으로 갈라지며 비명을 질렀다. 어디로 가야 하지? 이러다가 잡히고 만다.

주변을 살핀 그녀가 근처에 있던 염색장에 뛰어들었다. 갑작스러운 난입에 천을 염색하고 있던 사람들이 놀라 바닥에 나동그라졌다. 계속해서 안쪽으로 들어가던 그녀는 겹겹의 천이 무수히 쌓여 있는 창고 안에서 말을 멈췄다. 막다른 길이다. 멀리서 가까워지는 금군의 소리가 들렸다. 이대로 끝인가. 정녕 이대로! 우왕좌왕하고 있는데, 그녀의 손을 붙잡는 누군가가 있었다.

"혜린 무녀님, 어서 이쪽으로!"

"그대는……."

목소리를 낮추며 혜린을 이끄는 이는 다름 아닌 김씨 가문의 영애인 무녀 의령이었다.

"그대가 어떻게 이곳에?"

"가문에서 하는 사업장입니다. 시찰을 왔다가 혜린 님을 보고 달려왔습니다. 제가 도와드리겠습니다!"

잠시 갈등하던 혜린은 말에서 내려 의령의 뒤를 따랐다. 창고의 뒷문으로 혜린을 이끈 의령이 주변을 살피며 그녀를 염색장 바로 옆에 세워 두었던 자신의 가마 안에 숨게 했다. 혜린과 함께 가마에 탄 의령이 작게 난 창문으로 밖을 살폈다. 우르르 몰려온 금군이 염색장 안으로 들어가고 있었다.

"가마를 출발하라."

의령의 명령에 가마꾼들이 가마를 들어 올렸다. 순조롭게 염색장을 지나쳐 멀어지는데, 그때 염색장 입구에 남아 있던 금군이 가마를 멈춰 세웠다. 혜린의 눈에 난색이 스쳤다. 불안하게 밖을 주시하는 혜린을 안심시킨 의령이 밖을 향해 말했다.

"무슨 일이냐?"

"아가씨, 병사들이 가마를 멈췄습니다. 어찌할까요?"

돌아오는 시종의 말에 의령이 짐짓 화가 난 투로 소리쳤다.

"대관절 누가 감히 김씨 가문의 가마를 막아선단 말이냐!"

하지만 금군은 쉽게 길을 터 주지 않았다. 병사들이 가마로 가까이 다가오는 소리가 들렸다.

"실례지만 가마 안을 확인해야겠소."

"아녀자의 가마를 강제로 멈추는 것도 모자라 안을 보겠다니! 이 무슨 망측한 행동입니까!"

가마 밖의 시녀가 길길이 날뛰며 병사들을 가로막았다. 억지로 가마 문을 열려던 병사들이 주춤하며 물러섰지만 확인 전에 쉬이 물러갈 것 같지는 않았다. 의령은 불안한 눈으로 자신을 바라보는 혜린의 손을 잡아 안심시키며 자신의 뒤로 엎드리게 했다. 풍성한 치마로 그녀의 몸을 덮은 의령이 가마의 창문을 열어 얼굴을 보였다.

"무례하구나! 금군이라고 하나 아녀자의 가마 안을 멋대로 살피려 하다니! 귀족 가문의 영애인 나를 모욕하는 것인가!"

무서운 의령의 기세에 병사들이 가마에 다가가지 못하고 한 걸음 물러났다.

"이분은 김씨 가문의 영애이자 무녀이신 김의령 님이시다! 너희가 이런 무례를 저지르고도 무사할 줄 아느냐!"

"황명이오. 공무 집행을 방해할 거요?"

뒤이은 시녀의 고함에 서로의 얼굴을 쳐다보던 병사들이 찝찝한 낯으로 인상을 찌푸렸다. 그 말을 듣고 있던 의령이 까드득, 이를 갈며 위협적으로 읊조렸다.

"어디 수색해 보거라. 단, 문제가 없을 시 네놈들의 손목을 가문의 이름을 걸고 반드시 잘라 가겠다."

황명이라고 하나 귀족 가문의 영애를 잘못 건드렸다가는 모욕죄로 손목이 달아나는 수가 있었다. 병사들은 의령의 위협이 단순히 위협이 아닌 진심이라는 것을 깨닫고는 마른침을 삼켰다. 그들은 서로 눈치를 보다가 옆으로 비켜서며 가마가 지나갈 수 있게 길을 터 주었다.

다시금 출발하는 가마가 천천히 염색장에서 멀어져 갔다. 꽉 쥐었던 주먹에 땀이 흥건했다. 의령은 창문을 닫고 숨어 있던 혜린을 확인했다.

"괜찮으십니까?"

"고맙네. 덕분에 무사할 수 있었어."

"소식 듣고 걱정이 많았습니다. 이게 무슨 변고랍니까? 황후마마께서도 소식을 접하고 혼절하여 깨어나지 못하고 계신답니다."

"고모님께서? 확실한가?"

"예, 아버님께 들었습니다."

하루아침에 가문이 역적이 된 것도 모자라 친오라버니가 황궁 비서고에서 목을 매 자살을 했다는 소식을 들었으니 그럴 만도 했다. 황후전의 소식을 알게 된 혜린의 입에서 침음이 새어 나왔다.

마마께서는 아버님께서 서국과 내통하셨던 사실을 모르고 계셨던 걸까? 아니면 모른 척하시려는 걸까? 사건의 진위를 모르는 이상 섣불리 짐작할 수는 없는 노릇이었다. 이제 모든 것은 오로지 자신의 손에 달렸다. 혜린이 의령을 경계하며 물었다.

"나를 돕는 이유가 뭔가? 이러다 들키기라도 하면 자네와 자네 가문도 무사하지 못할 텐데."

"알고 있습니다. 하지만 저희 김씨 가문을 이만큼 일으킬 수 있었던 것도 모두 문씨 가문의 지원이 있었기에 가능하지 않았습니까. 지난날 아버님께서 고리대금사업에 손을 댔다는 사실이 밝혀져 좌천되었을 때 유일하게 가문을 등지지 않고 지켜 주신 은혜 잊지 않았습니다."

진심 어린 의령의 말에 혜린의 눈동자가 잠시 흔들렸다. 문씨 가문이 김씨 가문을 도운 것은 단순한 선행이 아닌 정치적인 목적 때문이었다. 하지만 의령은 그마저도 알고 있다는 듯 미소 지었다.

"이유가 무엇이든, 문씨 가문은 저희 가문의 은인입니다. 부족한 제가 무녀가 되기 위해 노력했던 이유도 혜린 무녀님께 도움이 되고자 했기 때문이었습니다. 한데 역적이라니요! 이건 무언가 잘못됐습니다. 문 비서랑님께서 그런 짓을 하시다니요? 혜린 무녀님, 아니지요? 정녕 문씨 가문이 제국을 배반한 것은 아니지요?"

혜린의 머리가 빠르게 돌아갔다. 의령이 자신을 돕는 이유가 은혜를 갚기 위해서라지만 어디까지나 문씨 가문이 제국을 배반하지 않았다는 전제하에서다.

'실제로 아버님과 내가 서국과 연결되어 세작을 움직인 정황을 알게 된다면 등을 돌릴지도 몰라.'

혜린은 의령을 속여 이용하기로 했다. 지켜 본 바 의령은 자존심이 세고 성질이 드세긴 했으나 계획적이지 못하고 단순한 구석이 있었다. 평소 자신을 추종하는 무리 중 하나였으니 구슬리면 쉽게 넘어 올 것이다. 당장 수도를 떠나더라도 누군가 자신의 뜻대로 움직여 줄 말이 필요했다. 의령은 그 조건에 더없이 적절한 장기 말이었다.

"그래, 무언가 단단히 잘못되었지. 누군가 아버님과 우리 가문에 죄를 뒤집어씌웠다. 그자가 누구인지 반드시 밝혀 낼 것이다."

"세상에! 역시 그럴 줄 알았어요. 역시 뭔가 잘못된 것이라고 생각했습니다. 제가 돕겠습니다."

"고맙네. 밖의 상황은 어떤가?"

"무녀님이 없어진 직후 수도 안의 우물을 조사하라는 황명이 있었어요."

"우물이라, 그랬군."

비서고의 비밀 통로와 우물이 연결되어 있다는 사실을 온 황제도 알고 있었던 모양이었다. 하지만 정확히 어떤 우물을 조사하라고 명령하지 않은 걸 보면 정확히 어디로 통하는지는 모르고 있는 듯했다. 고개를 끄덕이는 혜린을 보며 의령이 걱정스럽게 물었다.

"앞으로 어떻게 하실 건가요? 이대로 수도에 있다간 얼마 못 가 잡히고 말 거예요."

"계획해 둔 바가 있으니 걱정 말거라. 우선은 수도를 벗어나야겠지. 부탁을 해도 되겠느냐?"

"무엇이든 말만 하세요. 제가 할 수 있는 건 전부 돕겠습니다."

혜린의 입가에 미소가 떠올랐다.

"고맙구나. 우선은 이것을 문씨 가문의 나를 따르던 시녀에게 전해 다오. 수도를 떠나기 전에 필요한 것들을 적어 두었다."

"시녀에게요?"

"금군이 가문을 포위하고 있어 전하기가 쉽진 않겠지만, 꼭 부탁하마. 누명을 벗기 위해 반드시 필요한 것들이다. 그리고 나 대신 성안의 상황을 살펴 알려 다오. 몸을 피한 후 사람을 보내마."

"알겠습니다. 걱정 마세요."

그리고 혜린이 유유히 나투국의 수도를 벗어난 것은 그날 새벽이었다. 의령의 도움으로, 축하연에 참여했다가 조사를 마치고 뒤늦게 수도를 나서는 이국의 짐마차에 몸을 실은 혜린은 점점 멀어지는 성을 바라보다 곁의 시녀에게로 시선을 돌렸다.

"가져오라고 한 물건은 잘 챙겼겠지?"

"예, 아가씨. 여기 있습니다."

시녀가 보자기로 겹겹이 싼 물건을 혜린에게 건넸다.

"다시는 못 뵈는 줄 알았어요. 무사하셔서 정말 다행입니다, 아가씨."

시녀는 혜린을 다시 만났다는 것에 안도하며 글썽이는 눈물을 소매로 찍어 닦았다.

"아버님은 어떻게 되셨느냐?"

무거운 혜린의 물음에 시녀가 흐느꼈다.

"장례도 못 치러 드렸습니다. 역모의 죄로 시신은 장사도 지내도 않고 그대로 들판에 버린다 합니다. 흐윽, 죄송합니다, 아가씨. 죄송합니다……."

말아 쥔 혜린의 주먹에 힘이 들어갔다. 건국 초부터 개국공신 가문이자 황실의 외척으로 명예가 드높았던 문씨 가문의 몰락은 그렇게 잔혹하고 허무했다. 아무도 아버님을 옹호하는 자가 없었다고 했다. 가문의 위세를 등에 업기 위해 그리도 굽실거리며 드나들었던 자들 중 누구도. 아버님의 시신이 낡은 수레에 실려 쓰레기처럼 들판에 버려지는 순간조차.

혜린은 분노로 떨리는 손을 간신히 움직여 시녀가 건넸던 보자기를 풀었다. 보자기 안에서 나온 것은 문씨 가문에서 관리하고 있던 초대 황실의 기록들로, 비서고 문서의 일부에 해당하는 사본이었다. 혜린은 그 문서를 손끝으로 쓸어내리며 이를 갈았다.

"전부 엎어 버릴 것이다. 나와 아버님과 우리 가문을 버린 모든 것들, 전부."

"안 쉬어도 괜찮겠어?"

조심스러운 파이엔의 물음에도 윤조는 아무 말도 하지 않았다. 둘의 사이로 무거운 침묵이 맴돌았다.

새벽의 어스름한 달빛만이 길을 가늠케 했다. 나람성에서 탈출한 후 4일째 되던 날이었다.

꼬박 하루가 걸려 숲을 벗어났던 두 사람은 파이엔이 미리 말을 준비해 두었던 지점에 도착해서야 겨우 아픈 다리를 쉴 수 있었다. 윤조는 등 뒤에서 자신을 바라보는 파이엔의 시선을 느꼈지만 반응하지 않았다. 근처에 개울이 있는지 물 흐르는 소리가 들려왔다. 파이엔이 말고삐를 당기며 말을 세웠다.

"어제부터 아무것도 안 먹었잖아. 물이라도 마셔."

윤조는 대답 없이 말에서 내려 개울로 다가갔다. 그 모습을 지켜보던 파이옌이 말을 이끌고 그녀의 뒤를 천천히 따라 걸었다.

개울에 손을 씻고, 자신의 모습을 비춰 본 윤조는 얼굴이며 옷 여기저기에 튀어 말라붙은 붉은 핏자국을 닦아 내기 시작했다. 하지만 오래되어 말라붙은 핏자국은 잘 닦이지 않았다.

"안 닦일 거야, 그거."

"……."

"그 정도로는 안 닦여."

"신경 꺼요."

벼락처럼 떨어지는 음성이 날카로웠다. 차갑다 못해 섬뜩하게 가라앉은 그녀의 음성에 파이옌이 입을 다물었다. 들려오는 목소리는 없었으나 계속해서 따갑게 이어지는 시선에 윤조가 천천히 고개를 들어 그를 바라봤다.

"말 걸지 마요. 쳐다보지 마요. 그냥 좀 놔둬요. 제발."

눈물에 젖어 검게 가라앉은 눈동자에는 오로지 슬픔과 분노만이 가득했다. 가만히 그녀를 바라보던 파이옌이 쯧, 하고 혀를 차며 그녀의 손을 낚아챘다. 갑작스러운 접촉에 놀란 윤조가 손을 뿌리치려했지만 단단하게 깍지를 낀 그의 손은 좀 더 강하게 그녀의 손을 가둘 뿐이었다.

"이거 놔요!"

"손잡지 말란 말은 안 했잖아."

"미쳤어요?"

"나는 피 볼 때만 미쳐."

"놔. 당신이랑 말장난하고 싶은 기분 아니니까."

"장난하는 거 아닌데?"

"이게 장난이 아니면 지금 뭐가—!"

"위로."

파이옌이 윤조의 손을 꽉 잡아 자신의 옆에 서게 했다.

"위로라고. 장난 아니고."

"무슨……."

"울고 싶잖아. 바닥에 드러누워서 짐승처럼 소리 지르고 다 때려 부수고 싶잖아. 누구한테 매달리고도 싶잖아. 그 누군가가 백마 탄 대장군이나, 전지전능한 신이라면 좋겠지만 둘 다 없으니 여기에 매달리라고. 울든지, 욕하고 때리든지, 물어뜯든지, 마음대로 해도 되니까, 매달려. 난 너 안 봐."

그의 말에 윤조가 '하' 하고 어처구니없는 숨을 토하며 입매를 비틀었다.

"이런다고 내가 당신에게 고마워할 것 같아?"

"생각지도 못했는데 그러면 더 좋고."

"개소리하지 마. 당신은 내게 납치범 그 이상도 이하도 아니니까."

윤조의 비난에도 파이옌은 상관없다며 그녀를 향해 고개를 까딱였다.

"괜찮아. 뭐든 밑바닥을 치면 다음은 좋아지는 것밖에 없거든."

그의 말에 돌연 윤조의 입에서 웃음이 터졌다. 즐거움과는 거리가 먼 웃음이었다. 실성이라도 한 건가 싶어 파이옌이 그녀를 바라보자, 윤조가 고개를 들었다.

"바닥을 쳤다고? 좋아질 거라고? 뭐가?"

그녀는 파이옌의 눈을 똑바로 바라봤다.

"착각하지 마. 당신은 내게 아무것도 아니야."

한 음절 한 음절 짓씹듯이, 그녀의 목소리가 공기를 긁어내렸다.

"같은 세계에서 온 사람이니, 생명의 은인이니, 최악이니 뭐니 하는 같잖은 의미 멋대로 갖다 붙이지 마. 멋대로 내가 생각하는 당신을 정의하지도 마. 당신은 내게 아무것도 아니니까."

가시 돋친 말에 가만히 그녀를 바라보던 파이옌이 조용히 입을 뗐다.

"아무것도 아닌 건 아닐 텐데."

"멋대로 의미 부여하지 말라고 했을 텐데."

"봐, 적어도 넌 나를 미워해."

"……."

"그거면 됐어. 네가 살 구실은."

"무슨 헛소리야."

"내가 미워서, 이런 상황에 서게 한 내가 증오스러워서, 내게 지기 싫어서라도 너는 무너지지 않을 거야. 내 앞에서 꼴사나운 모습 보이기 싫어서라도 지금처럼 버티고 있을 거라고. 그거면 됐어."

나무 사이로 바람이 우는 소리가 귓가를 스쳤다. 흐름을 따라 일렁이는 그 소리는 마치, 그녀 안에서 휘몰아치는 감정과도 같았다.

파이옌은 자신을 향한 슬픔과 증오로 생생하게 반짝이는 윤조의 눈동자를 바라보며 조금 슬픈 얼굴을 했다. 나무 그림자에 가려진 그의 얼굴이 어떤 표정을 담고 있는지, 어떤 눈빛으로 그녀를 바라보고 있는지 윤조는 미처 알 수 없었다. 잠시 말이 없던 파이옌이 그녀에게서 한 걸음 물러나며 말했다.

"이 빌어먹을 세계에서 나가게 되면, 네가 모든 것을 다 잊기를 소원하마."

그게 무슨 뜻이냐고 물을 겨를도 없이 파이엔은 등을 돌려 앞서 나갔다. 여전히 깍지 낀 손은 풀지 않은 채였다.

"다 왔어."

그렇게 조금 더 걷자, 멀리서 폭포 소리가 들려왔다. 제법 큰 폭포에서 떨어지는 물소리에 파이엔이 한 곳을 가리켰다.

"이쪽이야."

도착한 절벽 저편으로 여명이 밝아 오고 있었다. 밝은 빛에 걷힌 어둠 사이로, 험준한 골짜기로 이루어진 계곡이 모습을 드러냈다. 그리고 그 계곡 너머로 황금빛 모래가 쌓인 사막이 자리했다.

사막과 숲의 경계. 모래와 바위의 땅. 두 사람이 서 있는 곳, 깎아지른 절벽 너머로 이어지는 산세는 마치 먹으로 그린 수묵화 같았다. 해가 떠오르며 하늘의 색이 시시각각 변했다. 점차 보랏빛에서 푸르게 변하는 새벽의 하늘 아래, 서국이 자리했다.

바람 소리가 요란했다. 나투국의 평지에서는 느껴 본 적 없는 거친 울음이었다. 험준한 바위와 골짜기에 부딪치면서도 멈추지 않고 불어오는 바람은 마치 고래의 울음소리 같은 기이한 메아리를 만들었다.

"이곳이⋯⋯."

아주 잠시, 모든 것을 압도하는 광활한 자연의 풍경에 넋을 놓은 윤조가 믿기지 않는다는 듯 크게 눈을 떴다. 처음 보는 풍경에 놀라는 그녀를 바라보며 파이엔이 요사스러운 미소를 지었다.

"서국에 온 걸 환영해."

거센 바람에 이리저리 휘날리는 그의 붉은 머리카락이 햇빛에 반사되어 마치 타오르는 불꽃같았다.

나투국의 성벽 위로 매가 날았다. 초록색깔 긴 비단 꽁지깃을 단 매는 아군의 복귀를 알리는 표시였다. 성벽 위에서 보초를 서던 병사들이 매를 발견하고 지평선을 바라봤다. 멀리 성문으로 가까워지는 무리 가운데, 추격대의 깃발을 높이 올린 말이 보였다.

"추격대! 추격대가 돌아온다! 어서 홍 장군님께 알려!!!"

커다란 소라고둥으로 만든 나팔 소리가 추격대의 귀환을 알렸다. 준영이 추격대를 이끌고 수도를 떠난 지 5일째 되던 날 아침이었다. 여희단이 일으킨 폭발로 부서졌던 성문은 어느새 수리가 완료된 상태였다. 성문이 열리기 전, 준영과 길림은 한차례 비밀스러운 눈짓을 주고받았다.

"성문을 열어라!"

땅이 울리는 큰 진동과 함께 굳건히 닫혀 있던 성문이 서서히 열리기 시작했다. 추격대의 귀환 소식을 들은 홍 장군이 조급히 걸음을 옮겼다. 그는 막 성문을 넘던 준영과 마주했다.

말에서 내리는 준영을 바라보는 홍 장군의 시선이 자연스럽게 그를 뒤따라 성으로 들어오는 길림과 추격대를 향했다. 추격대는 거의 모든 대원이 부상을 입은 상태였다. 국경에서 겪은 격렬한 교전 탓이었다.

"적습을 당한 것이냐?"

"교전이 있었습니다."

준영의 보고를 들으면서도 홍 장군의 고개가 이리저리 주변을 살폈다. 윤조의 모습이 보이지 않았다.

"윤조는? 며늘아가는?"

준영은 아무 대답도 할 수 없었다. 곁에서 이 모습을 지켜보던 길림이 착잡한 표정으로 홍 장군을 향해 대신 답했다.

"장군, 죄송합니다. 윤조 님을 구하지 못했습니다."

"구하지 못했다니? 파이옌 그놈을 놓쳤다는 말이냐!"

믿을 수 없다는 듯 얼굴을 일그러뜨린 홍 장군이 무서운 기세로 소리쳤다. 길림 역시 그늘지는 얼굴을 감추지 못하고 그의 앞에 고개를 숙였다.

"죄송합니다, 장군……."

부상병 치료를 위해 부름을 받은 나래가 여러 무녀들을 이끌고 한달음에 달려왔다. 무녀들에게 부상자들을 추려 속히 치료에 들어가게 한 그녀는 준영과 길림을 발견하고 급히 자리를 옮겨 그들에게 달려갔다.

"윤조! 윤조는 무사한가요? 지금 어디에 있죠? 치료해야 할 곳은 없나요?"

추격대원들의 부상 정도가 심각했다. 얼마나 거친 교전이 있었기에 대장군이 직접 뽑은 정예군이 이런 꼴을 당했단 말인가. 그녀는 혹여 윤조가 어디 다치지는 않았을까, 어디 아픈 곳은 없을까 전전긍긍했다. 추격대의 귀환만을 목 놓아 기다리던 나래는 대답 없이 씁쓸한 눈으로 자신을 바라보는 사람들의 모습에 직감적으로 일이 잘못되었음을 깨달았다.

"다들 왜 대답을……."

그녀의 입가에서 점차 웃음기가 사라졌다. 경악으로 뜨인 두 눈이 윤조를 찾아 빠르게 사람들을 훑었다. 그러나 어디에도 기다리던 친구의 모습은 보이지 않았다.

"윤조는 어디에 있습니까?"

"……."

"부관! 대장군! 윤조는 어디에 있는 겁니까!!!"

나래가 길림과 준영의 팔을 붙잡았다. 길림이 조용히 고개를 저었다. 소리 없는 대답에 윤조가 돌아오지 못했다는 사실을 안 뒤에도 나래는 한참을 준영과 길림의 팔을 붙잡고 놓지 못했다.

"왜……."

슬픔으로 일그러진 그녀의 눈에 눈물이 차올랐다. 간절함이 담긴 그녀의 흐린 물음에 준영 역시 참지 못하고 고개를 돌린 채 어금니를 깨물었다.

"전부 내 잘못이다."

무겁게 떨어지는 그의 목소리가 잘게 떨리고 있었다. 준영은 마지막으로 보았던 윤조의 모습을 떠올리고 어금니를 깨물었다. 그런 준영의 모습을 바라보던 홍 장군이 다가가 위로하듯 그의 어깨를 붙잡았다.

"이대로 포기할 게 아니라면 고개 들거라."

그는 준영을 위로하듯 그의 어깨를 단단히 감쌌다.

"좌절하긴 이르다."

"죄송합니다."

"사과는 윤조를 구한 뒤 그 아이에게 해야지."

홍 장군이 긴 한숨을 내쉬었다. 윤조를 구해 함께 돌아올 줄 알았건만. 착잡한 심경을 감추지 못하는 홍 장군과 나래를 바라보던 준영이 홍 장군을 향해 말했다.

"국경에서 있었던 교전과 관련해 긴히 드릴 말씀이 있습니다."

준영은 행렬의 맨 마지막, 성문을 통과한 수레를 홍 장군에게 보였다. 소의와 희생당한 나람성 하인들의 시신이 담긴 수레였다.

"나람성 성주의 부인과 하인들입니다. 미처 장례를 치를 시간이 없었습니다."

시신을 덮었던 천을 걷자 처참한 광경이 펼쳐졌다. 홍 장군이 침음했다.

"무슨 일이냐? 국경에서 교전이 있었다니? 추격대가 저지경이 될 정도면 급습이라도 당한 게야?"

"나람성에서 큰 전투가 있었습니다."

"나람성이라면 안전지대가 아니냐? 설마 서국 놈들이 나람성을!"

"아닙니다. 저희와 전투를 치른 건 서국의 병사들이 아니라 절도사 박유의 군대였습니다."

"절도사의? 아군과 교전이 있었단 말이냐?"

준영은 뒤따라 들어온 다른 수레를 덮고 있던 흰 천을 걷으며 죽은 박유를 가리켰다.

"절도사 박유의 군대가 나람성을 함락, 성주는 고문한 뒤 죽인 것으로 확인되었습니다. 또한 그 부인과 하인들을 감금하고 있는 상태였습니다. 서국과 손을 잡고 일을 꾸민 것 같습니다."

"그런!"

연이은 충격적인 사실에 홍 장군의 눈이 크게 뜨였다. 아찔한 머리를 짚은 그는 근래에 나람성의 병력 보강에 대한 보고가 없었다는 것을 깨달았다. 문 비서랑이 군사까지 움직여 일을 꾀했단 말인가! 그는 준영이 없는 동안 수도에서 일어났던 사건을 전했다. 문 비서랑이 서국과 내통한 것이 드러나 자결했고, 혜린은 그 후 행방 불명이라는 소식이었다.

"역모를 꾀한 배후가 문 비서랑이었다는 말씀이십니까?"

준영은 그렇게 말하면서도 가슴 한구석에서 피어오르는 석연치 않은 감각을 지울 수 없었다. 세작을 움직이고, 파이옌은 끌어들이 고, 황궁에 괴혈단을 들여 역모를 일으킨 배후가 문 비서랑이다?

준영은 과거 파이옌과 함께 동행해 홍씨 가문을 방문했던 혜린의 일과, 혜린이 군사를 이끌고 직접 파이옌을 치려 했던 일을 떠올렸 다. 혜린은 그를 죽이고자 했다. 입을 막기 위함이었나? 문씨 가문 이 그를 끌어들인 사실이 밝혀지지 못하게 하려고?

세작들이 윤조를 제거하려다 실패한 일이나 파이옌이 수도에서 벌인 살인, 그가 벌인 것으로 추정되는 방화만 봐도 사건을 크게 키우긴 했다. 가문에 위협을 느낀 그녀가 먼저 그를 치고자 했다면 모든 것이 맞아떨어진다. 승상과 함께 심문하는 자리에서도 그녀 는 파이옌이 '초대 황실과 관련된 문서'를 훔쳐 달아났다는 핑계를 둘러댔을 뿐이었다.

"아버님, 뭔가 이상합니다. 혜린은 직접 문씨 가문의 사병을 이 끌고 파이옌을 죽이려 했습니다. 실제로 그는 거의 죽을 뻔했고요. 파이옌은 괴혈단의 수장입니다. 그런 일이 있었는데 괴혈단이 문 비서랑의 명령대로 움직여 황궁에 침입했다는 말입니까?"

파이옌의 성정을 누구보다 잘 파악하고 있는 준영으로서는 도저 히 믿을 수 없는 일이었다.

"사건이 일어난 직후 때마침 사건의 배후가 밝혀졌고, 그 배후가 밝혀짐과 동시에 죽었다니. 뭔가 이상합니다."

우연이라고 치부하기에는 누군가 정확한 계획을 짠 것처럼 일련의 진행이 딱딱 들어맞았다.

"나도 그렇게 생각했다. 그런데 폐하와 승상이 있는 자리에서 문씨 가문 소속의 저작랑으로 있던 자가 관련해서 모두 자백했다. 지난 세작 사건도, 이번에 벌인 사건도 모두 문 비서랑이 서국과 내통해 꾸민 짓이라고 말이야."

"제가 직접 그자를 만나 봐야겠습니다."

"만나도 소용없을 거다."

홍 장군이 말을 이었다.

"그자는 문비서랑이 서국과 내통했던 모든 정황을 고백한 뒤 사형 집행을 앞두고 혀를 깨물어 자결을 시도했다가 실패했다. 대화를 할 수 있는 상태가 아니다."

"벙어리가 됐다는 말입니까?"

"정신도 온전치 않다. 죽음에 대한 공포를 견딜 수 없었던 게지. 하지만 확보한 증언으로 조사한 결과 저작랑의 말은 모두 사실로 밝혀졌다. 폐하께서도 그 자리에서 즉결 처분을 내릴 수밖에."

"하지만 수도의 군대를 움직이려면 황가의 인이 필요합니다. 문비서랑 혼자 무슨 수로……."

거기까지 말하던 준영의 입술이 굳게 다물렸다. 그가 '혼자' 계획한 일이 아니라면. 준영의 생각을 읽은 홍 장군이 목소리를 낮추며 말했다.

"네 짐작대로 황후마마께서도 연루된 것은 아닌지 황실은 물론이고 대소신료가 주목하고 있다. 저작랑의 증언에도 황후전에 관한 내용은 없지만 나람성의 일이 알려진다면 화살은 황후전으로 돌아가겠지."

"아버님께서도 그리 생각하십니까? 황후전에서 모든 일을 계획했다고?"

"누구의 생각이 중요한 게 아니다. 이미 피할 수 없는 흐름을 탄 게지."

모든 역모의 정황이 명확히 황실의 외척인 문씨 가문을 가리키고 있었다. 준영은 고개를 저었다. 아무리 생각해도 미심쩍은 부분이 한두 가지가 아니었다.

문 비서랑이 자결했다면 그를 배후로 뒀던 박유가 그 사실을 몰랐을까? 하지만 나람성에서 마주한 박유는 대담한 행동에, 거리낌이 없었다. 든든한 뒷배를 믿지 않고서야 한 나라의 대장군 앞에서 보이기 힘든 태도였다. 자신이 만약 그였다면 죽은 문 비서랑과 함께 역적으로 몰리는 것을 피하기 위해서라도 추격대를 공격하는 무모한 짓은 저지르지 않았을 것이다. 오히려 공적을 쌓아 오해의 여지를 없애기 위해 파이엔을 사로잡아 바쳤다면 또 모를까.

또 황후가 실제적인 배후였다고 가정해도 이상한 일이다. 반정을 꾀했다면 괴혈단은 윤조가 아니라 황제 폐하의 목숨을 노렸어야 했다. 하지만 그들은 그러지 않았다. 처음부터 그 목적이 아니었다는 듯이.

'설마 처음부터 이 상황을 노리고?'

주먹을 쥔 준영의 손이 바르르 떨렸다. 치밀한 계획이다. 처음부터 끝까지 빠짐없이 계획된. 배후가 누구인지 모르겠으나 비상한 머리와 이만한 계획을 실행에 옮길 거대한 권력을 가진 자라는 것은 확실했다.

그와 동시에 준영의 머릿속에 떠오르는 첫 번째 인물은 승상이었다. '최 승상이 뭐가 아쉬워 이런 일을 벌인단 말인가? 말도 안 되는 망상이다.'라고 생각하면서도, 이런 치밀한 계획으로 사건을 벌일 수 있는 사람이 그 외에는 떠오르지 않았다.

실제로 최 승상은 오래전부터 문씨 가문을 극도로 견제했다. 문 비서랑의 누이가 황후의 자리에 오르는 것을 끝까지 반대했던 사람도 바로 그였다. 그가 문 비서랑이 서국과 내통하는 것을 미리 알아챘다면? 폐하가 있는 자리에서 문 비서랑의 즉결 처분을 함께 했던 것도 바로 그다.

만약 국경 수비대가 습격당하고 파이옌이 세작들과 함께 수도로 넘어왔다는 사실을 전하던 그 순간부터 이 모든 것이 계획된 것이었다면. 아니, 아니다. 쓸데없는 의심이다. 이런 일을 벌여 승상이 얻을 수 있는 것이 무어란 말인가? 그가 황제의 자리라도 탐내지 않는 이상…….

현재 사건 관련자 중 유일하게 살아 있는 사람은 혜린과 저작랑이었다. 하지만 혜린은 행방불명 상태다. 느낌이 좋지 않았다. 남은 건 저작랑뿐이다. 어떻게든 그에게 대답을 들어야 했다.

"아버님, 아직 끝난 게 아닙니다. 문 비서랑이 아닙니다. 분명 그 뒤에 다른 자가 숨어 있습니다. 제가 저작랑을 만나 봐야겠습니다. 어떻게든 정신을 차리게 해서라도 직접 대답을 들어야겠습니다."

홍 장군에게 저작랑이 황실 금부에 갇혀 있다는 소식을 들은 준영이 곧장 황궁으로 향하려는 때였다.

"나으리, 말씀 중에 죄송합니다."

나람성에서 이곳 수도까지 죽은 소의의 곁을 지켰던 늙은 하녀가 준영과 홍 장군을 향해 조심스럽게 말을 걸었다.

　"수도의 홍씨 가문으로 가려면 어디로 가야 합니까?"

　그녀의 말에 준영과 홍 장군이 의문 어린 표정으로 그녀를 바라봤다. 나람성에서 수도로 오는 동안 어떤 물음에도 입을 열지 않던 하녀였다. 그런데 갑자기 수도의 홍씨 가문을 찾는다?

　"홍씨 가문은 무슨 일로 찾는 건가? 혹, 연고 있는 자가 있나?"

　"그, 그건 말씀드릴 수 없습니다! 죄송합니다……."

　"무슨 사연인지 모르겠지만 고하라. 나와 여기 계신 부친께서 그대가 찾고 있는 홍씨 가문의 사람이니."

　준영의 말에 퍼뜩 고개를 든 하녀가 놀란 눈으로 더듬더듬 입을 열었다.

　"저, 정말 두 분이 홍씨 가문 사람이십니까? 저는 그것도 모르고! 다행입니다. 이제라도 알아서 정말 다행입니다!"

　"무슨 일인가?"

　"저희 마님께서 혹여 일이 잘못되거든 수도의 홍씨 가문을 찾아가라 당부하셨습니다. 그곳에 가족들이 머물고 있다고 하셨어요."

　"가족들이라니?"

　"그 무녀님이요! 나람성에서 뵈었던 그 무녀님이 성주 마님의 여동생이셨습니다!"

　깜짝 놀란 준영과 홍 장군이 거의 동시에 되물었다.

　"무녀라니? 윤조 말인가?"

　"예! 윤조 무녀님이요! 그분께서 마님께 성을 빠져나가거든 꼭 수도의 홍씨 가문을 찾아가라고, 그곳만이 믿을 수 있는 곳이라고

당부했다고 하셨습니다. 마님께서 수도에 도착하기 전까지 누구와
도 말을 섞지 말라고 하셔서 지금까지 입을 다물고 있었는데……."

"그런, 그렇다면……."

수레 위, 창백한 시신이 되어 누워 있는 소의의 모습을 바라보던
준영은 나람성의 옥상에서 마지막으로 보았던 윤조의 모습을 떠올
리고 침음했다. 다 보았던 것이다. 눈앞에서 가족이 죽는 모습을
전부.

"맙소사."

곁에서 함께 이야기를 듣고 있던 나래가 충격을 이기지 못하고
비틀거렸다. 길림의 도움으로 간신히 자리에 선 그녀는 끔찍한 죽
음을 맞이한 소의의 모습을 다시 확인하곤 길림의 품에 안겨 눈물
을 터뜨렸다.

"두 사람이 자매였다니."

준영의 눈앞으로 지난날 범에게 죽어 갔던 형제들의 모습이 떠올
랐다. 평범한 여느 연인들처럼 서로 닮아 가고 싶었지만, 그런 고
통까지 닮게 하고 싶진 않았다. 그런 부분까지는 결단코.

"장례를 준비하겠습니다."

길림이 서럽게 우는 나래를 달래며 준영과 홍 장군을 향해 조심
스럽게 운을 뗐다. 그의 말에 홍 장군이 고개를 끄덕였다. 그는 죽
은 소의를 바라보는 준영이 무엇을 떠올리고 있는지, 어떤 슬픔을
곱씹고 있는지 알 수 있었다.

"준영아."

홍 장군의 부름에도 대답 없이 수레를 응시하던 준영이 잠시 뒤
주먹을 꽉 움켜쥔 채 돌아섰다.

"장모님께는 제가 말씀드리겠습니다. 장례를 부탁드려도 되겠습니까?"

"어쩌려고 그러느냐?"

"죽음으로 사죄시킬 겁니다. 죽어도 편히 죽지 못하게 할 겁니다. 감히 제 가족을 건드린 그자는 죽는 그 순간까지 헐떡이는 숨결조차 후회로 가득할 겁니다."

"배후를 끌어낼 방법이 있겠느냐?"

그는 홍 장군의 얼굴을 똑바로 마주했다.

"아버님, 이제부터는 저를 무조건 믿고 도와주셔야 합니다."

확신 어린 준영의 눈빛에 홍 장군이 고개를 끄덕였다.

"내가 어떻게 하면 되겠느냐?"

"대승상을 체포해 압송해 주십시오."

그 말에 준영과 마주한 홍 장군은 물론이고 곁에 있던 길림까지 믿을 수 없다는 눈으로 준영을 바라봤다.

"지금 뭐라고 했느냐?"

"대승상을 체포해 압송해 달라고 했습니다."

"대장군! 지금 제정신이십니까—!"

나래가 경악하여 소리쳤지만 준영은 자신의 말을 번복하지 않았다.

"대장군의 명령이다. 지금 당장, 대승상을 역모죄로 체포하라."

✦✦✦

육중한 소리와 함께 땅이 흔들렸다. 윤조와 파이옌은 어느새 거대한 성 앞에 도착해 있었다. 서국의 수도 아트완의 입구였다. 사막을 지척에 둔 깎아지른 협곡 사이에 거대한 요새가 자리했다. 지진이라도 난 것처럼 움직이는 바닥의 진동과 함께, 절벽 반대편에서부터 성문이 마치 다리처럼 윤조와 파이엔이 서 있는 절벽 앞으로 놓였다.

도착한 서국의 수도 아트완은 철혈의 요새라고 불리는 명성답게 거친 바위가 가득한 협곡 안에 자리했다. 높은 절벽을 따라 끝 모르게 올라간 고층의 건물들이 하나의 성벽이자 거대한 도시였다. 황성을 제외하고 평지 위에 나무와 벽돌, 진흙을 사용해 단층으로 짓는 나투국의 건축과는 확연히 다른 모습은 거대한 자연과 어우러져 시선을 압도했다.

아트완은 하나의 건축물이자 도시로, 절벽을 깎아 만든 외성을 시작으로 안쪽으로 겹겹이 다수의 고층 건물을 품고 있는 모양이었다. 마치 산 하나를 통째로 조각한 것 같은 도시는 콜로세움 같은 원형으로, 중앙에 가장 높이 솟은 건물인 황성에서 온 도시를 한눈에 내려다보는 것이 가능했다.

"이곳이 서국의 수도 아트완……."

신채영으로 살았던 고등학교 시절, 세계사 교과서에서나 보았던 페트라 유적지를 떠올리게 하는 엄청난 광경이었다. 물론 그때 사진으로 보았던 유적지보다 몇십, 아니 몇백 배는 더 거대하겠지만.

그녀가 넋을 놓은 사이, 성의 외벽으로 빠르게 모여드는 병사들의 모습이 보였다. 그들은 마름모 모양의 길쭉한 날이 달려 있는 나투국의 창과 달리 'U' 자 모양의 날이 달려 있는 창으로 무장한 상태였다.

쿵. 쿵. 쿵.

외벽을 향해 선 병사들이 창대 끝으로 바닥을 두드리기 시작했다. 그것은 곧 하나의 거대한 울림으로 변해 온 요새에 번져 나갔다. 엄청난 위압감. 윤조는 심장 박동처럼 전신을 울리는 진동에 마른침을 삼켰다.

무녀 후보생 시절 수학관에서 배우길, 서국은 떠돌이 소수 민족들이 모여 세운 나라라고 했다. 10여 개가 넘는 소수 민족을 통일한 것은 지금 황위에 올라 있는 모르 황가이며, 그들은 소수 민족을 규합해 하나의 나라로 만들기 무섭게 나투국의 비옥한 땅을 노리고 쳐들어왔다. 그들의 영토 대부분의 지역이 사막 지대였기 때문이다.

그것이 바로 7년 전쟁의 시작이었다. 그러니 사실상 '서국'이라는 나라가 건국된 것은 지금으로부터 30년도 채 지나지 않은 최근의 일이며, 나투국과 7년 전쟁을 벌인 서국의 황제는 초대 황제를 잇는 서국의 두 번째 황제인 셈이었다.

그때 파이옌이 윤조의 가까이로 지나쳐 앞으로 나아가며 작게 속삭였다.

"긴장 늦추지 마."

그렇게 말하는 파이옌의 얼굴은 윤조가 본 그 어느 때보다 긴장한 기색이 역력했다. 윤조는 그의 뒤를 따라 거대한 성 문을 지났다. 그들이 성안으로 들어오자 다리처럼 놓여 있던 성문이 육중한 소리를 내며 서서히 닫혔다. 주변을 둘러봐도 빠져나갈 구멍은 보이지 않았다. 나람성에 갇혀 있을 때와는 차원이 달랐다. 수백의 병사들이 두 사람을 주시하고 있었다.

"장군, 오셨습니까."

마중 나온 가료의 모습에 파이옌이 가볍게 손을 흔들었다. 가료의 뒤로 하센도 함께였다. 두 사람은 나투국에서 상인의 복장으로 변복하였을 때와는 달리 갑주를 착용한 상태였다. 서국의 갑주는 전신을 휘감는 나투국의 갑주와는 많은 차이가 있었는데, 가장 큰 차이점은 빠른 움직임이 기본인 서국의 전투 기술에 맞춰 몸에 착용하는 갑주의 면적이 투구, 어깨 견장, 가슴 견장, 팔과 다리 보호대 정도로 굉장히 제한적이라는 점이었다.

"환영 인사가 뭐 이리 거창해?"

뻐근한 어깨를 풀며 주변을 돌아보는 파이옌의 말에 가료가 도열한 병사들을 물리며 고개 숙였다.

"폐하의 명이셨습니다."

그렇게 말하며 윤조를 바라보는 가료의 말에 파이옌이 이마를 짚었다.

"그 또라이. 상태는 어때?"

한 나라의 황제더러 또라이라니. 하지만 다른 사람들은 이미 파이옌의 화법에 익숙한지 신경 쓰지 않는 눈치였다. 아니면 또라이라는 단어의 뜻을 몰라서 놔두는 걸지도?

"선사께서 보낸 단약丹藥이 효과가 있어 괴사는 멈춘 상태입니다."

"단약? 그걸 구했어?"

가만히 두 사람의 대화를 듣고 있던 윤조의 미간이 좁혀졌다.

'단약?'

서국은 의술이 제대로 발달하지 못한 나라다. 기껏해야 산중의 약초를 달여 마시거나 짓이겨 상처 위에 펴 바르는 정도의 요법을 사용하고 있었다. 그런데 괴사의 진행을 막는 단약이라니?

서국 황제의 부상은 얼핏 들어도 심각했다. 더군다나 지난 전쟁의 마지막 전투에서 부상을 당한지는 꽤나 오랜 시일이 지났다. 목숨을 연명하는 것조차 힘겨운 일일 텐데 서국의 기초적인 치료법으로 괴사를 막고 있다? 만약 그 약이 자신이 알고 있는 것과 같은 것이라면, 그것은 나투국 황실에서만 사용할 수 있는 '선단仙丹'을 이르는 말이었다.

　선단은 황제와 황후에게만 진상되는 것으로 몸을 보하는 약제 가루를 뭉쳐 고위 무녀들의 신력을 담아 만든 영약이다. 절대 나투국 황실 밖을 벗어나서는 안 되는. 퍼뜩 깨달은 사실에 고개를 들자 그녀의 앞, 언제 다가온 건지 머리 위에서 그녀를 내려다보고 있는 하센이 있었다. 깜짝 놀란 윤조가 급히 뒷걸음질 쳤다.

　"도착하는 대로 무녀를 데려오라는 폐하의 명이 있었습니다."

　냉정한 그녀의 보고에 파이옌이 짜증을 내며 손가락으로 자신과 윤조의 상태를 가리켰다.

　"이 꼴로?"

　"바로 오라고 하셨습니다."

　"젠장, 안내해. 먼지 먹고 뒈지라지."

　험한 말을 하며 의연한 척하고 있었으나 파이옌은 꽤나 조바심이 난 상태였다. 그는 비틀거리며 뒤 따라오는 윤조를 살피다 고개를 돌렸다.

　안내를 받아 그들이 도착한 곳은 성안에 있는 어느 거대한 붉은 문 앞이었다.

　"폐하, 좌장군과 무녀가 도착했습니다."

　가료의 보고에 닫혀 있던 문이 안쪽으로 서서히 열렸다. 활짝 열린 문 뒤로 하늘하늘한 베일이 입구를 감싸고 있었다. 어딘가의 열린 창문으로 바람이 들어오는지 금화 같은 장식이 매달린 베일이 하늘하늘 나부끼며 차라랑, 하는 작은 소리를 냈다.

윤조는 앞서가는 파이옌을 따라 베일을 걷고 문 안으로 들어갔다. 그러자 방의 끝자락, 가로로 긴 의자 위에 몸을 쭉 편 채 눕듯이 앉아 있는 사내의 윤곽이 보였다. 사내의 앞은 조금 전 문 앞을 가리고 있던 것과 같은 반투명한 베일로 가려진 채였다.

사내의 옆으로는 커다란 파초선芭蕉扇[5]을 든 여인 두 명이 서 있었다. 일반적인 서국의 사람들과 달리 붉은 머리가 아닌 검은색 머리에 상아색 피부를 지닌 여인들은 모르 황가의 지배를 받는 소수 민족의 여인들로 보였다. 장식대 위에는 화려한 문양의 도자기와 촛대가, 바닥에는 사냥한 동물의 가죽으로 만든 융단이 깔려 있었다. 마치 아라비안나이트의 한 장면처럼, 혹은 중국 고대의 신화처럼 동서양의 양식이 뒤섞인 기묘한 풍경이었다.

"괴혈단 가료, 황제 폐하를 뵙습니다."

"괴혈단 하센, 황제 폐하를 뵙습니다."

어전에 다다르기 무섭게 가료와 하센이 무릎을 꿇고 예를 갖추었다. 그들을 바라보던 파이옌만이 무릎을 꼿꼿이 세운 채 인사를 달리했다.

"나 왔다."

그 짤막한 인사에 윤조의 얼굴이 일순 경악으로 물들었다. 말이 짧다 짧다, 이제는 한 나라의 황제에게까지 말이 짧다. 하지만 이를 보고 놀란 건 그녀뿐이었는지 가료와 하센은 한숨을 쉬며 파이옌을 바라볼 뿐이었다. 그때 베일 뒤편에서 웃음소리가 들렸다.

"그래, 내 강아지가 돌아왔구나."

"누가 강아지야? 헛소리할 체력은 남아 있나 보네."

"네놈과 놀아 줄 체력은 남아 있지."

반가워하는 건지, 싸우는 건지 모를 기묘한 인사였다.

"좌장군과 무녀는 남고 나가 보라."

황제의 명령에 가료와 하센이 뒤로 물러나 어전을 벗어났다. 두 사람이 어전을 벗어남과 동시에 파이옌은 곧장 황제의 앞으로 가 천장에서부터 치렁치렁하게 늘어져 있던 붉은 베일을 걷어 냈다. 그러자 붉은 베일 너머로 조금 수척해 보이는 안색의 젊은 사내가 미소 짓고 있었다.

"내가 그리 보고 싶었더냐?"

"징그러운 소리 마."

몇 걸음 떨어진 자리에서 멀거니 그 모습을 지켜보던 윤조는 어느 순간 자신을 바라보는 서국 황제의 붉은 눈동자에 흠칫, 몸을 떨었다. 서국 사람들의 특징이 붉은색이라고 하나 눈동자의 색까지 붉은 사람을 보는 것은 처음이었다.

정면으로 마주친 서국 황제는 병색으로 말라 있는 게 한눈에도 보일 정도였다. 하지만 형형히 살아 있는 눈빛만은 지독한 생의 의지를 머금은 채였다. 온 황제를 만났을 때와는 전혀 다른 느낌이다. 평온하고 다정한 느낌을 주는 나투국의 황제와 달리, 서국의 황제는 부드러운 미소를 짓고 있었으나 사냥감의 약점을 훑는 맹수처럼 첨예한 기세가 흉흉했다.

---

5) 파초선(芭蕉扇): 파초 잎 모양의 부채. 그늘막으로 사용했다. 또는 넓은 파초 잎을 구부려 사용했다.

허점 하나 보이지 않는 날카로운 시선에 윤조는 땀으로 젖어드는 손바닥을 꾹 말아 쥐었다. 정신 차려야 해. 도착하는 동안 바닥난 체력 탓에 가만히 서 있는 것조차 버거웠지만 버텨야만 했다.

'서국 황제가 잔혹하기로 이름났다지만 당장 나를 해치진 못할 거야.'

그는 치료가 필요했고, 그래서 자신을 납치했다. 치료를 마치기 전까지는 위해를 가하지 않을 것이다.

'치료를 최대한 미루면서 시간을 끌어야 해.'

생각을 마친 윤조가 서국의 황제를 향해 인사했다.

"서국의 황제를 뵈옵니다. 나투국의 무녀 윤조라고 합니다."

허리는 숙였으나 머리는 숙이지 않은 인사였다. 그런 그녀를 바라보던 서국 황제, 키얀의 입가에 이전보다 진한 미소가 어렸다.

"환영한다, 적국의 무녀여."

'적국.'

그의 한마디로 모든 것이 결정지어졌다. 서국의 황제는 결단코 타협하지 않을 것이다. 어쩌면 그를 치료하며 긍정적인 방향으로 설득할 수 있으리란 윤조의 바람은 애초에 선택지가 없었다.

순간 눈앞이 핑 돌며 머리가 어지러웠다. 아트완에 도착하기까지 며칠간은 밤낮 없는 강행군이었다. 발에 힘을 주어 버티자 등 뒤로 식은땀이 흘러내렸다. 윤조는 볼썽사납게 쓰러지거나 나약한 모습을 보이지 않기 위해 주먹을 단단히 말아 쥐었다.

"그런데 치료가 필요한 나보다도 오히려 그대의 안색이 창백하구나."

"걔 지금 건들면 툭 쓰러진다."

시선조차 주지 않은 퉁명스러운 말투였으나 어쩐지 걱정이 묻어 났다. 파이옌의 지적에 키얀은 '흐응' 하고 입 안에서 혀를 굴렸다.

"편안한 여행길은 아니었던 모양이지?"

"그걸 말이라고."

파이옌이 짜증스러운 얼굴로 핀잔했다. 자리에서 일어난 키얀이 얕은 계단을 내려왔다. 양옆에 서 있던 여인들이 곁에서 그를 부축하려 했으나 그는 가볍게 손을 휘저어 그들을 물러나게 했다.

"그래, 홍준영의 반려라지?"

윤조의 앞에 우뚝 선 키얀의 신장은 준영보다도 더 컸다. 그는 맨몸에 비단으로 만든 헐렁한 바지와 긴 덧옷 같은 옷을 어깨 위에 아슬아슬하게 걸치고 있었다. 흘러내리는 덧옷 안쪽으로 둘둘 감은 붕대가 보였다. 소문으로 들었던 악명에 비하면 어딘지 모르게 처연하고 위태로워 보이는 분위기의 나른한 사내였다. 꺾어지는 고개를 들어 그와 눈을 마주한 윤조가 물러섬 없이 답했다.

"그렇습니다."

반걸음, 아무것도 신지 않은 키얀의 맨발이 윤조를 향해 더욱 바짝 다가섰다.

"홍준영의 반려라면 나에 대해서도 많이 들었겠군. 우리는 뭐랄까, 애인 같은 사이니까 말이야. 그렇게 따지면 우리는 연적이 되는 셈인가?"

덧붙이는 그의 우스갯소리에도 윤조는 웃을 수 없었다. 너무 긴장한 탓에 머리가 지끈거릴 지경이었다. 준영이 들었으면 기겁할 법한 말을 아무렇지 않게 지껄인 키얀이 윤조의 눈앞으로 고개를 내밀었다. 예고 없이 불쑥 다가온 키얀의 얼굴에 윤조가 숨을 멈췄다. 진한 핏빛 보석 같은 그의 눈동자가 그녀의 얼굴이며 팔, 다리, 온몸을 탐색하듯 훑었다. 마치 품평이라도 하는 것 같은 행동이었다.

"나투국의 무녀라기에 당연히 검은 머리카락에 검은 눈동자를 가진 여인일 것이라 생각했는데 아니었군. 태양을 닮은 색이라?"

키얀이 굽혔던 허리를 펴고 윤조의 머리 위로 손을 올렸다. 특이한 머리색에 호기심이 동한 모양이었다. 손안을 간질이는 황금빛 털실이 제법 기분 좋은 듯했다. 윤조는 갑자기 제 머리를 쓰다듬기 시작하는 그의 종잡을 수 없는 행동에 당황했으나 굳이 말로 표현하진 않았다.

"아름다운 색이구나."

그는 오수를 즐기며 강아지를 쓰다듬는 주인처럼 나른한 말투로 중얼거렸다. 그 말을 들으니 어쩐지 준영이 떠올라 버린 윤조가 조용히 고개를 돌려 그의 손길을 거부했다. 하지만 키얀은 그녀의 고갯짓을 따라 손을 집요하게 움직이며 그녀의 머리칼을 움켜쥐었다.

"윽—!"

순간적으로 느껴지는 아픔에 윤조가 눈을 찌푸렸다. 일순 두통에 잠들어 가던 정신이 돌아왔다. 키얀은 여전히 나른한 미소를 머금은 채였다.

"아이야, 짐은 무시하는 행동을 아주 싫어한단다."

"……."

"명심하렴."

윤조는 자신을 마치 장난감처럼 다루며 흥미 어린 눈을 빛내고 있는 그의 얼굴에 입술을 깨물었다.

"날 보고도 그리 겁먹지 않았구나? 믿는 구석이 있는 게지."

긴장된 공기가 팽팽했다. 바라본 그는 나른하게 웃는 낯이었으나 윤조는 그 시선에 서린 살기가 진심이란 것을 깨달았다. 일전, 까마귀들과 마주했던 기억이 떠오른 윤조는 발바닥에 힘을 주어 쓰러지지 않기 위해 안간힘을 썼다. 금방이라도 그가 곡도를 휘둘러 자신을 베어 버릴 것만 같았다. 하지만 그러지 못할 것이다. 서국의 황제는 자신을 죽이지 않을 것이다. 적어도 지금 당장은.

이성적으로 계산한 논리였으나 마주한 육신이 느끼는 공포감은 달랐다. 가까운 곳에서 파이옌이 불안한 눈빛으로 자신을 쳐다보는 것이 느껴졌다. 윤조는 어금니를 물었다. 괜한 도발에 넘어갈 필요는 없다. 어차피 이곳은 적진. 탈출할 기회를 엿보려면 최대한 자신을 낮춰야 한다.

키얀은 긴장으로 굳어 있던 윤조의 몸에서 힘이 빠져나가는 것을 느꼈다. 포기인가? 아니, 그것과는 다르다. 그는 의외라는 눈을 하며 세게 움켜쥐었던 그녀의 머리카락을 놓았다. 피와 흙으로 범벅된 넝마를 입고, 금방이라도 쓰러질 것처럼 창백한 얼굴을 하고 있으면서도 눈빛만큼은 생생히 살아 있다. 그는 그런 윤조의 눈을 가만히 들여다보며 피식, 입매를 당겼다.

"이거 참, 정말 홍준영을 생각나게 하는구나? 갑자기 가슴이 뛰잖느냐. 죽음 앞에서도 올곧은 그놈이 피를 뒤집어쓴 꼴은 성별을 떠나 상당히 구미가 당기니까."

그가 붉은 혀를 내밀어 자신의 입술을 훑었다.

"오, 어린 무녀는 알까 모르겠지만 서국은 욕구를 푸는 데 남녀를 가리지 않는단다."

"더러운 얘기 그만하고, 본론으로 들어가지?"

"왜? 뜨거웠던 그 밤을 다시 생각나게 해 주랴?"

"뭐라는 거야! 남이 들으면 오해할 소리 작작하라고!"

"하하하. 전쟁터를 안방처럼 누비는 녀석이 순진하다니까."

"내가 순진한 게 아니라 네놈이 문란한 거야!!!"

파이옌이 질색하며 키얀의 말을 잘랐다. 황제의 앞에서 조금의 예도 갖추지 않고 목소리를 높이는 그에게 화를 낼 법한데도 키얀은 즐겁다는 듯 웃으며 그를 바라볼 뿐이었다. 그런 두 사람을 지켜보는 윤조의 머릿속이 조금 혼란스러웠다.

'뜨, 뜨거웠던 밤? 대체 저 둘은 어떤 관계인 거야?'

보통의 왕과 신하의 신분으로는 나눌 수 없는 대화였다. 격이 없는 걸 넘어서 거침없기까지 한 두 사람의 대화에 그녀가 의문을 표하는 사이, 키얀이 가볍게 손가락을 튕기며 윤조를 돌아봤다.

"그렇지 참. 어린 무녀야, 나를 치료하거라. 네가 다 죽어 가던 홍준영도 되살렸다지?"

"그렇습니다."

"어쩌겠느냐? 나를 치료하겠느냐?"

그녀가 어떤 반응을 보일지 무척 궁금하다는 투였다. 윤조는 자신을 조롱하듯 여유로운 얼굴을 한 키얀을 바라보며 이미 준비된 대답을 꺼냈다.

"치료, 하겠습니다."

반항도 없이 순순히 치료 의사를 밝힌 그녀의 행동에 다른 뜻이 있는 건 아닌지, 키얀의 눈이 가늘어졌다.

"대답에 주저함이 없구나?"

"저는 살고 싶습니다. 애초에 다른 선택지가 있을 리도 없겠지만."

제 반려가 구하러 올 것이다. 절대 치료하지 않겠다 버틸 줄 알았는데 의외였다. 그녀의 대답이 마음에 들었는지 키얀이 긍정했다.

"현실적이구나. 마음에 들어."

"폐하께서 건강을 회복할 수 있도록 최선을 다해 도울 것이니 이곳에 머무는 동안 제 안전을 보장해 주시겠습니까?"

'서국의 황제는 이미 구석에 내몰린 상태다. 살기 위해서라면 그는 무슨 짓이든 하겠지. 이런 때 스스로 도울 것이라 자청하는 이를 두고 싫다며 거부할 자는 없다.'

아니나 다를까, 윤조의 예상대로 긍정 어린 답이 돌아왔다.

"좋다. 그대가 협조한다면 서국의 황제 키얀 모르의 이름을 걸고 그대의 안전을 보장하마."

'됐다.'

윤조는 비로소 안도했다. 그에게 원하는 대답을 이끌어내는 데 성공했다. 이제는 시간 싸움이다. 짧게 숨을 고른 그녀가 이전보다 생기 어린 표정으로 키얀을 바라봤다.

"배려에 감사합니다, 폐하. 치료는 7일 후, 장소는 폐하께서 원하시는 곳으로 하겠습니다. 이곳으로 오면 될까요? 아니면 좀 더 편안한 장소가 좋을까요? 전 어디든 괜찮답니다."

말을 마치며 빙그레 미소 짓는 그녀의 모습에 잠시 정적이 흘렀다. 두 사람을 지켜보던 파이옌의 입에서 '핫' 하고 짧은 웃음이 터졌다. 반대로 여유롭던 키얀의 얼굴에서 미소가 사라졌으나 윤조는 개의치 않았다.

"아 참, 먼저 치료 일정 설명드리는 걸 깜빡했네요. 죄송합니다! 너무 높으신 분 앞이라 긴장을 해서요. 넓은 아량으로 이해 부탁드

립니다."

능청스럽게 배꼽 인사를 한 그녀가 다시 자세를 바로 하며 말을 이었다.

"무녀들마다 신력의 운용법이 다르다는 사실은 이미 알고 계실 테니 생략하고, 제 신력은 체력과 비례해서요. 납치되어 오는 동안 험한 고생을 며칠씩 했더니 열도 나는 것 같고, 머리도 어지럽고, 으슬으슬 오한이 드는 게 며칠은 몸 져 누울 예정입니다. 7일간 제가 너무 아프진 않을까 걱정하실까 봐 미리 말씀드려요."

"……."

"크큭, 큭, 하하하하! 하하하하!"

파이엔의 입에서 기어이 큰 웃음이 터졌다. 그래도 모시는 황제 앞이라 어떻게든 참아 보려고 했던 것 같지만 헛수고였다. 그는 굳게 입을 다문 채 무표정한 얼굴로 앉아 있는 키얀의 모습을 가리키며 폭소했다.

"저놈이 저렇게 당황하는 꼴은 또 처음 본다. 크큭, 씨발. 여기서 살면서 본 것 중에 젤 웃기네. 아, 미치겠네, 진짜."

배를 부여잡은 채 욕까지 섞어 가며 한참을 웃던 그는 손부채로 얼굴을 식히며 키얀을 향해 다가갔다.

"얼굴 풀어. 쟤 죽일 거 아니면."

"고민 중이다."

"쟤 죽으면 너도 죽어. 그리고 아까 안전 보장한다며, 황제 이름 걸고."

"닥쳐라, 파이엔."

"왜? 쟤가 거짓말한 것도 아니고, 치료해 준다고 했지만 당장이라곤 안 했잖아. 크큭."

"닥치랬다!"

사나운 기세로 파이옌을 일갈한 키얀이 윤조를 돌아봤다. 붉은 눈동자에 어린 노기에 절로 마른침이 삼켜졌다. 한참 동안 가느다란 윤조의 목을 썰어 버릴 듯이 바라보던 그가 천천히 입을 열었다.

"3일 주마. 가여운 너를 보살펴 줄 하인도 붙여 줄 것이다. 약속한 대로 그대의 안전을 보장하지."

무사히 넘어간 건가? 고문이라도 할 줄 알았는데 정말 다행이었다. 7일보다는 적은 시간이지만 사실 그걸 들어줄 거라고는 생각도 안 했다. 3일 정도면 충분하다.

"감사합니다."

윤조의 대답에 키얀이 눈을 접으며 빙그레 미소 지었다. 왠지 모를 불길함이 느껴지는 아름다운 미소였다.

"짐은 용감한 여인을 좋아하지. 적당히 당돌한 것도 좋아하고 말이야. 짐을 즐겁게 한 보답으로 선물을 준비하마, 어린 무녀야."

"어, 아뇨. 선물은 괜찮은데……."

"사양 말거라. 너보다도 너의 반려인 홍준영이 더욱 기뻐할 선물일 테니."

그 선물이 무엇인지 모르겠지만 부디 대장군님께 배달되기 전에 먼지 단위로 파손되어 사라지거나 자연 발화로 불타 버리길 간절히 기도한 윤조였다.

"무녀님은 저를 따라 오시지요."

어전에서 나오는 길, 따로 키얀의 명을 받은 하센이 윤조의 앞을 막아섰다. 그녀의 행동에 파이옌이 의아한 눈을 했다.

"걜 어디로 데려가려고?"

"폐하께서 무녀님을 '수르암'으로 모시라고 하셨습니다."

"뭐라고?"

하센의 대답에 파이엔의 얼굴이 당혹으로 물들었다. 윤조를 '수르암'으로 보낸다니? 조금 전까지만 해도 3일의 시간을 준다고 하지 않았나? 선물 운운하며 의미심장하게 미소 짓던 키얀의 모습을 떠올린 그가 아차, 했다. 그 또라이가 순순히 편의를 봐 주었을 리가.

"무슨 수작이야? 지금 내가 제대로 들은 거 맞아? 무녀를 다른 곳도 아니고 '수르암'으로 보내라고 했다고?"

"예, 분명 그렇게 명하셨습니다. 그리고 이렇게도 말씀하셨습니다."

하센이 차가운 눈길로 윤조를 바라봤다.

"폐하께서 부르기 전까지 무녀에게 그곳에서 가장 천한 방과 가장 천한 옷을 주고 수르암의 법도를 따르게 하라고."

파이엔은 윤조가 생각했던 것보다 더 많이 키얀을 자극했다는 것을 깨달았다.

"그럼 가시죠, 무녀님."

"잠깐."

파이엔이 급히 하센을 멈춰 세웠으나 황궁에서 황명을 거스를 수는 없는 일이었다. 불안한 그의 시선이 윤조에게 머물렀다. 윤조는 자신을 향해 무어라 말하려다 마지못해 '알겠다.'고 답하는 그의 모습을 마지막으로 하센에게 이끌려 자리를 벗어났다.

'무슨 속셈이지?'

본궁을 지나 점점 더 깊숙한 건물 안으로 자신을 안내하는 하센의 뒷모습을 바라보며 윤조가 불안하게 입술을 깨물었다. 원래대로라면 어전에서 나오자마자 '앗, 현기증이.' 하고 연기를 하며 픽 쓰러질 생각이었는데 당황하는 파이옌의 모습에 때를 놓치고 말았다.

'파이옌은 왜 그렇게 놀란 거지? 황제가 명령한 수르암이 대체 어떤 곳이기에?'

순순히 3일이라는 시간을 주었을 리는 없다고 생각했다. 시간을 벌려고 하면 고문을 할까 봐 일부러 신력이 체력과 비례한다는 말로 둘러댔건만. 윤조의 입에서 앓는 소리가 삼켜졌다.

서국 황제에 대한 악명은 익히 들어 잘 알고 있었다. 더불어 머리가 비상한 자라고 했으니 무언가 다른 꿍꿍이가 있어도 이상할 건 없다. 더군다나 자신은 무려 서국의 황제 앞에서 그의 약속을 이용하고 도발하지 않았던가? 화가 난 서국 황제가 가장 천한 방과 가장 천한 옷을 주고 노예라도 삼고 싶어 하는 건가 싶어 충분히 이해가 갔다. 그런다고 별다른 타격을 주진 못하겠지만.

'옷이야 몸을 가릴 수 있는 정도면 되고, 음식은 몸을 움직일 수 있을 정도의 기력만 보충할 정도면 충분하다.'

이미 극한의 가난 속에서 제국을 덮쳤던 최악의 기근까지 버텨냈던 그녀였다. 환경의 열악함쯤이야 얼마든지 극복할 자신이 있었다. 문제는 의미 모를 그 선물의 정체였다. 불길해. 대체 대장군님께 보낼 선물이라는 건 어떤 종류의 선물을 말하는 걸까.

'설마 사람의 신체 일부분이라거나, 폭발물이라거나, 생화학 무기라거나 하는 그런 건 아니겠지…….'

계속되는 불길한 상상에 그녀는 상념을 지우려 고개를 흔들었다. 정신 차리자. 이제부터는 정말 혼자다. 정신 바짝 차려야 해. 우선 3일 동안 탈출 계획을 세워야 했다. 빠듯한 시간이지만 필요하다면 시간은 어떻게든 더 벌 수 있을 거다. 그러려면 이곳에 대한 많은 정보가 필요했다. 작고 사소한 것까지 전부. 생각을 마친 그녀는 말없이 자신의 옆에서 걷고 있는 하센을 바라봤다.

"우리 구면이죠?"

윤조는 파이옌이 혜린의 군사들을 피해 도주할 때, 활을 쏘며 그의 탈출을 도왔던 여인이 눈앞의 하센이라는 것을 알았다. 그녀의 말에 하센이 조금 의외라는 듯 그녀를 돌아봤다.

"눈썰미가 좋으시군요."

당시 그녀는 복면으로 얼굴의 반을 가리고 있던 상태였다. 티를 내진 않았지만 조금 놀라워하는 것 같은 하센의 반응에 윤조가 너스레를 떨었다.

"아무리 가려도 미인은 티가 나더라고요. 저는 무녀 윤조라고 해요."

자연스러운 그녀의 소개에 하센이 물끄러미 그녀를 바라보다 다시 고개를 돌려 앞을 쳐다봤다.

"저희 아이들이 들었으면 좋아할 만한 대답이군요. 아부하시는 거라면 소용없습니다."

이름조차 밝히지 않는다. 미인들도 예쁘다고 칭찬하는 말에는 늘 기분 좋게 넘어가던데 이 언니는 아닌가 보다. 윤조는 쌀쌀맞은 그녀의 반응에 어깨를 으쓱했다.

"쉽게 넘어오면 매력 없죠."

"지금 저를 유혹이라도 하는 겁니까?"

"가능할까요?"

"가능해 보이나요?"

이 언니 정말 만만치 않네. 꼬시는 건 둘째 치고 정보라도 얻어

낼까 했는데 철벽이다. 이렇게는 도착할 때까지 어떤 정보도 알아내지 못한다. 작게 한숨을 쉰 윤조가 돌려 말하지 않고 바로 질문했다.

"서국의 황제께서 저를 노예로 삼고 싶어 하나요?"

하센이 걸음을 멈췄다. 처음으로 그녀의 얼굴에 어떤 감정이 드러났다. 사실 윤조에게는 그 감정이 당혹인지, 분노인지, 무엇인지 따위는 그리 중요치 않았다. 그저 철벽을 치던 사람의 얼굴에 감정 어린 어떤 표정이 드러났다는 사실이 중요했다. 하센이 허리에 한쪽 손을 올리며 그녀에게 물었다.

"노예라. 왜 그렇게 생각하죠?"

"가장 천한 방과 가장 천한 옷을 주고 법도를 따르게 하라고 하셔서요. 마음이 넓으실 줄 알았는데 생각보다 속이 좁으신가 봐요? 하긴, 제가 성질을 좀 긁긴 했죠."

으아, 이번 건 좀 셌다. 윤조야, 긴장하지 마. 정신 바짝 차려! 의연하게! 의연하게! 아마 나래가 이 모습을 봤다면 겁을 상실했다며 뒤통수를 수십 대는 때렸겠지. 서국의 황궁에서, 그것도 황제의 장수 앞에서 그가 모시는 황제를 비꼰 셈이니. 아니나 다를까, 하센의 기세가 흉흉해졌다.

"어린 건지, 무모한 건지 모르겠군."

"호랑이에게 물려 가도 정신만 바짝 차리면 산다는 말도 있잖아요."

"보통은 끌려가기 전에 죽지."

"제가 죽었나요?"

윤조는 그렇게 말하며 싸우고 싶지 않다는 의미로 양손을 가볍게 들어 손바닥을 보였다. 얄미운 연기는 이쯤이면 됐다. 더 열받게 했다가 진짜 화나면 큰일이니 이쯤에서 멈춰야지.

"살아남았으니, 살아 보려고요. 헤헤, 이왕이면 예쁘게 봐 주세요, 언니. 이렇게 다시 만난 것도 인연인데."

능청스럽게 미소 짓자 일순 하셴의 눈썹이 위로 향했다.

"언니?"

"아, 이름을 몰라서요. 저보다 동생은 아닌 것 같고. 혹시 나이가?"

지지 않고 받아치는 것도 모자라 어느새 대화의 주도권을 가져가 버린 윤조의 행동에 하셴은 입을 다물었다.

'어라, 화를 내는 거면 몰라도 이런 건 예상 못 했는데.'

갑자기 아무 말도 하지 않고 무서운 얼굴로 자신을 응시하는 그녀의 행동에 윤조는 긴장으로 쿵쾅거리는 심장을 애써 진정해야만 했다. 그리고 잠시 뒤 픽, 하고 입매를 올린 하셴이 그녀를 향해 말했다.

"수르암이 어떤 곳인지는 아나?"

"어떤 곳인가요?"

"여인들이 머무는 궁전이다. 오직 황제의 여인들만이 머물 수 있는 곳이지."

"황제의 여인들이요?"

"그렇다."

"잠깐, 황제의 여인들이라면……."

뒤늦게 그 의미가 무엇을 뜻하는지 깨달은 윤조의 표정이 딱딱하게 굳어졌다. 설마.

"이것으로 대답이 되었으면 좋겠군."

그 뒤로 하셴은 수르암에 도착할 때까지 굳게 입을 다물었다. 긴 복도를 지나, 안쪽으로 이어지는 중문을 세 개 더 지나자 거대한 연회장이 나왔다. 그런 연회장의 가장 안쪽, 병사들이 지키고 있는 하얀색의 거대한 문 앞에서 하센이 멈춰 섰다.

하얀 문은 아름다운 조각이 되어 있었는데 문의 가장 높은 곳, 아름다운 문양과 더불어 어떤 문장이 크게 새겨져 있었다. 지금은 거의 사용하지 않는 서국의 문자였다. 학관에서 나투국과 서국의 역사를 배우며 대륙의 역사와 언어를 공부했던 윤조는 그 문장의 뜻을 알 수 있었다.

새는 죽어야 비로소 날개를 얻으리

즉, 죽기 전에 이곳을 벗어날 수 있는 여인은 없다는 뜻이었다.

'살벌해.'

윤조의 낯빛이 하얗게 질려 가는 사이, 황명을 받고 미리 대기하고 있던 수르암의 하인들이 하센을 향해 머리를 조아렸다. 하인들은 모두 여자였는데 서국인은 한 명도 없었으며, 그들의 생김새는 제각각 다른 이민족의 특징을 지니고 있었다. 하센은 고개 숙인 세 명의 하인을 바라보며 윤조를 가리켰다.

"오늘부터 너희가 모셔야 할 분이다."

하센이 맡은 일은 거기까지였다. 윤조는 멀어지는 하센의 뒷모습을 멍하니 바라보다 자신을 이끄는 하인들의 손길에 화들짝 정신을 차렸다.

"방을 안내해 드리겠습니다, 황제의 여인이시여."

"황제의 여인이라니 누가―!"

다급히 하인들의 손길을 뿌리치며 하센이 돌아간 방향으로 달아 나려던 윤조는 자신의 앞을 막아서는 병사들의 모습에 왈칵 인상을 구겼다.

"돌아가실 수 없습니다."

강경한 병사의 말에 윤조가 다급히 멀어지는 하센을 가리켰다.

"제가 저기! 방금 간 그 예쁜 언니한테 할 말이 있거든요? 아주 중요한 말이라서 그래요! 잠깐이면 되는데! 금방 다녀올게요! 네?"

"안 됩니다."

"아이참, 딱딱하게 왜 그러세요~ 멋진 병사님은 어깨도 넓고, 마음도 넓고, 인정도 많고? 네? 다 그런 거지이~ 언니! 예쁜 언니! 가지 말고 멈춰 봐요! 언니!!!"

"끌고 가라."

양쪽에서 자신을 잡아 거의 들다시피 옮기는 병사들의 행동에 윤조가 있는 힘을 다해 몸을 버둥거렸다.

"이거 놔! 놓으라고! 나는 이미 지아비가 있는 몸이야! 유부녀라고—! 누구 마음대로 황제의 여인이래!"

절로 튀어나오는 욕지기에 문득 입이 험한 누군가의 얼굴이 머릿속을 스쳤다. 오, 아니야. 윤조 너, 지금 누구 도움을 기대하는 거야? 정신 차려! 하여간 파이엔 그 인간은 내 인생에 하등 도움이 안 되는 악연이 분명하다. 필요 없을 때는 잘만 나타나서 결혼식이고 뭐고 다 훼방 놓더니, 정작 필요할 때는 보이지도 않아! 서국의 황제도 제정신이 아닌 게 틀림없다. 성질 좀 긁었기로서니, 그렇다고 치료를 안 해 주겠다고 거부한 것도 아닌데 적국 장수의 부인을, 그것도 멀쩡히 남편이 살아 있는 사람을 제 후궁으로 삼으려 들어?

"언니!!! 이름 모를 예쁜 언니! 언니−! 나 진짜 할 말 있다니까! 안 듣고 가면 후회한다! 그냥 가면 정말 후회해!!! 아악! 제기랄! 이 거 놔!!! 안 놔? 놔! 놓으라고−! 난 분명 후회한다고 말했어!!! 경고 했다!!!"

등 뒤로 점점 작아지는 윤조의 고함 소리를 빠짐없이 듣고 있던 하 센이 피식, 입매를 올렸다. 복도의 기둥 뒤에서 그녀를 기다리고 있 던 여희단의 대원 하나가 그런 그녀의 모습에 조금 놀란 눈을 했다.

"대장님? 무슨 재미있는 일이라도 있었어요?"

"조금."

"뭔데요? 나투국에서 무녀 하나가 왔다던데. 그 무녀 일이에요?"

그 물음에 하센이 고개를 끄덕였다.

"어디에서 파이엔 같은 여자애가 들어왔어."

"예?"

못 들을 것을 들었다는 것처럼 경악하는 대원의 반응에도 하센은 시끄러워지겠다며 어깨를 으쓱할 뿐이었다.

같은 시각 나투국 황궁, 금부의 지하.

어두운 옥사를 밝히는 건 드문드문 벽에 걸린 횃불이었다. 갑작 스러운 체포 명령에 끌려왔음에도 옥사 안에 있는 최 승상의 얼굴 에는 당황한 기색도, 억울한 기색도 찾아볼 수 없었다. 그는 평소 같이 태연하고 냉정한 표정으로 자리했다.

옥사의 입구에서부터 발소리가 들려왔다. 점점 가까워지는 발소리의 주인을 기다리고 있었다는 듯이 최 승상이 자리에서 일어나 그를 맞이했다.

"무사히 귀환한 걸 축하하네."

최 승상의 말에, 그가 갇힌 옥사 앞에 선 준영이 그를 향해 짧게 묵례했다.

"괜찮으십니까?"

"나를 이곳에 가두라 명한 이가 할 질문은 아닌 것 같은데."

"죄송합니다. 달리 방법이 없었습니다."

"함께 온 이는?"

"없습니다. 길림은 옥사의 입구를 지키고 있습니다. 편히 이야기하셔도 됩니다."

준영의 말에 안심한 최 승상이 팔짱을 끼며 그를 바라봤다.

"내 죄목이 역모라지?"

"다 설명드리겠습니다."

그 대답에 최 승상이 가벼운 웃음을 터뜨렸다.

"다른 목적이 있을 거라는 건 이미 알고 있네. 그래도 이 나를 역모로 체포해 감옥에 넣을 줄은 꿈에도 생각 못 한 일이라서 말이야."

"소식을 접한 다른 사람들도 마찬가지일 겁니다."

"어쩌면 우리가 찾고 있는 그자도 말이지."

'그자'는 바로 역모를 일으킨 사건의 진짜 배후를 이르는 말이었다. 사건을 수사하던 최 승상도 준영과 마찬가지로 누군가 계획한 것처럼 전개가 딱딱 맞아떨어지는 사건의 흐름에 의구심을 느끼고 있던 찰나였다.

"예. 그자를 밖으로 끌어내야 했기에 이런 무례를 저질렀습니다.

죄송합니다."

"나여야만 했던 이유는?"

"그자가 다음으로 노리는 인물이 대승상이라고 판단했습니다."

"나를 노리고 있다?"

지나칠 수 없는 준영의 말에 최 승상의 눈이 가늘어졌다.

"문 비서랑이 자결했다고 들었습니다. 그리고 그의 수행원으로 일하던 저작랑이 그의 죄를 자백했다는 것도."

"정확히는 비서고 천장에 목을 매어 죽은 그를 찾아낸 것뿐이지. 그가 스스로 목을 맸는지 본 사람은 없으니."

타살을 염두에 둔 말이었다.

"사망 시각은요?"

"검시관 말로는 추국이 벌어지던 시간과 그리 차이가 나지 않는다고 했네. 폐하께서 추국장을 열고 자리에 있는 사람을 확인했을 때 문 비서랑은 보이지 않았어. 자리에 있던 혜린도 제 아비가 보이지 않자 당황하는 눈치였고."

"추국장에 사람들이 모였을 시각에 변을 당했다는 말이 되는군요. 그 시각 비서고에서 보초를 섰던 병사들에게서 별다른 말은 없었습니까?"

"없었네. 그 시각 비서고에 출입한 이는 문 비서랑과 그의 수행원인 저작랑 두 명이 전부였어."

"문 비서랑의 죽음에 가장 가까이 있던 자는 그 저작랑뿐이겠군요."

"그렇지. 안 그래도 석연찮은 점이 있어서 그자를 더 심문하려던 참이었네. 옥사에 있을 텐데 만나 보았나?"

짧은 정적이 맴돌았다. 최 승상을 바라보던 준영이 천천히 고개를 저었다.

"옥사 안에서 죽어 있는 것을 간수들이 발견했습니다."

"뭐라?"

냉정했던 최 승상의 얼굴이 처음으로 크게 일그러졌다.

"죽었단 말인가?"

탄식하는 그를 보며 준영이 침음했다.

"사체에 외상은 없었으니 아마 음식에 독을 탄 것 같습니다. 옥사에 출입했던 사람들을 조사 중이지만 쉽게 꼬리가 잡히진 않을 겁니다."

"황궁을 제집처럼 헤집고 다니는구나."

"황궁뿐만이 아닙니다. 나람성도 당했습니다."

"나람성이 당하다니?"

"나람성에서 아군과 전투가 있었습니다. 수도에서 파견되었다는 절도사 박유라는 자가 나람성을 함락해 성주를 죽이고 서국과 내통하고 있었습니다."

최 승상이 미간을 좁혔다. 생각보다 일이 더욱 심각했다. 사실상 제국 안팎의 방어가 모두 뚫린 셈이었다. 어찌 이리도 쉽게 나람성이 뚫렸단 말인가! 서국군도 모자라 이제는 아군까지 의심해야 하는 판이라니.

"당장 국경의 수비를 강화해야 하네. 두 번 다시 이런 사태가 일어나서는 안 돼."

"예. 그렇지 않아도 병력을 보내 국경의 수비를 강화하고 나람성을 복원하라 지시했습니다. 나람성 외에 문제가 되는 국경 지역은 없는지도 확인을 마쳤습니다."

최 승상이 복잡한 머리를 짚으며 준영을 바라봤다.

"윤조는? 그 아이는 구했나?"

준영의 시선이 바닥을 향했다.

"나람성에서 파이옌을 놓쳤습니다."

"그런!"

최 승상의 얼굴에 낭패감이 번졌다. 아뿔싸. 무녀가 서국으로 넘어갔다면 서국의 황제가 몸을 회복하는 것도 시간문제였다. 더군다나 윤조의 신력은 심각했던 대장군의 부상을 정상 범주로 돌려놓을 정도로 강력하지 않은가! 서국의 황제가 치료를 강요하며 고문이라도 한다면 그 작고 연약한 아이는 당해 낼 재간이 없다. 설령 운이 좋아 시간을 번다 해도 서국이 다시 전쟁을 일으키는 건 자명한 사실이었다.

"대장군, 지금부터는 완벽히 전시 상황으로 움직여야 하네. 다른 이들은 몰라도 사건의 실체를 알고 있는 우리는 그렇게 해야만 해. 지금 당장 국경의 모든 봉화대에 경계 태세로 전환하라 파발을 보내게. 저들이 조금이라도 수상한 움직임이 보인다면 신호를 늦춰선 아니 될 것이야."

"알겠습니다."

"적들이 다음으로 노리는 게 나인 것 같다는 말은 무슨 뜻인가?"

"저들이 진짜 원하는 게 무엇일지 생각해 봤습니다."

"진짜 원하는 것?"

"대승상께서는 제국이 진정으로 무장 해제가 되어 취약해진다면 어떤 상황 때문일 거라고 생각하십니까?"

"그런 일이 생긴다면, 그건……."

준영이 이야기하려는 바가 무엇인지 깨달은 최 승상이 경악하며
답을 이야기했다.

"나투국 황실의 지지 기반이 무너지는 것."

나투국 황실의 지지 기반이 무너진다는 것은 곧 제국의 기둥인
문씨, 홍씨, 최씨, 세 개의 대귀족 가문이 무너진다는 것과 같은 의
미였다.

"제가 생각하는 바가 맞는다면, 저들이 문 비서랑의 죽음을 자살
로 꾸며 위장한 진짜 목적은 자신들의 정체를 숨기고 문씨 가문에
게 죄를 뒤집어씌우려는 게 다가 아닐 겁니다. 저들이 진정으로 노
리는 건 문 비서랑의 죽음으로 차례차례 파생될 내부의 갈등이겠
죠. 문 비서랑의 죽음으로 끝날 것 같던 이번 사건은 나람성을 문
제로 다시 화두에 오를 겁니다. 홍씨 가문 모르게 수도에서 파견된
절도사 박유가 누구의 사주를 받은 건지가 문제될 테고, 그 화살이
향하는 곳은−."

"황후전이 되겠지."

"예. 그리고 그곳을 지난 화살은 대승상을 노리고 날아들 겁니다."

문씨 가문과 최씨 가문은 오래전부터 서로를 견제해 왔다. 이번
추국장에서 온 황제가 역모자 색출에 관한 모든 권한을 대승상에
게 주었기에 최씨 가문의 입지는 더욱 높아진 상태다. 이번 나람성
의 일로 문 비서랑을 향했던 화살이 황후전까지 이어진다면, 최씨
가문이 문씨 가문을 견제하더니 기어이 황후를 끌어내리려 한다는
오해를 피할 수 없게 된다. 이것이 진짜 적이 노리는 상황인지도
모르는 채 황후를 비롯한 문씨 가문의 사람들은 최씨 가문을 닥치
는 대로 공격할 것이 뻔했다.

"두 가문은 대립할 거고, 황실은 무너질 겁니다. 그리고 어쩌면, 이 모든 사건을 일으킨 배후가 원하는 다음 전개는 대립하는 두 가문을 보며 홍씨 가문인 제가 역모의 배후로 대승상을 의심하게 하려는 것이 아닐까 합니다."

준영의 말에 최 승상이 고개를 끄덕였다.

"그럴듯해. 이미 저들은 서국의 병사들이 국경은 물론이고 황실의 내부까지도 침입할 수 있다는 것을 보여 줬고, 제국의 군권을 다스리는 홍씨 가문조차 모를 정도로 은밀하게 가짜 절도사를 만들어 나람성에 파견했지. 수도의 군대를 지방으로 파견하려면 황실의 인장이 있어야 하고 말이야. 그만한 권력으로 사람을 움직일 수 있고, 치밀한 계략을 세울 만한 인물로 나를 떠올리는 것도 무리는 아니겠지. 더군다나 맨 처음 서국의 세작들이 국경을 넘어 수도에 침입했을 거라는 사실을 홍씨 가문에 알렸던 사람도 나이고 말이야."

"그조차도 저들이 처음부터 계획했던 것일 수도 있습니다. 대승상께서 가장 먼저 정체 모를 세작에 대한 보고를 받았던 것부터."

"실로 치밀하고 무서운 자다. 제국에 이 정도의 계획을 그대로 실현할 수 있는 자가 있었다니."

최 승상은 진실로 감탄했다. 이건 끔찍하다 치부하며 경악할 수준의 사건이 아니었다. 준영의 말이 맞는다면 애초에 사건을 인지하지 못한 처음의 처음부터 모두가 그자의 손바닥 안에서 놀아나고 있었던 셈이다. 하루 이틀 정도의 짧은 시간으로 이뤄진 계획이 절대 아니다. 한 대상의 행동을 모두 예측하고 통제하는 것도 수많은 시간과 시행착오를 필요로 하는데, 지금 그자가 손바닥 위에 올려 두고 놀이를 벌이는 사람의 수는 이 제국 전체나 다름없었다.

"대장군."

최 승상이 창살 너머로 손을 뻗어 준영의 팔을 잡았다.

"지금부터 내가 역모의 수장이었다는 사실을 제국에 공표하고 나에 대한 수사권을 정식으로 밝히게."

"정말 괜찮으시겠습니까?"

"애초에 그걸 부탁하기 위해 나를 찾아온 거 아니었나?"

최 승상의 말대로였다. 준영은 그에게 공식적으로 역모의 누명을 써 달라 부탁할 작정으로 그를 만나러 온 것이었다. 하지만 쉽지만은 않은 일이다. 이로 인해 최 승상의 목숨이 위태로워질 것이기 때문이었다.

"위험한 일입니다. 그들이 이 사실을 알면 기회 삼아 승상을 죽이려 들 겁니다. 정말 괜찮으시겠습니까?"

"자네와 홍 장군이 내 뒤를 직접 지켜 주겠다고 약조한다면."

"꼭 그렇게 하겠습니다. 폐하께는 따로 알릴 테니 걱정하지 마십시오."

"아니, 알리지 말게."

최 승상이 고개를 저었다.

"상대는 제국을 갖고 노는 자야. 놈을 속이려면 제국 전체를 속여야 해. 자네는 이 시간 이후로 나를 철저히 '죄인'으로 대하게. 홍 장군이나 길림을 제외한 다른 누구에게도 이 사실이 알려져선 안 돼. 나래에게조차도 말이야. 알겠나?"

조금의 흔들림도 없는 단호한 눈빛이었다. 최 승상은 혹여 준영이 죄책감을 가지진 않을까 걱정하며 그의 어깨를 두드렸다. 그는 평소 같은 냉정한 얼굴로 말했다.

"대장군은 대장군이 할 수 있는 일을 하게. 나는 나를 놀이판에 끌어들인 놈의 낯짝이 패배감으로 일그러지는 꼴을 반드시 봐야겠으니."

"이거 놔! 나를 어디로 끌고 가는 거야? 내보내 달라고!"

윤조는 병사들에게 이끌려 강제로 수르암 안까지 끌려왔다. 한 병사가 그녀를 한 방 안에 던지듯이 밀어 넣으며 경고했다.

"소란 떨지 않는 게 좋을 거요. 폐하께서 부르실 때까지 얌전히 지내시오."

뒤돌아 방을 나서는 병사들을 바라보며 그녀는 바드득 이를 갈았다. 두고 보자. 사나운 기세로 문가를 노려보던 윤조가 방 안을 살폈다. 수르암에서 가장 천한 방이라더니 낡고 먼지가 앉긴 했으나 침대며, 화장대며 제법 지낼 만한 모양을 갖춘 방이었다.

"가장 천한 방에 침대랑 화장대까지 있네. 국경에 살던 우리 집은 단칸방에 온 식구가 붙어 잤는데."

작긴 하지만 창문도 달려 있다. 윤조는 급히 창문을 열고 밖을 확인했다. 뻑뻑한 미닫이창을 힘주어 열자 세찬 바람이 밀려들었다. 다행히 몸을 쉽게 내밀 수 있는 정도의 크기였으나 바라본 창 밖으로 깎아지른 절벽이 자리했다. 안개에 가려진 바닥이 보이지 않을 정도로 깊은 절벽이었다.

"떨어지면 뼈도 못 추리겠네……."

윤조는 혀를 차며 괜한 기대를 접었다. 잠시 뒤 그녀를 따라 함께 온 하녀들이 어디에선가 가져온 옷과 장신구, 먹을 것들을 그녀 앞으로 내밀었다.

"식사 먼저 하시겠어요?"

하녀들 중 검은색 머리카락에 가무잡잡한 피부를 한 소녀가 윤조에게 물었다. 그릇에 담긴 음식은 황궁에서 만든 것이라고 생각되지 않을 정도로 단출했으나 먹지 못할 정도는 아니었다. 배 속에서 꼬르륵 하는 소리가 울렸다. 3일 만에 처음 보는 제대로 된 음식이었다. 김이 모락모락 피어나는 따뜻한 국과 밥을 바라보던 윤조가 급히 수저를 들며 하녀를 향해 말했다.

"밥, 더 갖다 줘요. 국도."

"예?"

"고봉밥 알죠? 이왕이면 국그릇에 산처럼 쌓아서 가져다줄래요? 제가 엄청 굶어서요."

밥을 한 숟갈 크게 퍼 입 안에 넣은 그녀가 국을 떠먹으며 우물거렸다. 어디 두고 보라지. 겨우 이런 걸로 내가 눈 하나 깜빡하나 봐라. 배부르고 등 따시게 아주 잘 지내 주겠다 이거야!

"아, 목 아파. 아까 소리를 너무 질렀나? 여기 따뜻한 차도 좀 가져다줄래요?"

"아, 알겠습니다."

병사들에게 끌려와 식음도 전폐하고 울기만 할 거라는 하녀들의 예상과 달리 윤조는 너무도 씩씩하게 밥그릇을 비우며 외쳤다.

"한 공기 더!"

같은 시각, 내관으로부터 윤조가 수르암에 도착했다는 보고를 받은 키얀이 그녀의 상태를 물었다.

"그래, 어쩌고 있다더냐?"

"수르암 입구에서 들어가지 않겠다고 난동을 피웠다고 합니다."

"수르암이 어떤 곳인지 알았나 보군. 그래, 황제의 여인이 되어 가장 천한 방과 옷을 받은 소감은 어떻다던가? 시시하게 절망하며 울고 있는 건 아니겠지?"

"그것이……."

"뭔가?"

"밥을 세 그릇 비웠다고 합니다."

내관의 말에 파이옌에게서 나람성 전투에 관한 보고를 받고 있던 키얀이 무슨 소리냐는 얼굴로 그를 돌아봤다. 내관은 황제의 시선에 긴장한 낯으로 말을 이었다.

"밥맛이 꿀맛이라며 국 네 대접에 고봉밥으로 세 그릇을 비웠다고……."

"푸흡."

"……."

키얀이 고개를 돌려 웃음을 참고 있는 파이옌을 노려보다 다시 내관을 향했다.

"그 외에 다른 점은 없다더냐?"

"그것이……."

"속히 고하라."

"이렇게 넓은 개인 방을 가져 본 것이 처음이라며 폐하께 꼭 감사를 전해 달라고 했답니다. 개인 화장대를 가져 본 것도 처음이라고……."

"끅, 끅끅끅."

내관의 말이 이어질 때마다 파이옌의 신음 같은 웃음소리가 이어졌다. 점점 표정이 굳어지는 키얀의 모습에, 그의 앞에 선 내관이 몸 둘 바를 모르고 고개를 조아렸다.

"송구합니다, 폐하!"

"내관이 송구할 건 무언가? 그래, 어디 더 들어 보지. 감사 인사 외에 달리 전하라 한 건 없었나?"

"그, 그것이."

"속히 고하라 했다!"

"폐하께서 자신의 아름다움에 푹 빠져 후궁으로 삼고 싶어 하는 마음은 알겠으나 소녀의 취향은 대장군 한 분뿐이니 수청을 들라고 하시면 소박맞을 각오를 하라고 했사옵니다. 송구하옵니다, 폐하!"

"푸하하하하!"

말을 전한 내관이 바닥에 납작 엎드려 용서를 구하는 것을 마지막으로 파이옌이 폭소했다. 참지 못하고 웃음을 토하던 그는 짜게 식은 눈으로 자신을 바라보는 키얀을 발견하고 급히 입을 다물었다.

"미안, 웃겨서."

"그 절반만 한 것이 당돌하기가 하늘을 찌르는구나."

"다른 건 몰라도 개인 방 줘서 감사하다고 한 건 진심일걸?"

파이옌의 말에 키얀이 무슨 소리냐는 눈으로 그를 쳐다봤다.

"걔가 엄청 가난하게 자랐거든. 금화도 올해 처음 가져 봤대. 전 재산이 금화 네 냥이야."

"네놈은 그걸 어찌 아느냐?"

"나한테 돈 빌려주면서 자랑하더라고."

"뭐? 누가 누구한테 돈을 빌려?"

"어쩌다 보니. 그래서 말인데, 괜히 괴롭힌다고 힘 빼지 마라."

"지금 그 무녀를 걱정하는 거냐?"

"아니."

파이옌이 단호히 말을 덧붙였다.

"너 혈압 올라 죽을까 봐."

혜린이 개도 목덜미 잡고 쓰러질 뻔한 거 내가 옆에서 다 봤거든.

"흐아, 살겠다."

식사를 마친 윤조가 따끈한 목욕물에 몸을 푹 담갔다. 며칠간 제대로 씻지도 못하고 찝찝했는데 잘됐다. 그녀는 하녀들이 가져다 준 향초며 향유를 있는 대로 욕조 안에 쏟아부으며 몸에 발랐다. 아주 그냥 펑펑 써 줘야지. 낭비는 이런 때 해 줘야 제맛! 그녀가 사악한 웃음을 지으며 욕조 안에 몸을 기댔다.

"휴, 지금쯤 서국 황제가 나에 대한 보고를 받고 있으려나?"

보고받는 서국 황제의 낯이 붉게 변하는 꼴을 봐야 하는 건데! 크, 아쉽다, 아쉬워. 히죽거리며 웃던 그녀는 근육통으로 욱신거리는 팔다리를 통통 두드렸다. 상태를 보아 하니 자고 일어나면 극심한 근육통에 시달릴 것 같았다. 가볍게 신력을 사용해 근육통을 줄여 보려던 그녀는 자신이 생각했던 것보다 훨씬 더 많은 양의 신력이 방출되는 것에 놀라 손을 거뒀다.

"뭐지 방금?"

평소였다면 이런 몸 상태로는 미약한 정도의 신력도 사용하는 게 무리였을 터. 의아함에 다시금 손안으로 신력을 움직이던 그녀는 한정되어 있던 신력의 양이 이전보다 훨씬 더 많이 늘어났다는 것을 깨달았다.

"어떻게 된 거지? 분명 바닥이어야 정상인데?"

눈을 감고 집중하자 몸 안을 맴도는 신력이 느껴졌다. 컵에 담긴 물의 양으로 비교해 본다면 못해도 절반 정도가 차 있는 상태였다. 놀란 그녀가 눈을 뜨고 자신의 손을 바라봤다.

'신력이 이전보다 늘어났다?'

원래대로라면 나람성에서 박유를 상대로 신력을 다 써 버렸기 때문에 사용할 수 있는 신력이 남아 있지 않아야 정상이었다. 그 이후 제대로 된 휴식을 취한 것도 아니다. 그런데 이만한 신력이 남아 있다니? 나람성에서 박유를 향해 쏘아졌던 신력을 떠올리던 윤조가 의아하게 중얼거렸다.

"설마, 그 일 이후 무언가가······?"

그녀는 자신의 안에서 알 수 없는 신력의 변화가 일어났음을 직감했다.

"뭐가 변한 거지? 단순히 신력이 늘어난 건가? 아니면······."

나람성에서 박유를 죽였던 그 힘처럼 사용할 수 있게 된 걸까? 문득 떠오른 하나의 가설에 그녀의 등골이 오싹했다. 사람을 살리는 행위가 아닌 죽이는 행위로 자신이 갖고 있던 신력에 어떤 변화가 일어난 것이라면······.

그녀가 황급히 목욕을 마쳤다. 하녀가 준비해 주었던 옷을 대충 입고 방으로 돌아온 윤조는 졸린 척 하품을 하며 침대에 걸터앉았다.

"피곤해서 일찍 자야겠어요. 몸도 으슬으슬하고. 내일 아침에 다시 와 주겠어요?"

창밖으로 해가 중천에 떠 있었지만 여독을 풀겠다는 윤조를 말리는 사람은 아무도 없었다.

"알겠습니다. 그럼 내일 아침에 뵙겠습니다."

하녀들을 모두 내보낸 윤조가 조용히 방문을 걸어 잠갔다.

"뭐가 변한 건지 알아봐야 해."

침대에 자리를 잡은 윤조가 손안에 신력을 모았다. 혈관을 타고 흘러간 따스한 기운이 손바닥 위에 모여들며 하얀빛을 냈다.

'우선은 치유력이 여전한지 확인해야 한다.'

만약 신력의 기운이 완전히 바뀌어 더는 치료술이 불가능해진다면 큰 낭패였다. 그녀는 손안 가득 모인 신력을 확인하고 여기저기 멍이 든 자신의 다리에 손바닥을 가져다 대었다. 잠시 뒤 보라색으로 번져 있던 멍 자국이 서서히 옅어지며 사라지기 시작했다.

'다행히 치유력은 여전하다.'

상처에서 손은 뗀 그녀는 전신에 난 타박상을 치료한 뒤 몸 안에 남아 있는 신력을 확인했다.

"거의 줄어들지 않았어."

치료술 덕분에 몸을 짓누르던 피로감도 거의 날아갔다. 그럼에도 그녀 안에 넘실거리는 신력은 조금 전에 확인했을 때와 거의 달라지지 않았다. 가만히 주먹을 쥔 그녀가 방 안을 두리번거리며 무언가를 찾기 시작했다. 이번에는 목욕을 하며 떠올렸던 가설을 실험해 볼 차례였다.

"뭔가 실험을 할 만한 게……."

그녀는 박유를 죽인 힘이 치유력과는 반대 되는 힘이라고 생각했다. 그런 힘을 자신에게 사용할 수 없으니 무언가 실험을 할 만한 다른 대상이 필요했다. 방 안을 살피던 그녀는 화장대 옆에 있던 작은 화분을 발견하고 그것을 집어 들었다.

"후, 해 보자."

화분을 바라보며 양손을 화분 가까이로 한 그녀가 눈을 감고 정신을 집중했다. 박유에게 힘을 사용했을 때는 이성을 잃은 상태였다. 어떻게 하면 다시 그 힘을 사용할 수 있는지 딱히 방법이 떠오르는 건 아니었다.

그녀는 박유의 손에 소의가 죽던 순간을 떠올렸다. 괴로운 기억을 온몸이 거부하며 전신이 덜덜덜 떨려 왔지만, 이겨 내야 했다. 서국의 황제에게서 얻어 낸 3일의 시간을 허투루 보낼 수는 없었다.

'무엇이든 도움이 될 만한 것은 닥치는 대로 취하고, 강해질 수 있다면 강해져야 한다.'

그녀는 어금니를 깨물고 자신에게 살아남으라고 말하던 소의의 얼굴을 떠올렸다. 죽은 소의를 조롱하며 비웃던 박유의 모습을 떠올렸다. 벅찬 슬픔에 눈물이 차올랐다. 동시에 그녀는 손안에 모인 신력을 화분을 향해 방출했다.

"됐나?"

눈을 뜬 그녀가 화분을 확인했다. 하지만 화분에 피어 있던 꽃에선 나쁜 변화를 찾아볼 수 없었다. 오히려 이전보다 더 생기 있게 피어난 꽃을 바라보며 윤조가 턱을 매만졌다.

"뭔가 이번과는 달랐어. 박유 때는 좀 더……."

그때는 좀 더 증오로 가득 찬 기분이었다. 온몸의 피가 분노로 끓어오르고 폭발할 것 같은. 소의를 죽인 박유를 향해 그녀는 순수한 증오를 쏟아 냈다. 그 증오의 감정에 신력이 반응했다.

"나는 그때 박유가 죽었으면 좋겠다고 생각했어. 그가 죽어 버렸으면 좋겠다고⋯⋯."

떠올려 보면, 수학관에서 치료술을 익힐 때 처음 배우는 것은 '대상을 치료하고자 하는 선한 마음'이었다. 학관 무녀님은 신력을 운용하는 사람의 마음이 가장 중요하다고 했다. 대상을 아끼고 진정으로 사랑하는 마음만이 강한 치유력을 이끌어 낸다고 말이다.

'달랐던 건 내 마음이었다.'

사실을 깨달은 윤조가 다시금 눈을 감고 정신을 집중했다. 눈앞에 있는 꽃을 박유라고 생각하며 당시의 분노를, 증오를 다시금 떠올렸다.

순간 마치 박유의 앞에 섰던 그때처럼 몸 안의 신력이 반응하며 맹렬히 끓어오르기 시작했다. 하얀빛이 마치 불꽃처럼 손안에서 타올랐다. 느껴질 리 없는 뜨거움이 온몸을 집어삼키는 느낌이었다. 눈을 뜬 윤조가 그대로 손을 뻗어 화분을 향해 신력을 쏘아 보냈다.

파삭-.

피어 있던 꽃잎이 순식간에 바싹 메말라 갈라졌다. 그 광경을 두 눈으로 목격한 윤조의 얼굴이 성공의 기쁨과는 반대로 무섭게 굳어졌다.

"이게 무슨⋯⋯."

새로운 힘의 실체를 확인한 그녀의 손이 공포로 잘게 떨려 왔다. 분명 수학관의 무녀님들은 모두 '신력'을 가리켜 생명을 보호하고 사람을 치료하는 성스럽고 절대적인 힘이라 했다. 그 힘의 근원은 결코 변하지 않을 여신의 축복이며 사랑이라고 했다.

하지만 윤조가 목격한 힘은 축복도 사랑도 아닌 저주이자 죽음이었다. 그녀는 마치 순식간에 수분을 빼앗겨 말라 죽은 것 같은 화분의 상태에 넋을 놓았다. 절대적으로 생명을 보호한다는 힘이 생명을 빼앗기도 한다니? 앞뒤가 맞지 않았다. 수학관의 무녀들은 이 사실을 모르는 걸까?

"이건 뭔가, 뭔가 잘못됐어."

그녀는 알 수 있었다. 신력 자체가 다른 무언가의 힘으로 변해 버린 것이 아니다. 박유를 죽게 한 힘이 신력과는 반대되는 힘이라고 생각했지만, 아니었다. 치료를 할 때 사용하는 신력도, 조금 전 꽃을 죽게 했을 때 사용했던 힘도 그녀가 느끼기에는 '똑같은 신력'이었다. 마음가짐 외에 다른 점이 있다면 그건 강도의 세기였다.

그녀는 차분하게 앉아 곰곰이 기억을 떠올렸다. 한순간에 막대한 신력으로 심각한 상처를 단숨에 치료할 수 있는 그녀는 막대한 신력이 사람의 몸 안으로 흘러들었을 경우 상대가 기절할 수도 있다는 것을 이미 알고 있었다. 준영을 치료할 때도 그랬고, 독사를 잡아 기절시켰을 때도 그랬다. 그리고 박유에게 흘러들어 갔던 신력은 지금까지 그녀가 사용했던 그 어떤 신력보다 막대한 양이었다.

그것은 즉, 신력에도 '치사량'이 있다는 뜻이었다.

순간 머리카락이 쭈뼛 섰다. 모골이 송연하고 등골이 오싹했다. 이런 사실도 모른 채 지금껏 사람을 치료했다. 준영을 치료했을 때를 떠올린 그녀의 표정이 하얗게 질려 갔다.

"그때 내가 더 많은 양의 신력을 사용할 수 있었거나, 사용했다면……."

그랬다면 준영이 죽었을지도 모른다. 섬뜩한 깨달음에 그녀는 부리나케 화분을 구석으로 치워 버렸다.

"이런 힘이 여신의 축복이라고……?"

나투국은 대대로 여인들에게 내려오는 힘인 '신력'을 여신의 축복이라며 숭상했다. 나투국의 건국 신화에 등장하는 '여신'은 하얀 빛으로 세상을 밝히며 나타나, 죽어 가던 나투국의 초대 황제를 살리고 그 신비로운 힘을 땅 위에 뿌려 나투국을 축복했다고 한다. 그 힘은 그때부터 지금까지 이어졌고, 나투국에서는 지금까지도 그 힘을 이어받은 무녀들이 태어나고 있는 것이다.

학관에서 배웠던 나투국의 건국 신화를 떠올린 윤조는 서국에서 탈출해 돌아가는 대로 이 일에 대해 더 자세히 알아봐야겠다고 생각했다.

"대장군님은 지금쯤 수도로 돌아가셨을까?"

나람성에서 마지막으로 보았던 준영의 모습을 떠올린 윤조가 무릎을 모으고 팔로 감싸 안았다.

"언니는 대장군님께서 잘 수습해 주셨을 거야. 분명 그럴 거야……."

둔탁한 소리를 내며 소의의 몸을 꿰뚫던 커다란 검의 소리가 아직도 귓가에 생생했다. 어깨를 강하게 잡아 오던 소의의 손길이 여전히 느껴지는 것만 같았다. 죽은 소의를 마주하고 무너질 어머니와 어린 동생들의 모습이 눈앞에 아른거렸다.

"내가 조금만 강했어도."

윤조는 나약한 자신을 탓하며 입술을 깨물었다. 그리고 벼락같은 하얀빛에 맞아 절명한 박유의 모습을 떠올렸다. 소의의 복수를 했으나 마음은 여전히 괴로웠다. 사람을 해친다는 것은 이런 것이었다. 죄를 되갚아 주는 것임에도 마음은 조금도 가벼워지지 않았다. 오히려 낙인처럼 죽어간 자의 모습이 머리와 가슴에 새겨졌다. 사람을 죽인 너의 죄도 절대로 잊지 말라는 것처럼.

윤조가 끌어안은 자신의 무릎을 세게 당겨 안았다. 죽은 소의의 모습을 보며 분노가 솟구쳤다. 눈앞에서 죽어 가는 가족의 모습에, 그런 가족을 조롱하는 박유의 모습을 보며 그가 죽어 버렸으면 하고 바랐던 것도 사실이었다. 하지만 이미 누군가 죽고 난 뒤에 이루어지는 복수란 덧없는 것이었다. 박유가 죽었다고 해서 죽은 소의가 되살아나는 건 아니기에.

윤조는 강한 힘을 원했다. 그러나 그녀가 그 순간 진정으로 바랐던 힘은 누군가를 죽이는 힘이 아니라, 누군가를 지키는 힘이었다. 유모님의 말이 맞았다. 자신이 치러야 할 싸움은 이기는 것도, 상대를 무찔러 죽이는 것도 아니었다. '지키는 것'이었다. 그것이 바로 사랑이었다. 곁에 있는 소중한 존재를 지켜 내는 것만이 온전한 승리였다. 윤조는 그 말의 의미를 뼈저리게 깨달았다.

"지켜 낼 거야."

웅크렸던 그녀가 결심한 듯 고개를 들었다.

"이번에는 반드시 지켜 낼 거야."

이대로 3일의 시간이 흐르고, 자신이 서국의 황제를 치료하게 되면 다시 전쟁이 일어나게 된다. 내부의 적이 누구인지도 밝히지 못한 상황에서 전쟁이 터지게 되면 제국은 순식간에 점령당하고 말 것이다. 그러니 할 수 있다면 그전에 탈출해야 했다. 최소한 대장군님께 짐이 되는 일은 없어야 했다.

윤조는 지금부터 해야 할 일을 빠르게 정리했다. 첫째는 사건의 배후를 알아내는 것이었고, 둘째는 탈출할 기회를 만드는 것이었다. 그리고 할 수만 있다면 세 번째는 자신이 이곳에서 보고 듣고 알아낸 모든 것을 대장군님께 전달해야 했다.

"후, 셋 다 쉽지 않네."

배후를 캐는 건 파이옌을 통한 방법이 가장 빠르겠지만 절대 입을 열지 않을 거다. 다른 사람을 통해서 알아내기엔 시간이 부족하고 위험부담이 컸다. 서국 황제를 도발해 그의 입을 통해서 듣는 방법도 있겠지만 한 번 해 본 바, 다음에 또 성질을 긁었다간 가차 없이 목으로 칼이 날아올지도 몰랐다.

우선은 탈출을 위한 루트를 계획하는 게 빠를 터였다. 수르암의 구조를 익히고 병사들의 교대 시간을 알아내면 빠져나갈 구멍이 생길지도 모른다.

'문제는 수르암을 나가서도 황성 내부의 문을 여러 개 통과해야만 밖으로 나갈 수 있다는 거지.'

박유의 병사들과는 비교도 할 수 없이 많은 수의 병사들을 뚫고 혼자 황성 밖으로 나갈 수 있을까? 나간다고 해도 나투국으로 돌아가는 길은 너무도 멀었다. 무기도, 마차도 없이 수도까지 돌아가는 건 무리였다. 황성의 내부 구조를 잘 알고 자신을 도와줄 조력자가 있다면 또 모를까.

"끙, 우선은 수르암을 탈출할 계획부터 짜자. 이곳을 나가서는 그다음이야."

윤조는 애써 고개를 끄덕이며 손가락을 꼽았다.

"마지막으로 남은 건 대장군님께 연락을 하는 건데……."

그녀는 서국 황제의 하렘에 갇힌 자신의 처지와, 창밖으로 깎아지른 절벽만이 자리한 낡은 방을 돌아보며 한숨을 쉬었다.

"날아서 나갈 수 있다면 모를까. 세 번째는 포기해야 하나."

창문을 열고 밖을 바라보던 그녀가 암울한 표정으로 깊은 한숨을 쉬었다. 까마득하게 높은 경치에 소리라도 지르고 싶은 심정이었다.

"아오, 짜증 나!"

쾅! 주먹으로 창틀을 때려 봤지만 주먹만 아프다.

"이럴 때 전서구라도 있으면 좋을 텐데."

나래의 비둘기인 앵두를 떠올린 윤조가 툴툴거리며 볼을 부풀릴 때였다. 획, 하고 커다란 검은 그림자가 머리 위를 지나쳤다. 순식간에 드리웠다 사라지는 그림자에 놀란 그녀가 고개를 들었다.

"방금 뭔가……."

주변을 살피는데 다시금 머리 위쪽으로 그림자가 획, 지나쳤다. 퍼뜩 고개를 들어 확인한 윤조는 자신의 머리 위를 빠르게 날며 원을 그리는 한 마리의 매를 발견하고 눈을 크게 떴다.

"너는……!"

그녀가 날개를 치료해 주었던 매, 현령이었다. 그녀의 목소리에 공중을 날던 매가 천천히 속도를 줄이며 창가로 내려앉았다. 그제야 가까이에서 매를 살피게 된 윤조는 매의 다리에 자신이 혼례를 올리던 날에 장식했던 오색의 끈이 매달려 있다는 것을 깨달았다.

"너 설마 내가 납치됐던 그날부터 계속 나를 따라왔던 거야?"

삐이이-

믿을 수 없다는 듯 두 눈을 크게 뜬 그녀의 물음에 긍정하듯 매가 작게 울며 날개를 흔들었다. 감탄하며 매를 쓰다듬던 윤조가 급히 방문으로 가 방 밖의 동태를 살폈다. 아무도 없었다. 잔다고 했으니 직접 부르지 않는 한 내일 아침까지는 아무도 오지 않을 것이다.

"글을 쓸 게 필요한데. 어디 보자."

조심스럽게 방 안에 매를 들인 윤조가 침대 아래며 화장대를 뒤지기 시작했다. 황궁에서 훈련된 매이니 편지를 보내면 곧장 수도로 날아갈 것이다. 준영과 연락을 할 절호의 기회였다.

"있다!"

화장대에서 눈썹을 그릴 때 쓰는 붓과 먹물을 발견한 윤조가 쾌재를 불렀다. 그녀는 자신이 벗어 둔, 이제는 넝마가 된 옷의 안감을 찢어 준영에게 보내는 편지를 썼다. 서국의 황제를 만나 3일의 시간을 번 일, 그리고 자신이 수르암에 갇혀 있으며 탈출을 계획하고 있다는 내용이었다. 편지를 다 쓴 윤조가 천을 접어 현령의 다리에 묶었다.

"부탁이야. 이 편지를 대장군님께 전해 줘."

간절한 마음을 담아 그녀는 창밖으로 현령을 날려 보냈다. 오늘 밤이나 내일 아침에는 수도에 도착할 것이다. 높은 하늘로 사라지는 매를 바라보며 윤조는 안도의 한숨을 내쉬었다. 그러고는 주먹을 불끈 쥐었다.

"누가 그랬지, 시작이 반이라고."

세 가지 중에 하나는 해결했다. 남은 건 두 가지였다.

"이렇게 방에만 있을 게 아니지."

한차례 크게 호흡을 하며 마음을 진정한 그녀가 방문을 열었다.

"어디부터 돌아다녀 볼까나?"

하렘 탐험의 시작이었다.

"뭐가 이렇게 넓어?"

수르암에서 가장 구석진 끝 방이었던 윤조는 길게 이어진 복도를 지나 원형의 홀에 다다랐다. 바라본 홀은 각종 화려한 문양으로 짜인 양탄자가 깔려 있었으며, 지탱하는 기둥마다 하늘거리는 비단과 보석으로 장식되어 있었다.

화려하기 그지없는 홀 가운데는 많은 후궁들이 몰려 있었는데, 비단보를 씌운, 푹신해 보이는 커다란 방석에 저마다 앉거나 누워 하인들의 시중을 받거나 담소를 나누고 있었다. 여인들은 붉은 머리카락의 서국의 여인들과 다른 부족의 여인들로 나뉘었는데, 하나같이 미모가 뛰어나 세상의 미인이란 미인은 죄다 모아 놓은 것 같았다.

'세상에. 후궁이 대체 몇 명이야?'

생전 처음 보는 광경에 입을 벌린 윤조는 척 봐도 30여 명이 넘어 보이는 후궁들의 머릿수에 기함했다. 조심스럽게 홀로 다가가며 후궁들을 살피던 윤조는 서국 출신의 붉은 머리카락의 후궁들이 다른 부족의 여인들보다 지위가 높다는 사실을 알았다. 외적으로는 옷과 장신구의 화려함이 남달랐으며, 행동으로 볼 때도 서국 출신의 후궁들이 커다란 방석 위에 편히 누워 있거나 엎드려서 하인들의 시중을 받는 반면, 그들과 조금 떨어진 곳에 앉아 있는 다른 부족의 여인들은 정자세로 앉은 채 긴장한 기색이 역력했기 때문이다.

'이들 중 가장 지위가 높은 후궁은 누구일까?'

윤조가 서국의 후궁들을 살피던 때였다. 순간 눈이 마주친 한 후궁 하나가 엎드려 있던 몸을 일으키며 윤조를 가리켰다.

"너, 처음 보는 얼굴인데?"

늘씬한 몸매에 옅은 갈색 피부를 가진 그녀는 긴 머리카락을 하나로 높이 묶어 보석으로 장식한 여인이었다. 그녀의 지적에 홀에 모여 있던 후궁들의 시선이 모두 윤조에게 집중되었다. 윤조는 자신을 향하는 무수한 미녀들의 시선에 압도되어 절로 마른침을 삼켰다.

'쫄지 말자. 쫄지 말자.'

갑자기 몰린 시선에 잔뜩 굳어 버린 윤조의 모습에, 맨 처음 그녀를 지목했던 후궁이 고개를 갸웃거리며 손가락을 까딱였다.

"새로운 하녀인가? 얘, 가까이 와 봐."

그녀는 윤조가 새로 온 후궁이라고는 생각지도 못하는 눈치였다. 그도 그럴 것이 윤조가 입고 있는 옷차림은 후궁들의 것보다 하녀들의 옷과 비슷했기 때문이다. 윤조는 차라리 잘됐다고 생각하며 그 후궁에게로 다가갔다. 가까이에서 본 후궁은 윤조보다 머리 하나가 더 컸다.

'진짜 크다.'

종종걸음으로 다가가 고개를 들고 올려다보자, 가만히 윤조를 내려다보던 후궁의 눈동자가 호기심으로 반짝였다.

"어머머, 이 아이 머리색 좀 봐! 예쁜 황금색이잖아? 나 이런 머리색은 처음 봐!"

그녀의 감탄에 근처에 있던 다른 후궁들도 하나둘 다가와 윤조의 머리카락을 살피며 눈을 반짝였다.

"어디어디? 어머, 정말이네. 예쁜 금실 같아!"

"눈동자도 같은 색이네! 신기해라~ 너 누구 소속 하인이니?"

"처음 보는 얼굴인데? 새로 들어온 아이 같아."

"어머! 그럼 아직 소속이 없으려나? 내가 데려갈까?"

"어머나? 먼저 발견한 건 나라고?"

"너는 하인이 벌써 열 명이나 있으면서 뭘 더 욕심내?"

"그래도! 이 아이 머리카락도 예쁘지만 눈도 동글동글 귀엽잖아."

"어머, 애 볼 말랑한 것 좀 봐! 귀여워!"

"피부도 뽀얀 게 토끼 같아. 귀여워라~"

윤조는 자신을 둘러싼 채 엄청난 기세로 몰아붙이는 장신의 미녀들에 눈이 돌아갈 지경이었다. 그녀는 자신의 머리카락이며 얼굴을 조물거리는 후궁들의 손길에 긴장으로 동그랗게 떠진 눈을 이리저리 굴리며 진땀을 흘렸다. 후궁들은 그런 윤조를 계속 쓰다듬으며 저희들끼리 대화를 이었다.

"나이도 아직 어린 것 같은데 어쩌다 여기에 들어왔지?"

"그러게 말이야. 스안 황자님이랑 키도 비슷한데 또래인가?"

"그런가? 그럼 열두 살?"

그들의 대화에 윤조가 충격받은 표정으로 입을 벌렸다. 열여덟도, 열아홉도 아니고 열두 살이라니! 이렇게 큰! 이렇게 조숙한! 이렇게 어른미 넘치는 열두 살짜리가 세상에 어디에 있다고!!! 납치당해 끌려온 것도 서러운데 장신의 미녀들에게 둘러싸여 열두 살이냐는 소리를 듣고 있자니 절로 눈물이 핑 돌았다. 후궁들은 윤조의 눈이 울먹울먹한 것을 발견하고 깜짝 놀라 그녀를 달래기 시작했다.

"어머, 애. 너 울어?"

"어디 아픈 거 아니야?"

"네가 볼을 너무 꼬집어서 그래!"

"그러는 너도 그만 만져 대! 애가 놀랐잖아!"

"저도…….."

"응? 애, 뭐라고?"

"다 입 다물어 봐! 애기 목소리 안 들리잖아!"

후궁들이 입을 다물자 울먹울먹한 윤조의 목소리가 선명하게 들렸다.

"저, 저도, 흑. 삼시 세끼 다 먹고 컸으면, 쑥쑥 클 수, 큽, 있었거든요……!"

동그란 금빛 눈동자에 눈물이 그득했다. 윤조는 어떻게든 눈물을 참아 보겠다고 두 눈을 부릅뜨며 아랫입술을 꼭 깨물었다. 태어나서 이런 모욕은 처음이야! 한 명도 아니고, 집단 모욕이라니! 서러운 그녀의 외침에 후궁들이 윤조를 빤히 바라보다 서로 눈을 맞추며 소리쳤다.

"귀여워-!!!"

"히익!"

박력 넘치는 후궁들의 외침에, 여차하면 그들과 육탄전도 불사하려던 윤조가 작게 비명을 질렀다. 후궁들은 깜짝 놀라 뒷걸음질 치는 윤조를 향해 팔을 뻗었다.

"아유, 귀여워! 작다고 해서 삐졌구나?"

"어디서 이런 귀염둥이가 들어왔지? 폐하 취향이 바뀌셨나? 수르암 하인들도 폐하가 뽑는 거 아니었어?"

"바뀐 취향 오래도록 유지했으면 좋겠다. 이런 귀염둥이라면 언제든지 환영!"

"애, 언니가 맛있는 거 줄까?"

"왜 애를 먹을 거로 꼬시고 있어! 애, 그러지 말고 나랑 가자. 그래도 여기 모인 사람들 중에서 내가 가장 성품이 곱단다."

"미친? 누구 성품이 뭐가 어째?"

"야! 애 앞이야! 말조심해!"

"아, 실수. 그러게 말 같잖은 소릴 해야지."

"이게!"

순식간에 머리채를 잡고 싸우기 시작하는 두 명의 후궁을 바라보던 윤조의 손에 커다란 약과가 쥐어졌다.

"신경 쓰지 말고, 어여 먹어. 저런 험한 거 보고 배우면 안 된다?"

단내를 솔솔 풍기는, 자신의 주먹보다도 더 큰 약과의 등장에 윤조의 울음이 뚝 그쳤다. 뭔가 예상치 못한 전개로 흘러가고 있지만 일단 먹자. 그녀는 본능적으로 약과를 한입 베어 먹으며 고개를 꾸벅 숙였다.

"감사합니다. 맛있어요."

"그치? 내 하인이 직접 만든 건데 솜씨가 제법이야."

먹을 거 주는 사람은 언제나 옳다. 윤조는 고개를 끄덕이며 야무지게 약과를 우물거렸다. 한쪽에서는 여전히 육탄전이 벌어지고 있었으나 커다랗고 달콤한 약과가 손안에 있는데 신경 쓸 건 아니었다. 후궁들은 작은 동물에게 먹이를 주는 기분으로 윤조의 곁에 둘러앉았다.

"잘 먹네."

"볼 빵빵해졌다."

"귀여워……."

"황자님이랑 같이 있으면 더 귀여울 것 같은데."

"나도 그 생각 했어. 오시면 붙잡아야지."

"아서라, 요즘 사춘기시다. 괜히 불똥 튀지 말고."

"하지만 화내는 것도 귀여운걸?"

"그건 그렇지."

황자가 누구인지 몰라도 후궁들에게 꽤나 귀여움을 받고 있는 모양이었다. 보통은 후계자 자리 차지하려고 후궁들끼리 피 터지게 싸우던데, 이 언니들은 아닌가 보다. 윤조는 툭툭거리면서도 꽤 친해 보이는 후궁들의 모습에 조심스럽게 입을 열었다.

"다들 친하신가 봐요."

그녀의 말이 떨어지기 무섭게 정적이 맴돌았다. 머리채를 잡고 싸우던 후궁들도 어느새 담판을 지었는지 조용히 자리에 앉는 모습이었다. 갑작스러운 정적에 윤조가 다시 긴장한 낯으로 그들을 살폈다.

"뭐, 미우나 고우나 이곳에서 평생을 같이 살 건데 매일같이 싸울 수는 없지."

윤조에게 약과를 주었던 후궁이 그렇게 말하며 윤조의 머리카락을 쓰다듬었다. 윤조의 뒤에 자리 잡은 후궁 두 명은 조금 전부터 윤조의 머리카락을 열심히 땋는 중이었다. 그 모습을 바라보던 다른 후궁 하나가 어쩐지 우울한 표정으로 입을 열었다.

"잠깐의 평화지. 요즘은 좀 나아. 예전에는 어떻게든 황후 자리

꿰차겠다고 다들 난리였는데.”

“나빌! 입조심해. 잘못하면 이 애 목까지 달아나!”

“아, 미안. 실언했다.”

“하여간 너는 조심성이 부족해.”

“잘못했습니다, 피오렌 엄마.”

“엄마는 무슨.”

약과를 준 차분한 인상의 후궁 이름이 피오렌인가 보다. 방금 실
언을 했다는, 자신을 처음 지목했던 후궁은 나빌이라는 후궁이고.
윤조는 후궁들의 이름과 얼굴을 외우며 그들의 이야기를 곱씹었다.

'황후의 자리에 오르려고 난리였다? 황후의 자리가 비어 있던 건
가? 지금은 다른 후궁이 그 자리에 올랐나?'

후궁들의 말이 많아질수록 윤조에게는 정보가 늘어나는 셈이었
다. 그녀는 천진한 표정으로 피오렌을 바라봤다.

“지금은 황후마마가 계셔서 나아진 거예요?”

그녀의 물음에 나빌이 머뭇거리며 피오렌을 바라봤다. 동의를 구
하는 눈치였다. 다른 후궁들도 피오렌의 눈치를 보는 걸 보니 아무래
도 피오렌이라는 후궁이 이들 중 가장 지위가 높은 후궁인가 보다.

피오렌은 나빌을 바라보며 하는 수 없이 고개를 끄덕였다.

“이 애도 수르암에 들어온 이상 최소한은 알아야겠지.”

지금까지 들었던 말 중 가장 심각한 말투였다. 이러다 나중에 하
녀가 아니라 납치된 무녀이고, 후궁으로 만들려고 황제가 이곳에
보냈다는 사실을 알게 되면 다들 반응이 어떠려나……? 다가올 미
래가 조금 두려워진 윤조였지만 일단은 그들의 이야기에 귀를 기
울였다.

"서국의 황후는 예전부터 한 분이셨고, 앞으로도 변치 않을 거야. 최근에 후궁들의 다툼이 줄었다는 건 새롭게 황후의 자리가 차서가 아니라 황후의 자리를 넘봤자 오를 수 없는 곳인 걸 알아서 다들 자중하는 거고."

이상한 대답이었다. 윤조가 의아해하며 그녀를 바라봤다.

"황후님이 이미 계시는데 그 자리에 오르기 위해 다퉜다구요?"

이해가 안 된다는 그녀의 눈빛에 그녀와 마주한 나빌과 피오렌의 낯빛이 어두워졌다. 피오렌이 목소리를 낮추며 말했다.

"황후께서는……."

그녀는 쉽게 말을 잇지 못하고 망설였다. 자신이 내뱉을 대답의 무게를 가늠하는 것 같은 진중한 표정이었다.

키얀의 목소리가 들려온 것은 그때였다.

"후궁들이 보기에 황후는 죽은 거나 다름없기 때문이지."

노기 어린 황제의 음성에 윤조를 중심으로 모여 있던 후궁들이 재빨리 그 앞에 고개를 숙였다. 오롯이 그와 눈을 맞추며 고개 숙이지 않는 이는 윤조뿐이었다.

"그게 무슨 뜻이죠?"

윤조의 물음에 그녀의 곁에 있던 피오렌이 놀라 그녀의 팔을 잡았다.

"폐하, 송구합니다. 이 아이가 궁중의 예법을 잘 알지 못하여 실수를 하였나이다. 용서하여 주십시오!"

자신의 앞을 막아서며 황제의 시선을 가리는 피오렌의 행동에 윤조는 많이 놀랐다. 사실 그녀가 이렇게까지 자신을 감쌀 것이라고는 생각하지 못했기 때문이다. 그도 그럴 것이 피오렌에게 자신은 고작 몇 시간 전에 처음 본 하녀 아이였다. 그런데 이렇게까지 몸을 던져 황제의 앞을 막아서다니?

의아스러운 상황이었으나, 윤조는 자신 때문에 피오렌과 다른 후궁들에게 키얀의 분노가 떨어지는 것은 원치 않았다. 그녀는 자리에서 일어나 키얀의 앞으로 걸어갔다. 피오렌이 다급히 그녀를 붙잡았으나 윤조는 괜찮다며 그녀를 안심시켰다. 그러고는 불안하게 자신을 바라보는 피오렌을 지나쳐 키얀의 앞에 섰다.

"수청을 들라 오신 거라면 소박맞을 각오를 하라고 전해 드렸을 텐데요."

"절반만 한 것이 아주 방자한 말을 지껄였더구나."

첨예한 그의 시선에 윤조가 치맛단을 잡은 손을 꾹 말아 쥐었다. 무섭다. 하지만 이미 처음부터 도발을 시작했으니 끝까지 강하게 밀고 나가야 한다. 치료 전까지 황제의 이름으로 안전을 보장했으니 죽을 일은 없다. 그 말인 즉, 치료 전까지는 내일이 없는 사람처럼 까불어도 된다는 뜻이었다.

'무서운 건 그렇다 치고, 뭐? 절반? 절바안?'

그간의 고생으로 악밖에 남지 않는 윤조다. 그런 그녀에게, 키가 작다는 금기어를 '절반만 한 것'으로 강화해 버린 키얀의 조롱을 그저 웃음으로 넘겨 줄 이해심은 남아 있지 않았다. 적당히 수위 조절은 해야겠지만 당분간은 나도 지지 않고 까불어 주겠다, 이거야!

"어떤 말이 방자하던가요? 소박맞는다는 말? 아니면 폐하의 모든 것이 제 취향이 아니라는 말?"

어떤 식으로 반응해도 자신을 절대 죽이지 못할 것이라는 윤조의 자신감을 알아챈 키얀이 작게 웃음을 터뜨렸다.

"당돌하기는. 지금 내 이름을 등에 업고 그리 까부는 것이냐? 몸도 절반만 한 것이, 귀족의 기품이나 장수의 기개조차 찾아볼 수 없는데 참으로 뻔뻔해."

역으로 치고 들어오는 그의 조롱에 윤조가 불만스러운 눈으로 그를 노려봤다.

"자꾸 절반, 절반, 하는데 저도 삼시 세끼 다 먹고 컸으면 쑥쑥 클 수 있었거든요?"

"아아, 찢어지게 가난했다지."

키얀의 말에 윤조의 눈이 동그랗게 변했다. 그걸 어떻게 아냐는 표정이었다.

"표정이 참 요리조리 잘도 변하는구나? 속내가 다 드러나게 말이다."

"크흠. 제가 언제요? 파이엔이 그러던가요? 제가 가난했다고?"

"그래, 전 재산이 금화 네 냥이라고 하더군."

"그중의 하나를 그 사기꾼에게 빌려줬죠. 무려 전 재산의 4분의 1을 사기당했네요, 제가. 아주 기품 넘치시고 기개 넘치는 폐하의 장수님께요."

"인정하기 싫지만 나도 그놈이 가끔 부끄러울 때가 있긴 하지."

파이엔을 떠올리며 왈칵 인상을 찌푸리는 그의 모습에 윤조는 잠시 그가 자신을 적이라 표현한 서국의 악명 높은 황제라는 것도 잊고 동병상련했다.

"제가 그 부끄러운 분께 돌려받을 돈이 있어서 그러는데 어떻게 만날 수 있을까요?"

"나라면 돌려받지 않고 평생을 부릴 텐데?"

"아, 그런 방법이."

"말장난은 이쯤하지. 내 여인들이 두려워하고 있으니."

키얀이 윤조의 뒤에서 믿을 수 없다는 눈으로 상황을 주시하고 있던 후궁들을 향했다.

"모두 고개를 들도록."

"황공합니다, 폐하."

"저 무녀가 그대들에게 환영받을 줄은 미처 몰랐는데 말이야."

"무녀라니요? 무슨 말씀이십니까?"

나빌의 물음에 키얀이 정말 몰랐냐는 듯이 윤조를 가리켰다.

"저 절반만 한 나투국의 무녀 말이다."

아, 이렇게 나오시겠다? 다 까발려서 미움받게 만들겠다 이거지? 매서운 윤조의 시선에도 키얀은 여유롭게 미소 지었다.

"내 후궁들을 홀리다니. 여자를 홀리는 재주도 있었나? 무녀의 힘인가? 그대의 힘인가?"

"폐하께서는 힘을 쓰셔야만 여인을 홀리시나 봐요? 저는 가만히 있어도 예쁜 후궁 언니들이 귀여워해 주던데. 폐하는 무서워서 그런 적 없죠? 역시 귀여운 게 최고야."

너무도 당당한 윤조의 말에 나빌과 후궁들이 웃음을 참으며 가까스로 입을 틀어막았다. 피오렌이 눈치를 주자 나빌이 시선을 피하며 헛기침을 했다. 윤조의 도발에 키얀이 어처구니가 없어 어깨를 으쓱했다.

"겨우 그런 걸 자랑이라고."

"아이고, 키만 제 두 배면 뭘 합니까? 능력이 절반만 한데."

"……"

정적이 흘렀다. 윤조가 아차, 하며 혀를 빼 물었다. 너무 갔나?

너무 까불었나? 받은 대로 돌려준다는 게 그만 너무 긁었나 보다.
모른 척 고개를 돌리며 다른 곳을 쳐다보는 윤조의 모습에 그녀를
한참 동안 노려보고 있던 키얀이 손을 까딱였다.

"7일 동안 앓을 예정이라더니 살 만한 모양이구나? 당장 따르거라."

"앗, 갑자기 다리에 통증이……."

"들자 하니 나투국의 무녀는 두 손만 붙어 있으면 신력을 쓸 수
있다던데?"

"갑자기 괜찮아졌어요. 가시죠. 어디로 갈까요?"

"아까의 질문에 답을 하러."

아까의 질문이라면 황후를 말하는 건가? 그렇게 말하는 키얀의
시선이 윤조를 너머 그 뒤에 있던 피오렌에게 닿았다.

"그대는 오늘 밤 어전으로 들라."

그의 말에 피오렌이 차분히 고개를 숙였다.

"황은이 망극하옵니다, 폐하."

그 인사를 끝으로 키얀이 수르암의 홀을 빠져나갔다. 두 사람 사
이의 알 수 없는 무거운 기류에 의문하던 윤조는 곧 시선을 거두고
키얀의 뒤를 따랐다. 키얀과 윤조가 시야에서 사라지기 무섭게 후
궁들이 긴장을 풀고 자리에 주저앉았다.

"대체 쟤는 정체가 뭐야?"

"나투국의 무녀라잖아. 새로 온 하인이 아니었네."

"아니, 그런 거 말고."

나빌이 고개를 저으며 멍하니 중얼거렸다.

"황후마마 제외하고 폐하 앞에서 저렇게 까불고도 목이 붙어 있
는 사람이 있다는 게 놀라워서. 그렇지 않아, 피오렌?"

나빌의 말에도 대답 없이 황제와 윤조가 나간 수르암의 입구를 뚫어지게 바라보던 피오렌이 알 수 없는 표정으로 중얼거렸다.

"나투국의 무녀라면 황후를……."

"응? 뭐라고?"

"아니, 아무것도. 다들 경거망동하지 말고 입단속해. 폐하의 분노 앞에 서고 싶지 않다면 말이야."

피오렌의 주의에 후궁들이 긴장한 낯으로 고개를 끄덕였다.

키얀을 따라 수르암을 나선 윤조는 하센과 함께 지나왔던 길을 거슬러 가는 중이었다. 그녀는 키얀의 말에 대답하면서도 눈으로는 황궁의 구조와 수르암으로 통하는 세 개의 문을 지키고 있는 병사들의 수를 헤아렸다.

'밖으로 통하는 길은 이 길이 유일하다. 다른 길은 없어. 복도로 이어지는 세 개의 문을 지키고 있는 병사의 수는 각각 넷. 수르암의 입구를 지키고 있는 병사의 수는 여덟. 입구만 통과한다면 남은 세 개의 문을 통과하는 건 어떻게든 가능할지도 몰라. 문제는…….'

세 번째 문까지 나서서 수르암이 있는 궁을 완전히 벗어나게 된 윤조의 시선이 황제가 머무는 본궁과 아트완의 입구에 집중된 서국의 병력에 질린 눈을 했다.

'이래서는 수르암에서 탈출한다고 해도 밖으로 나가는 건 거의 불가능해. 무슨 수가 없을까?'

"괜한 짓 하지 말거라."

문득 바로 곁에서 들려오는 키얀의 음성에 놀란 윤조가 뒤로 물러났다. 그런 그녀를 재미있다는 듯이 내려다보던 그가 입매를 당겨 웃었다. 붉은 눈동자가 나른하게 휘었다.

"헛짓거리는 애초에 하지 않는 게 좋아."

마치 윤조의 머릿속을 이미 꿰뚫고 있다는 투였다.

"무슨 말씀이신지 전혀 모르겠습니다."

"파이옌보다도 거짓말에 소질이 없구나."

"윽, 비교할 대상이 그 인간뿐인가요?"

질색하는 윤조의 표정에 키얀이 가볍게 소리 내어 웃었다.

"그가 그렇게 싫은가?"

"제 인생의 오점이죠."

"그대를 보면 황자가 떠올라."

뜬금없는 감상이었다.

'황자라면 후궁들에게 귀여움받는 그 황자를 말하는 걸까?'

서국 황제에게 몇 명의 자식이 있는지 모르는 윤조이기에 그녀는 의문하며 키얀의 다음 말을 기다렸다.

"황자는 아직 만나 보지 못했겠군. 파이옌을 형제처럼 따르는 녀석이지."

"저랑은 완전히 반대인 것 같습니다만."

"미움과 애정은 종이 한 장 차이인 것을."

그는 그렇게 말하며 섬뜩한 눈길로 윤조를 응시했다.

"그간 파이옌과 그대 사이에 무슨 일이 있었는지 무척 궁금해져서 말이다."

"그게 무슨……."

"그대가 짐을 두려워하듯 보통은 그를 두려워해야 정상이지."

키얀의 미소가 더욱 짙어졌다.

"잔인한 검술, 자비 없는 손속, 피로 일군 끝없는 투기와 생존 본능. 나는 그를 잔혹한 짐승으로 키웠다. 모두가 두려워하는 짐승으로. 그런데 그대에게선 두려움이 느껴지지 않아. '미움'이라는 건 교감하지 못하는 짐승에게 느낄 수 있는 감정이 아니지. 그보다는 오히려 미묘한 상실감까지 느껴지니 내가 궁금하지 않겠나?"

순간 쿵, 하고 심장이 추락하는 기분이었다. 키얀의 말에 윤조는 어떤 대답도 할 수 없었다. 복잡한 심정에, 말로는 설명하지 못했던 파이옌에 대한 감정을 그가 꼬집어 이야기해 준 것 같았다.

윤조는 알 수 있었다. 키얀이 말하는 '상실감'이라는 것이 무엇을 말하는 것인지. 어째서 그가 이런 말을 하며 선연한 분노를 거리낌 없이 드러내는 것인지. 딱딱하게 굳어 가는 윤조의 표정에 키얀이 차갑게 읊조렸다.

"정말 표정이 요리조리 잘도 변한단 말이지."

뒷말은 듣지 않아도 알 수 있었다. 어쩐지 가장 들키지 말아야 할 것을 들킨 기분이었다.

"파이옌은 당분간 만날 수 없을 거다. 금화는 나중에 돌려받도록."

굳이 설명하지 않아도 윤조는 파이옌에게 어떤 끔찍한 일이 일어났다는 사실을 알 수 있었다. 그녀는 아무 일도 없었다는 듯이 퍽 다정하기까지 한 미소로 자신을 바라보는 키얀의 모습에 마른침을 삼켰다. 그리고 깨달았다. 그는 자신을 그저 '살려 두고' 있다는 것을. 언제든 죽일 수 있는 존재에게는 조바심이 나지 않는 법이니.

"파이옌, 그에게 무슨 일이 생긴 겁니까?"

대체 무슨 짓을 한 것이냐 따져 묻고 싶었지만, 그렇게 질문하는 순간 일부러 분노를 감추고 있는 서국의 황제를 향해 대놓고 적개심을 드러내는 꼴이었다. 침착하자. 말을 고른 윤조가 가까스로 묻자 키얀이 그녀를 칭찬하며 어깨를 으쓱했다.

"발톱을 감출 때를 알다니 현명하구나. 글쎄, 그저 피 냄새를 잊은 것 같아 일깨워 줬을 뿐이란다."

"피 냄새라니……."

"괘념치 말거라. 지금부터 네가 신경 써야 할 건 그쪽이 아니라 이쪽이니."

두 사람이 도착한 곳은 윤조의 예상대로 황후궁이었다. 그리고 도착한 황후의 침실, 윤조는 적막한 방 안에서 홀로 침대 위에 눈을 감고 누워 있는 검은 머리카락의 한 여인을 발견했다.

'검은색 머리카락?'

서국 사람들의 대표적인 특징인 붉은색 머리카락 대신 검은색 머리카락을 지닌 여인은 깊은 잠에 빠진 것처럼 보였다.

"나의 황후다."

키얀의 말에 윤조가 그를 돌아봤다.

"8년째 깊은 잠에 빠져 있지."

"8년이요?"

"그래, 8년."

황후의 곁에 앉은 키얀이 그녀의 손을 잡으며 말했다.

"죽은 것은 아니다. 심장도 맥박도 뛰고 있어. 단지 잠에서 깨어나지 못하고 있을 뿐이다."

서국의 황후가 8년째 혼수상태였다니.

"어쩌다 이렇게 된 건가요?"

"원인도 치료법도 알아내지 못했다."

뭔가 사고가 있었던 걸까? 보기에 특별한 외상은 없어 보이는데 어쩌다 한 나라의 황후가 혼수상태가 된 것일까. 그것도 8년이라는 긴 시간 동안 말이다. 윤조가 이런저런 가설을 떠올리던 때였다.

"황후는 나투국 사람이다."

순간 윤조는 자신의 귀를 의심했다.

"나투국이라니. 그럼 저와 같은?"

"그래, 황후의 머리카락이 검은 이유도 그 때문이지. 황후는 그대와 같은 나투국 사람이다."

"하지만 어떻게……."

"궁금한가? 나투국과는 적국인 서국의 황후가 나투국 사람이라는 사실이 믿기지 않는다는 표정이구나."

충격적인 사실에 윤조가 떨리는 눈으로 황후를 바라봤다. 자세히 살피니 키얀의 말처럼 머리색뿐만 아니라 피부나 얼굴의 생김새도 나투국인과 같은 특징을 갖고 있었다.

"황후를 처음 만난 건 14년 전, 사절단으로 방문했던 나투국의 황궁에서였다. 우리 둘 다 스무 살 성인식을 치를 때였지."

"설마 칠성제에서?"

"맞다. 칠성제, 무녀 시험이 치러지고 있을 때였지. 황후는 시험을 치르던 무녀 후보생 중 하나였다."

마치 준영과의 만남을 떠올리게 하는 이야기였다. 윤조는 그곳에서 키얀이 황후를 처음 만났으며, 시험장에서 그녀가 정식 무녀가되는 과정을 모두 지켜봤다고 했다. 그리고 사절단 자격으로 나투

국에 머문 20일 동안 황궁에서 일하게 된 그녀와 연인이 되었다고
했다.

"그녀를 두고 떠날 수가 없었다. 황후도 같은 마음이었지. 그녀
는 나투국을 떠나 나와 함께 서국으로 오는 것을 원했다. 하지만
그대도 잘 알듯, 나투국의 황실은 무녀를 나라 밖으로 내보내는 것
을 금지하고 있지. 방법을 찾던 우리는 정식으로 나투국 황실에 허
락을 요청했지만 돌아온 대답은 거절이었다. 그래서 다른 방법을
택할 수밖에 없었지."

나투국의 무녀는 정식 무녀가 되어 황실에 등록되는 순간 추적이
가능하다. 두 사람이 다른 사람들의 눈을 피해 몰래 도망쳤다고 해
도 나투국을 벗어나 국경을 넘기 전까지는 추적이 가능했다. 자세
히는 몰라도 무척 힘겨운 여정이었을 것이다.

"추적이 따라붙어 위기가 있었지만 다행히 우리를 도와준 사람
이 있었다. 그 덕분에 황후는 무사히 나투국의 국경을 넘어 서국으
로 올 수 있었지."

'조력자가 있었다고? 설마······!'

윤조는 당시 그들을 도왔던 조력자가 이번 사건을 일으킨 배후와
같은 인물일 것이라 직감했다.

'14년 전부터 서국 황제를 도왔던 조력자가 지금도 나투국 내부
에서 서국을 돕고 있다는 말인가!'

한두 해가 아니다. 무려 10년이 넘어가는 오랜 시간이었다. 사건
의 배후가 일을 계획하며 오랜 시간을 들였으리라는 짐작은 했지만
서국 황제와 이 정도로 오랜 인연일 줄은 꿈에도 상상하지 못했다.

키얀은 계속해서 말을 이었다.

"문제는 그다음이었다. 4년간은 아무런 문제가 없었다. 나투국과 외교적인 마찰이 생기긴 했지만 이미 서국의 황후 자리에 오른 여인을 어찌할 순 없었지. 그런데 5년째 되던 해부터 황후에게 문제가 생기기 시작했다."

당시를 떠올리는 키얀의 얼굴에 괴로움이 엿보였다.

"궁인들과 산책을 하다가도, 밥을 먹다가도 갑자기 혼절하는 일이 잦아졌지. 해가 지나고 상태는 더욱 심각해졌다. 한 달이 넘도록 깨어나지 못했을 때도 있었으니까."

"치료는 해 보신 건가요?"

"서국의 의원부터 사막에 있는 각 부족의 이름난 의원들은 다 불렀지만 소용없는 일이었다. 차도 없이 병은 깊어 갔지. 황후를 살려야 했다. 그래서 나투국에 도움을 요청했지. 무녀들이라면 황후를 살릴 수 있을 테니까."

"어떻게 됐죠? 신력을 사용했는데도 병세가 악화된 건가요?"

"거절당했다."

황후를 향하던 키얀의 다정한 눈빛이 돌변하며 증오로 타올랐다.

"황후를 살려 달라 빌었다. 지위와 명예 따윈 중요하지 않았다. 어떤 대가를 지불해도 좋으니 나투국의 무녀를 서국으로 보내 달라 간청했다. 하지만 돌아온 대답은 거절이었다."

"어째서……."

"나도 그 이유가 궁금했다. 어째서, 그토록 간곡히 부탁했는데도 어째서 무녀 한 사람을 보내 줄 수 없다고 하는지."

당시를 회상하는 그의 입가에 조소가 어렸다.

"치졸한 정치 놀음이었다. 당시 나투국은 점점 영토를 넓혀 가는 서국을 두려워하고 있었지. 그곳은 황후의 고향이다. 침범할 생각은 추호도 없었다. 하지만 그들의 생각은 달랐지. 그들은 황후가 병으로 쓰러졌다는 사실을 알고 기뻐했다. 서국 황실의 판도가 달라질 수도 있다고 여겼지. 그들은 황후가 영영 깨어나지 않기를 바랐다. 그래서 황후를 끔찍이도 아끼는 내가 자신들에게 매달려 애원하고 무너지는 꼴을 보기를 원했지. 그래서 그리했다. 바닥에 엎드리라면 엎드렸고, 공물을 바치라면 바쳤고, 나투국의 영토를 넓히는 전쟁에 군대를 내줬다. 그리하면 황후를 살려 주겠다고 했으니까. 하지만 그들은 약속을 지키지 않았지."

"무녀를 보내지 않은 건가요?"

"그들은 군대와 함께 무녀를 보내 황후의 상태를 살폈을 뿐 치료하지 않았다. 그러고는 기다리라는 말만 남기고 돌아갔지. 끝까지 나와 내 조국을 기만했다. 왜였을 것 같나?"

키얀의 물음에 윤조의 낯빛이 차갑게 굳어졌다. 답은 이미 그가 했던 이야기 속에 나와 있었다. 나투국에서 서국의 황후를 치료하지 않았던 이유는 정치적인 이유였을 것이다. 황후의 목숨을 빌미로 서국을 발아래 두고 휘두르는 것이 편했을 테니까. 윤조는 자신도 모르게 주먹 쥔 손을 바르르 떨었다. 그녀가 배운 무녀로서의 덕목은 사람의 목숨을 빌미 삼아 다른 이의 목숨을 쥐고 흔드는 게 아니었다.

'생명의 가치를 저울질하지 않는다.'

그것이 치료술을 행하는 무녀로서의 첫 번째 덕목이었다. 사람을 살리는 일에는 귀천이 없다. 목숨에는 귀한 것과 가난한 것이 따로 있지 않다. 그렇기에 윤조는 자신이 그런 무녀의 일원이라는 게 자랑스러웠다. 가난한 그녀의 배경도, 무엇도 상관없이 오롯이 사람을 구할 수 있는 무녀로서의 일이 자랑스러웠다.

그녀가 무녀가 되고자 했던 이유는 정식 무녀가 되어 나라의 지원을 받게 되면 집안에 보탬이 된다는 이유도 있었지만, 그보다 더 근본적인 이유는 '무녀'라는 존재 자체를 동경했기 때문이었다.

전생에서 아버지가 자살로 생을 마감했을 때, 자살한 아버지를 처음 발견했을 때, 어머니가 병들어 돌아가셨을 때, 그녀가 할 수 있는 것은 아무것도 없었다. 소중한 이들이 떠나고 죽어 가는 것을 지켜볼 수밖에 없었다.

그러다 다시 태어난 이 세계. '윤조'라는 이름으로 태어난 국경에서의 상황도 전생의 상황과 크게 다르지 않았다. 국경은 잦은 기근과 침략과 전투 한복판에 위태롭게 자리한 곳이었다. 하루에도 몇 명이나 되는 사람들이 죽어 땅속에 묻혔다. 그곳에서의 죽음은 하찮은 일이었다.

죽음이 하찮다는 말이 얼마나 웃기는 말인지, 얼마나 말도 안 되는 말인지, 윤조는 그곳에 태어나 살아가며 느꼈다. 기근에 굶어 죽는 사람은 비일비재했고, 갑작스러운 적습으로 전투가 벌어지면 피해를 입는 것은 힘없는 마을 사람들이었다. 무장하지 않은 사람들은 적이 휘두르는 칼에 반항 한번 제대로 하지 못하고 숨을 거뒀다.

소란이 잠잠해지면 국경 수비대에서 파견한 병사들이 마을을 돌며 시신을 확인했다. 그들은 시신을 수레에 실어 깊게 파 놓은 구덩이로 옮겼다. 병사들이 보기에 그것은 그저 저잣거리 복판에서 죽은 또 하나의 시신에 불과했다. '하나, 둘, 셋, 넷…… 오늘은 일곱이나 치우게 생겼네.' 그들은 수레 안에 짐짝처럼 던져 겹겹이 쌓인 시신의 수를 세며 그렇게 말했다.

그들에게 사람들의 죽음은 단지 그러했다. 매일같이 죽음의 공포에 시달리면서도 살아가기 위해 주린 배를 움켜쥐고 밭을 갈고, 산을 캐는 마을 사람들의 목숨이 그저 숫자에 불과했다. 그건 어린아이부터 나이 든 노인에 이르기까지 전혀 다르지 않았다. 윤조는 그곳이 지옥이라고 생각했다. 전생에 아무것도 지켜 내지 못했던 자신의 죄를 돌이켜 단죄하는 곳이라 여겼다.

그런 곳에서 윤조는 어느 날 처음으로 '희망'을 보았다. 수도에서 국경 수비대장의 치료를 위해 파견되었던 학관 소속 무녀를 만났던 것이다. 그곳에서 처음으로 사람이 죽는 광경이 아닌 사람을 살리는 광경을 보았다. 그건 그녀의 삶을 송두리째 뒤흔든 거대한 사건이었다.

충격에서 헤어나지 못하는 그녀를 바라보며 키얀이 덧붙였다.

"그게 7년 전쟁의 시작이었다."

역사는 승자의 편이다. 패자의 역사는 역사로 기록되지 않는다. 7년 전쟁의 시작은 나투국의 풍족한 영토를 노린 서국의 일방적인 침공이 아니었던 것이다. 뒤늦게 알게 된 치졸한 진실에 분노가 치밀었다.

"화가 나느냐? 정치란 게 그런 것이다. 어떤 방법으로든 우위를 점해야만 가치가 있는 것이지. 나는 그것을 뒤늦게 깨달았다."

"그래서 다시 전쟁을 일으키려는 겁니까? 복수를 하려고?"

"뒤늦게 깨달은 만큼 철저하게 무너뜨려 주려는 것뿐이다. 그들은 마땅히 대가를 치러야 해."

키얀의 분노는 정당했으나 그 분노는 죄 없는 사람들의 목숨까지도 노리고 있었다. 그를 동정하지만 그가 추구하는 정의는 비뚤어졌다.

"적어도 제게 가치란 건 사람의 목숨을 빌미 삼거나 사람의 목숨을 해치는 일에 쓰는 말이 아닙니다."

키얀을 향하는 윤조의 표정은 그 어느 때보다도 진지했다.

"스스로 조국을 비난하는 건가?"

"또한 폐하를 향한 것이기도 합니다."

"감히? 나투국의 무녀인 그대가 감히 나를 비난할 자격이 있다고 여기는 건가?"

"전쟁을 겪고, 전쟁에 고통받은 피해자로서 말씀드리는 겁니다. 폐하의 분노를 온전히 이해할 수 있는 사람은 세상에 없을 겁니다. 몰랐던 진실을 알고, 그 분노의 정체를 깨닫고, 그 슬픔을 동정할 수는 있겠지요. 하지만 그 분노를 응원할 수는 없습니다. 지금 폐하께서 하는 일이 7년 전 나투국에서 했던 일과 무엇이 다르단 말입니까?"

"똑같이 되갚아 주는 것뿐이다. 그들이 나와, 황후와, 내 조국을 모욕했던 것을 전부!"

"다 죽여 없애고 나면 무엇이 남습니까─!"

윤조가 비명처럼 소리쳤다.

"분노하고, 복수하고, 전쟁으로 그 화를 풀면 지난 8년의 시간을 보상받나요? 모두를 죽여 없애면 황후마마의 병이 낫게 되나요? 아무 일도 없던 과거로 돌아갈 수 있나요? 결국 아무것도 남지 않을 겁니다. 아무것도!"

박유에게 복수했지만 소의는 돌아오지 못했던 것처럼. 달아오른 윤조의 두 눈에 눈물이 차올랐다.

"제 조국이 치졸한 역사를 숨기고 있다는 것을 알아서 화가 납니다. 그런 일을 모른 채 무녀라는 일에 자긍심을 갖고 존경했던 제 자신이 부끄럽습니다. 하지만 폐하께서 행하고자 하는 정의를 결코 정당하다거나 옳다고 응원하지는 못할 것 같습니다. 제가 태어나 자란 국경은 지옥이었습니다. 하루에도 수십의 사람이 죽어 피를 쏟았습니다. 오전에는 함께했던 친구가 오후에는 싸늘한 시체가 되어 구덩이에 묻혔습니다. 누군가의 아들이, 딸이, 어머니와 아버지가 하루아침에 없는 사람이 되었습니다. 그런 매일매일이, 그저 사람들의 죽음이 시체의 숫자로만 여겨지는, 하찮게만 여겨지는 그런 곳이었습니다. 그런 일이 진정 가치 있는 것이라고 여기십니까? 그 분노의 끝에 이 땅과 이 나라가 멀쩡할 거라 보십니까?"

그녀의 볼을 타고 흘러내린 눈물이 바닥을 적셨다.

"나람성에서 저는 제 언니를 죽인 자에게 복수했습니다. 언니의 죽음에 분노해 그자를 죽였습니다. 하지만 그게 무슨 소용이죠? 그를 죽였다고 언니가 돌아오는 것도 아닌데. 언니는 이미 돌아오지 못하는데……."

그녀가 눈물을 훔치며 숨을 골랐다.

"폐하께서 저를 이곳으로 데려온 것이 황후마마를 살리고자 함이라면 그렇게 하겠습니다. 굳이 위협하지 않아도 저는 그리했을 겁니다. 제게 가치 있는 일은 생명을 구하는 일이니까요. 소중한 이들을 지켜 내는 것이니까요. 그러니 폐하, 감히 바라건대 부디 전쟁을 멈춰 주세요. 깨어나실 황후마마를 위해서라도 부디 분노를 거둬 주세요."

제대로 숨을 쉬지 못할 정도로 서럽게 우는 윤조의 모습에 키얀은 침묵했다. 그녀의 모습에서 8년 전 자신의 모습을 봤기 때문이었다. 사랑하는 이를 지키기 위해, 황후를 살리기 위해 나투국 황실을 찾아가 애원했던 그날의 자신이 겹쳐 보여서 그는 아무 말도 할 수 없었다.

잠시 뒤, 방 안을 채웠던 서러운 울음이 잦아들고, 윤조가 안정을 되찾을 무렵이 되어서야 키얀이 입을 열었다.

"황후를 치료할 수 있겠느냐?"

"제가 살펴보아도 되겠습니까?"

윤조의 물음에 키얀이 자리를 비켜섰다. 황후의 곁으로 다가간 그녀가 조심스럽게 황후의 상태를 살폈다. 호흡과 맥박은 정상이었다.

"혹시 황후마마께서 머리나 목, 척추를 다쳤던 적이 있나요?"

"없다."

특별히 뇌나 신경에 손상을 줄 만한 사건은 없었다는 말이었다.

'무엇이 문제일까?'

윤조가 의문하며 황후의 손을 잡았을 때였다. 순간 그녀의 몸 안에서 잠잠하게 흐르고 있던 신력이 술렁거렸다.

"방금 뭔가……."

깜짝 놀란 그녀가 손을 떼고 황후를 바라봤다. 이 느낌은 설마.

"왜 그러느냐?"

윤조는 걱정스러운 얼굴로 황후를 살피는 키얀을 향해 물었다.

"혹시 황후마마께서 서국에 오신 뒤로도 계속 신력을 사용하셨습니까?"

"그랬지. 황후는 서국에서 유일하게 치료술로 사람을 치료할 수 있는 여인이었다. 황궁 안의 사람들은 물론이고 병든 백성들도 지나치지 않았지."

"황후마마께서 왜 깨어나지 못하시는 건지 알 것 같습니다."

"원인을 알 것 같다는 말이냐? 8년 전 황후를 살폈던 무녀들은 원인을 모른다고 했다."

아니, 그들은 황후를 살핀 순간 그 이유를 알았을 것이다. 윤조가 살핀 황후의 몸은 텅 비어 있었다. 무녀라면 마땅히 흐르고 있어야 할 신력이 그녀의 몸 안에서는 조금도 느껴지지 않았다.

"잠시만 물러나 주세요."

키얀이 침대에서 물러나는 것을 확인한 윤조가 다시 황후의 손을 잡았다. 정말 신력의 고갈로 이런 상태가 된 것이라면, 다시 몸 안에 신력을 채워 넣으면 깨어날지도 모른다. 그녀는 무녀 시험을 치르던 날, 준영의 치료 직후 신력이 부족했던 자신에게 신력을 나눠 주었던 나래를 떠올렸다.

'다른 무녀에게 신력을 나눠 주는 일은 한 번도 해 본 적 없지만……'

윤조는 기억을 되살려 나래의 손에서 흘러들어 왔던 신력의 흐름을 떠올리며 천천히 황후의 몸 안으로 자신의 신력을 채워 넣었다. 그건 단순히 신력을 흘려보내 상처를 치료하는 것과는 조금 다른 방식이었다. 그렇게 조금씩 황후에게 신력을 옮기던 그녀는 곧 문제가 있음을 깨달았다.

"윽."

갑자기 그녀의 몸 안에서 조절이 안 될 정도의 많은 신력이 한꺼번에 빠져나갔다. 그녀가 제어하지 못한 게 아니었다. 황후의 몸이 그녀의 신력을 빨아들인 탓이었다.

윤조는 황급히 황후의 손을 놓았다. 순간 머리가 아찔했다. 비틀거리며 뒤로 넘어가려는 그녀를 잡은 건 키얀이었다. 윤조가 키얀의 부축을 받으며 벽을 짚고 섰다. 그녀는 흔들리는 눈으로 황후를 바라봤다. 이런 일은 처음이었다. 누군가에게 강제로 신력을 추출당하는 것 같은 불쾌한 감각은. 정신을 차린 윤조가 숨을 고르며 자세를 바로 했다. 키얀이 그런 그녀를 추궁했다.

"갑자기 왜 그런 거냐? 황후는? 그녀의 상태는?"

"황후마마의 몸 안에 남아 있는 신력이 조금도 없습니다. 완전히 텅 빈 상태예요. 이런 경우는 처음 봅니다. 깨어나지 못하는 이유가 그 때문이라면 신력을 조금 채워 보면 어떨까 시도했는데……."

"문제가 있는 건가?"

"마마께서 제 안에 남아 있던 신력을 거의 다 흡수하셨습니다."

"황후가?"

"의식적으로 하신 행동은 아닌 것 같습니다. 저도 이런 경우는 처음이에요."

윤조가 다시 황후의 맥박과 호흡을 확인했다. 본래 그녀가 갖고 있는 완전한 신력의 양에 비하면 적은 양이나 다른 무녀의 신력과 비교하면 꽤 많은 양을 흡수한 셈이다. 뭔가 변화가 있진 않을까, 초조한 눈으로 황후를 살피던 때였다. 순간 황후의 손가락이 작게 움직임을 보였다. 그것을 목격한 건 키얀도 함께였다. 미약하지만 반응을 보이는 황후의 모습에 키얀이 다급한 몸짓으로 그녀의 손을 잡았다.

"황후! 정신이 드는가? 내 목소리가 들리는가?"

애절한 그의 음성에 반응이라도 하듯 굳게 감겨 있던 황후의 눈꺼풀이 위를 향했다.

"키얀?"

닫혀 있던 그녀의 입술이 작게 움직이며 미약한 음성을 냈다. 떨리는 키얀의 손이 황후의 얼굴을 쓰다듬었다.

"그래, 나다. 드디어 내 이름을 불러 주는구나."

"당신 울어요?"

눈시울이 붉어진 키얀의 모습을 얼떨떨하게 바라보던 황후가 손을 뻗어 그의 눈가를 쓸었다.

"당신, 얼굴이 창백해요. 전보다 몸도 마른 것 같고."

"그대가 잠든 동안 많은 일이 있었다."

"내가 또 잠들었어요? 얼마나요?"

"내 인내심이 바닥을 보일 만큼."

키얀이 황후의 어깨를 끌어안았다. 그러곤 가만히 자신의 등을 토닥이는 황후의 손길을 느끼며 안도의 한숨을 내쉬었다.

"일어날 수 있겠나?"

"네, 괜찮아요."

키얀의 부축을 받아 침대에 앉은 황후가 곁에 있던 윤조를 발견했다. 그녀가 누구인지 궁금해하는 황후에게 키얀은 윤조가 황후와 같은 나투국의 무녀이며 황후를 치료했다고 이야기했다.

"정말 고마워요, 윤조 무녀."

"깨어나셔서 다행입니다."

"그대를 보니 고향 생각이 나네요. 나투국에서 사절단이 왔나요?"

황후는 자신이 잠들어 있는 동안 서국과 나투국이 7년간 치열한 전쟁을 벌였다는 것도, 윤조가 납치되어 서국에 왔다는 것도 알지 못했다. 그녀의 기억 속에는 전쟁도 기근도 없는 평화로운 세계가 남아 있으리라. 윤조는 자신을 향해 순수한 호의를 내비치는 황후에게 어떤 말을 해야 할지 고민했다.

그 순간이었다. 갑자기 시야가 일그러지며 눈앞의 세상이 까맣게 변해 버린 것은. 턱 막혀 오는 숨에 윤조의 몸이 그대로 바닥에 쓰러졌다.

"윤조 무녀!!!"

놀란 황후가 다급히 그녀를 불렀다. 키얀이 쓰러진 윤조를 안아 들고 밖을 향해 소리쳤다.

"밖에 누구 없느냐! 의원을 불러라! 어서-!"

복도를 지키던 궁인들이 요란하게 어딘가로 달려가는 소리가 들렸다. 간신히 침대에서 몸을 일으킨 황후가 윤조에게 다가와 그녀의 상태를 살폈다.

"몸에 기운이 거의 없어요. 신력도 약하고. 피로가 많이 쌓인 모양인데 저를 치료하면서 신력을 거의 다 사용한 것 같아요. 안정을 취해야 해요."

황후의 말에 키얀이 축 늘어진 윤조의 얼굴을 말없이 들여다볼 뿐이었다.

"이 모든 것이 진짜 배후를 잡기 위한 눈속임이란 거냐?"

"예."

홍씨 가문의 저택. 금부의 지하 감옥에서 최 승상을 만나고 돌아온 준영은 최 승상과 나눈 이야기를 아버지인 홍 장군에게 보고했다. 최 승상의 결정으로 이미 수도에는 역적으로 수감된 그에 대한 사건이 공식적으로 화두에 오른 상태였다. 뒤늦게 준영과 최 승상 사이에서 말이 오간 사실을 알게 된 홍 장군은 상황을 파악하고 내심 안도했다.

"감옥은 길림과 병사들이 지키고 있습니다. 혹시 몰라 근처에 다른 병사들도 매복시켜 놓았습니다. 대승상의 신변에 위해가 가는 일은 없을 것입니다."

"폐하께도 사실을 알리지 말라니……."

홍 장군이 착잡한 얼굴로 준영을 바라봤다.

"사실을 아는 사람은 너와 나, 길림이 전부인 거냐?"

"그렇습니다."

"그래도 제 딸에게는 알려야 할 것을. 그 사람 참……."

윤조의 일과 더불어 아버지의 일로 충격에 몸져누웠다는 나래의 소식은 도성 안에 모르는 자가 없을 정도였다. 더불어 나람성의 안주인이자 윤조의 언니였던 소의의 장례식으로 나람성에서 일어났던 아군과의 전투가 알려지자, 황실은 물론이고 백성들마저도 불안과 공포에 휩싸였다. 황실은 언제 일어날지 모를 전투에 대비해 전국에 징집령을 내렸다. 전쟁을 위한 군대가 모이고 있었다.

"문씨 가문과 황후전의 움직임은 어떻습니까?"

"대승상의 일로 황후가 파면되는 최악의 사태는 면했지. 이번 기회에 대승상과 최씨 가문을 수도에서 완전히 몰아내려는 움직임도 커지고 있다."

"문씨 가문에서 그렇게 나오리란 건 예상한 일입니다. 오히려 움직임 없이 조용했다면 그게 더 수상하죠."

"이제 어떻게 할 셈이냐?"

"상황을 지켜봐야죠. 수상한 움직임을 보이는 세력이 있는지. 그들에게 대승상은 큰 걸림돌이었을 테니 이번 기회에 대승상을 처리하려고 들 겁니다."

"만약 그들이 생각처럼 움직이지 않는다면? 그렇다면 어쩔 거냐?"

"그들은 반드시 움직일 겁니다."

준영은 확신할 수 있었다. 수도를 장악하는 데 가장 큰 걸림돌이 되는 자는 대승상이다. 그런 자가 움직일 수 없는 상태가 되었는데 적들이 이를 모른 척 넘어갈 리가 없었다. 애초에 그들의 계획이 자신으로 하여금 대승상을 의심받게 만드는 것이었다면, 계획대로 되어 가고 있다는 생각에라도 반드시 움직임을 보일 것이다.

"폐하께서 상심이 크시다."

홍 장군이 한숨을 쉬며 말을 이었다.

"지금이라도 서국을 먼저 쳐야 한다는 신료들의 목소리도 높아지고 있어."

"당장 수도에서 군대가 빠져나가는 건 위험합니다. 대체할 병력도 모이지 않았고요."

징집령이 내려진 건 오늘 오후이니, 각 지방에 전달되려면 하루에서 이틀의 시간이 더 걸릴 터였다.

"알고 있다. 폐하께서도 그것을 염려하시기 때문에 지금까지 결정을 내리지 못하신 거다. 자칫 수도에서 병력이 빠져나간 다음 역도의 무리가 내전을 일으키기라도 한다면 승리를 장담하지 못할 테니까. 하지만 이대로 대승상이 역적으로 몰린다면……."

"그건 걱정하지 마십시오."

준영의 입가에 옅은 미소가 드리웠다.

"잊으셨습니까? 대승상께서는 그리 호락호락한 분이 아니라는 걸."

"대승상, 지금이라도 모조리 털어놓고 자백하는 게 편하지 않겠
소? 고상하신 분이 이런 춥고 딱딱한 감옥에서 언제까지 버틸 수
있을 것 같소? 고문이 시작되면 비명횡사할지도 모르는데 말이오.
하하하!"

길림의 감시 속에 옥사로 최 승상을 만나러 온 이는 금부의 수비
대장이었다. 황후의 사람이자 문씨 가문에 속한 그는 옥에 갇힌 최
승상을 조롱할 목적으로 그를 찾았다.

"이때다 싶어 비웃기라도 하러 왔는가?"

"당연한 소릴. 이런 좋은 구경거리를 놓칠 수는 없지 않나? 천하
의 대승상께서 초라한 감옥에 갇혀 있는 꼴이라니."

"지금 이 순간, 후회하지 않을 자신 있나?"

최 승상이 의미심장한 미소를 머금었다.

"내 세력이 얼마나, 어디까지 뻗어 있을 줄 알고 이리 경거망동
하는 겐가?"

"그게 무슨, 세력이라니?"

"자네는 정말로 내가 옥에 갇혀 가진 패가 없다고 여기는 건가?
혹시 이 금부 안의 누군가가 나의 사람이고, 내가 그들을 시켜 자

너를 쥐도 새도 모르게 죽여 버릴 수 있다는, 그런 의심은 조금도 없느냔 말이지."

날카로운 최 승상의 시선에 비웃음을 머금고 있던 수비대장의 입매가 딱딱하게 굳어졌다.

'본디 생각이 짧고 입이 가벼운 자다. 이곳에서 보고 들은 모든 것은 곧장 황후전으로 들어갈 터. 네놈이 내 소문의 시작이 되어 줘야겠다.'

최 승상은 혼란과 두려움이 섞인 눈빛으로 자신을 바라보는 그를 향해 사악한 미소를 머금었다.

"지금 이 수도 안에 나를 따르는 세력의 수가 과연 몇이나 될 것 같나?"

이것으로 수도의 군대가 쉬이 밖으로 빠져나가는 일은 없을 거다. 서국의 군대가 공격해 오지 않는 한. 최 승상은 냉철한 눈빛으로 옥사를 나서는 수비대장을 바라보다 등을 돌렸다.

"길림 부관."

"예, 대승상."

"대장군에게 전해 주게. 군대가 수도를 빠져나가는 일은 없을 거라고 말일세."

"알겠습니다."

"그리고."

"예, 말씀하십시오."

"딸애가 아프다고 들었네. 가능하다면 나래를 살펴 줄 수 있겠나? 이곳에 부탁할 사람이 자네뿐이라서 말이야."

"염려하시는 일 없도록 따님도, 가족분들도 잘 살피겠습니다."

"고맙네."

그날 밤, 나투국의 하늘 위로 매가 날았다. 성벽을 지키던 병사들이 날린 매가 아니었다. 성 밖에서 날아든 매의 다리에는 오색의 끈과 함께 편지가 적힌 천이 묶여 있었다. 준영은 성벽을 지키던 병사들의 보고에 급히 현장으로 향했다.

"매는? 편지는 어디에 있느냐?"

"여기 있습니다. 무녀님이 쓰신 편지 같습니다."

매를 회수했던 조련병6)이 매의 다리에 묶여 있던 편지를 준영에게 건넸다. 윤조의 글씨다. 편지를 읽는 준영의 두 눈이 잘게 떨려왔다. 편지에는 그녀가 지금 서국 황궁의 수르암에 감금되어 있으며 서국 황제를 만나 그의 치료까지 3일의 시간을 벌었다는 이야기가 적혀 있었다. 그리고 탈출을 계획하고 있으며 도움이 필요하다는 내용 또한 적혀 있었다.

"수르암이라니."

서국 황제의 후궁전을 뜻하는 단어에 준영의 눈에서 불꽃이 튀었다. 편지의 마지막 줄에 자신은 무사하니 걱정하지 말라는 그녀의 말에 준영이 서글픈 표정으로 편지를 품에 끌어안았다.

"어찌 걱정하지 않을 수 있겠느냐……."

그녀의 편지를 품 안에 갈무리한 그가 조련병에게 지필묵을 준비하라 일렀다. 그러고는 두 장의 종이에 각각 다른 내용의 편지를 적어 내려갔다.

"조련병은 속히 이 편지를 전하라."

---

6) 조련병: 나투국의 병사로 훈련받은 매를 조련하는 병사이다. 매를 이용해 숨어 있는 적군을 수색하거나, 아군에게 연락을 취하는 일 등을 한다.

곧 성벽 위로 다시 매가 날았다. 준영은 멀어져 가는 매를 바라보며 윤조가 보낸 편지에 입을 맞췄다.

"보고 싶구나."

그리움이란 게 이토록 끝없이 자라날 수 있다는 것을 예전에는 미처 알지 못했다.

"반드시 너를 구하러 가마. 부디 그때까지 무사히 버텨 다오."

턱턱 막혀 오던 숨통이 아주 조금 트이는 기분이었다. 윤조가, 그 아이가, 버텨 주었다. 지금 이 순간에도 최선을 다해 버티고 있을 것이다. 준영은 윤조의 모습을 떠올리며 부디 모든 상황이 자신이 생각한 대로 순조롭게 흘러가길 간절히 기도했다.

정신을 잃었던 윤조가 깨어난 건 다음 날 아침이었다. 눈을 뜨니 수르암의 하녀들이 그녀를 간호하고 있었다. 물수건으로 윤조의 이마를 닦아 주던 하녀가 그녀가 깨어난 것을 알고 마실 물을 건네주었다.

"정신을 잃으셨어요. 괜찮으신가요?"

"제가 얼마나 이렇게 있었죠?"

"어제 오후부터였으니 한나절 정도 되었어요. 지금은 아침이에요."

다행이다. 하루나 이틀이 지나 버렸을까 봐 걱정하던 윤조가 안도하며 주위를 살폈다. 그런데 이곳은 어디일까. 그녀는 엄청나게 화려한 방 안을 살피며 눈을 휘둥그레 떴다.

"여긴 어디죠?"

"수르암의 처소입니다."

"수르암이요? 누구의 방이죠?"

다급한 그녀의 물음에 마주 보던 하녀가 작게 미소 지었다.

"무녀님께 배정되었던 방이지요. 모르시겠어요?"

"여기가 그 방이라구요?"

도무지 믿기지 않는 사실이었다. 그도 그럴 것이 침대에서 일어나 윤조가 본 방 안은 어디에서 가져왔는지 모를 화려한 도자기와 장식품이 즐비했으며, 낡았던 화장대는 새것같이 바뀌었고, 바닥에는 색색의 문양을 수놓은 귀한 양탄자가 깔려 있었다. 천장은 하늘거리는 색색의 비단으로 장식되어 있으며 그녀가 누워 있던 침대도 새것으로 바뀌어 있었다.

푹신한 비단 이불에 황금빛 금실로 자수가 놓인 것을 멍하니 바라보던 그녀는 방 안에서 유일하게 낡은 창문을 발견하고 자신이 있는 곳이 이전의 그 방과 같은 방이라는 것을 깨달았다.

"이게 대체……."

설명을 요구하는 그녀의 눈빛에 하녀가 답했다.

"황후마마의 명이셨습니다."

"황후마마께서요?"

"예. 마마께서 무녀님이 머무는 방을 보시고 안타까워하시며 직접 사람을 보내 손봐 주셨습니다."

"그랬군요."

"식사를 하시겠어요? 황후마마께서 특별식을 준비해 주셨답니다. 피로가 많이 쌓였으니 편히 쉬라고 하셨어요."

"마마께서는 괜찮으신가요?"

"예. 무녀님 덕분입니다."

윤조는 하녀가 젓가락으로 집어 내미는 고기 한 점을 입에 물고 오물거렸다.

"황제 폐하께서는 별말씀 없으셨나요?"

그녀의 물음에 다시 고기 한 점을 집어 그녀의 입에 넣어 주던 하녀가 고개를 끄덕였다.

"예. 황후마마께서 아무것도 신경 쓰지 말고 편히 쉬라는 말씀만 하셨습니다. 몸을 회복하는 게 우선이라고요. 폐하의 명이라 수르암에서 나가는 건 안 되지만 필요한 게 있으면 언제든지 알려 달라고 하셨어요."

윤조가 고기를 받아먹으며 고개를 끄덕였다. 차라리 다행이다. 방이 바뀌었다면 준영의 서신을 받은 현령이 돌아와도 확인하지 못하게 된다.

'서국 황제는 전쟁에 대한 마음을 아직 결정하지 못한 걸까?'

오랜 시간 쌓인 그의 분노는 쉬이 사라질 종류의 것이 아니었다. 그녀는 깨어난 황후를 바라보는 키얀의 심정에 변화가 생겨 부디 전쟁에 대한 의지를 멈춰 주길 바랐다.

"아 참, 그리고 내일 오후에는 황후마마께서 건강을 회복하신 기념으로 축하연을 연다고 해요."

"축하연이요?"

"네. 무녀님도 참석하라고 하셨어요."

내일은 키얀이 말미로 준 3일이 되는 날이었다. 모레가 되면 자신은 그를 치료해야 한다. 만약 그전에 전쟁에 대한 키얀의 생각이 바뀌지 않는다면…….

생각보다 남은 시간이 많지 않았다. 축하연이 끝난 후 밤을 노려 서국을 벗어나야 했다.

"밥 먹고 산책 좀 할게요."

"안내해 드릴까요?"

"아뇨, 그냥 혼자 걷고 싶어요. 필요하면 부를 테니 편하게 있어요."

"알겠습니다."

식사를 마친 윤조가 방을 나섰다. 복도를 지난 그녀가 후궁들이 모여 있는 화려한 홀에 다다랐을 때였다. 그녀의 등장에 홀 안에 있던 후궁들의 시선이 집중됐다. 개중에는 적개심을 보이는 후궁들도 있었다. 아, 맞다. 나 어제 후궁들이 보는 앞에서 그 난리를 치고 갔었지. 게다가 키얀 때문에 적국의 무녀라는 사실도 들키고 말았다. 시선이 고울 리가 없었다.

"이게 누구야~ 귀염둥이 아니야?"

윤조를 발견한 나빌이 반갑게 알은체를 했다.

"쓰러졌었다며? 몸은 좀 괜찮니?"

"아, 네. 괜찮아요."

윤조가 나빌의 눈치를 보며 슬금슬금 뒷걸음질 쳤다. 곤란한 윤조의 마음을 알아챈 나빌이 괜찮다며 그녀의 등을 팡팡 두드렸다.

"가슴 펴. 뭐 죽을죄 지었어?"

"그래도……."

"가자미눈 뜨고 있는 애들은 신경 쓰지 마. 황후 자리 꿰차 보겠다고 난리치던 애들이니까. 황후마마께서 일어나셨으니 제 목숨 날아갈까 봐 괜히 너한테 화풀이하는 거야."

"그런 이유라면 제가 더 신경 써야 하는 거 아닐까요?"

"왜? 뒤에서 칼이라도 맞을까 봐?"

아무렇지 않게 무서운 말을 하는 나빌의 모습에 윤조가 마른침을 삼켰다.

"걱정하지 마. 쟤들은 너 못 건드려. 폐하를 치료할 무녀를 건드렸다가 무슨 꼴을 당하려고?"

"아 참, 그렇죠."

"푸흐, 뭐? 아 참, 그렇죠? 너 진짜 웃긴다. 그 무서운 폐하 앞에서는 절대 안 질 것같이 굴더니 후궁들은 무서워?"

"무서운 사람은 그냥 무섭지만, 예쁜 언니들이 화내는 건 더 무섭단 말이에요."

진지한 윤조의 대답에 나빌이 깔깔거리며 폭소했다.

"다들 들었어? 우리가 예쁘대!"

"애들이 보는 눈은 정확하지."

"그러게. 귀여운 애가 귀여운 말만 하네."

나빌과 친한 후궁들이 까르르 웃으며 윤조에게 손짓했다. 그때 맞은편에서 홀을 향해 걸어오던 피오렌이 윤조를 발견하고 멈춰 섰다. 그녀를 향해 알은체를 하려던 윤조는 차가운 눈빛으로 자신을 바라보던 그녀가 아무 말 없이 뒤돌아 가 버리는 모습에 주춤했다. 그런 피오렌을 바라보며 후궁들이 수군거렸다.

"피오렌 어제 폐하께 갔다가 쫓겨났다며?"

"쫓겨난 건 아니지. 내관 말로는 폐하 침소에 발도 못 들였다던데? 황후마마께서 돌아오셨는데 폐하께서 거들떠나 보겠어?"

윤조는 수군거리는 후궁들의 대화를 들으며 멀어진 피오렌의 뒷모습을 바라봤다. 황후를 치료한 일이 누군가에게는 불행이 될 것이라고는 미처 생각하지 못했다. 나빌이 부드럽게 그녀의 머리를 쓰다듬었다.

"황제의 후궁이라면 늘 감수해야 하는 일이지."

"그래도 마음은 아프잖아요."

"아파도 어쩌겠어. 후궁으로서 모시는 지아비가 나만을 사랑해 주길 바라는 건 욕심이지. 서로가 사랑하는 완벽한 연인이 된다는 건 우리에겐 불가능한 일이니까. 그래도 동정하진 마. 그것만큼 치욕스러운 것도 없으니까."

"네……."

"어디 가는 중이었어?"

"산책이요. 몸을 너무 안 움직여도 안 좋으니까요."

"그래? 같이 가자. 안내해 줄게."

"그래도 괜찮아요?"

"안 될 게 뭐 있어? 여기가 내 집인데. 가자!"

생각지도 못한 안내인이 붙어 버렸다. 윤조는 나빌을 따라 그녀의 안내를 받으며 수르암의 구조와 부엌이며 식재료 창고, 물품 창고 등 특정 구역의 위치를 외우기 시작했다.

수르암은 그녀가 예상했던 것 이상으로 더 넓고, 더 많은 구역으로 나뉘어 있었다. 전혀 예상치 못한 공간도 더러 있었는데, 예를 들면 절벽을 따라 흐르는 폭포수를 끌어들여 실내에 조성된 식물원 이라든지, 커다란 방의 천장에 새장을 매달아 각종 아름다운 새를 모아 놓은 방 등이 그러했다.

그중 윤조의 시선을 가장 사로잡은 것은 황금과 보석으로 번쩍이는 보석의 방이었다. 황홀한 방 안의 모습에 넋을 놓던 그녀는 날

뛰는 물욕을 가라앉히기 위해 자신의 허벅지를 꼬집어야만 했다.

그렇게 얼마나 돌아다녔을까? 윤조는 어느 허름한 방 앞을 그대로 지나치는 나빌을 붙잡았다.

"이곳은 어떤 곳인가요?"

"아, 거기? 거긴 잡동사니 창고야. 쓸모없는 것만 가득해."

"구경해도 될까요?"

"청소도 제대로 안 하는 곳이라 먼지만 많을 텐데, 그래도 괜찮아?"

"네, 괜찮아요. 마마님 옷이 더러워질 수 있으니 저만 잠깐 들어갔다 나올게요."

"그러렴."

창고 안에서는 퀴퀴한 곰팡이 냄새가 났다. 나빌의 말처럼 제대로 청소를 하지 않는지 보이는 물건마다 먼지가 쌓여 있었다. 바닥이 닳은 비단신, 찢어진 부채, 다리에 금이 가 망가진 화장대와 모서리가 깨진 연적 등, 잡동사니를 쌓아 놓은 창고라더니 후궁들이 사용하다 더는 사용하지 못하게 된 물건들을 버리는 장소인 모양이었다.

힐끗 고개를 돌려 창고 밖에서 자신을 기다리고 있는 나빌을 살핀 윤조는 혹시 자신에게 도움이 될 만한 물건은 없을까 주위를 살피며 눈을 반짝였다. 버려진 옷장이며 보석함, 화장대 등의 서랍을 열어 보던 윤조는 낡은 화장대 안에서 화장품 사이에 섞여 있던 염모제를 발견했다.

유리 병 안에 든 염모제는 절반 정도가 남아 있는 상태였는데, 근처의 버려진 옷에 적셔 확인하자 머리를 붉은색으로 물들이는 약이었다. 추측하건대 서국인이 아닌 다른 부족 출신의 후궁들이 서국의 여인들처럼 머리카락을 붉게 염색하기 위해 갖고 있던 물건인 것 같았다.

'오래된 염색약이라 효과가 얼마나 갈지는 모르겠지만 탈출하는 동안 신분을 감출 수단으로는 충분하다.'

그녀는 나투국에 잠입해 승려로 변장했던 파이옌이 그의 붉은 머리카락을 염모제로 감추었던 사실을 떠올렸다. 문득 떠오른 그의 생각에 당분간 그를 만나지 못할 거라는 키얀의 말이 맴돌았으나 이내 떨쳐 냈다. 그에게 무슨 일이 생겼든, 키얀에게 무슨 짓을 당했든 알 바 아니다. 상념을 지운 그녀가 서둘러 약병을 옷 안에 감추고 창고를 나섰다.

"정말 먼지만 많네요. 냄새도 나고."

"그치? 거의 쓰레기장이지 뭐."

괜한 곳에 들어갔다며 연기를 한 윤조가 나빌과 함께 걸음을 옮겼다. 복도를 돌아 다시 후궁들이 모여 있는 수르암의 홀에 도착한 그들은 여기저기 걱정과 푸념이 담긴 후궁들의 목소리에 의아한 눈을 했다.

"다들 뭐야? 무슨 일 있어?"

"나빌, 너도 이리 와. 지금 태평하게 산책이나 할 때가 아니라고! 내일 저녁에 당장 축하연이 있는데 이제부터 준비해도 늦는단 말이야."

"내일 있을 축하연을 왜 지금부터 준비해?"

이해할 수 없다는 나빌의 물음에 후궁들이 기가 막힌다는 표정으로 도끼눈을 떴다.

"너는 그나마 피부가 좋은 편이니 그런 말이 나오지! 우리는 화장 한번 하려고 해도 기초 작업부터 거의 공사 수준이라고!"

"얼굴에 공사를 왜 해? 그냥 분 찍고 눈썹 그리고 입술연지 바르면 그만이지."

"어후, 재수 없는 년. 잘났다, 잘났어."

후궁들의 푸념에 나빌이 어처구니없다는 듯이 어깨를 으쓱하며 윤조를 돌아봤다.

"황후마마만 축하해 주면 될 일이지, 조금이라도 더 예뻐 보이겠다고 발악들은. 그치?"

그렇게 말하는 나빌은 축하연에서 황제나 황후에게 잘 보이는 것 따위는 조금도 신경 쓰지 않는 것 같았다. 하지만 다른 후궁들은 사정이 달랐다. 그들 중 대다수는 황후의 병이 깊을 때 어떻게든 황후의 자리를 차지하려 들었을 게 분명했고, 살기 위해서라도 황후나 황제의 눈에 어여삐 보여야 했다. 또 다른 후궁들은 앞으로 황제의 사랑을 조금이라도 더 받기 위해서라도 공식적인 자리에서 최고의 아름다움을 뽐내야만 했다.

'확실히 후궁들이 가장 시간을 많이 투자하고, 해야 하는 건 외모를 가꾸고 치장하는 일이겠지.'

순간 윤조의 머릿속으로 돈 떨어지는 소리가 들렸다. 탈출에 성공한다고 해도 나투국까지 가기 위해 마차를 구하거나 하려면 돈이 필요했다. 식량을 구하는 것도, 옷을 사거나 도움을 구하는 것도 전부 돈이다.

외출을 한다는 것은 곧 돈이 필요하다는 말과 같았다. 그것도 단기가 아닌 장기 여행이 될지도 모를 상황에서는 더더욱. 게다가 수중에 많은 돈이 있다면 당장 이 황궁 안에 덜떨어진 병사 하나쯤은 잘 구슬려 매수할 수 있을지도 몰랐다. 거기까지 생각이 미친 윤조가 두 눈을 반짝이며 맞잡은 손바닥을 비볐다.

'이름하여 누이 좋고 매부 좋고, 도랑 치고 가재 잡고, 님도 보고 뽕도 따고 작전!'

"호호호."

윤조가 음흉한 웃음을 흘리며 후궁들을 향해 방긋 미소 지었다.

"후궁마마님들~ 나투국 황실에서 열광하는 무녀 특제 비법으로 속성 피부 미인이 되어 보실 생각 없으신가요? 선착순 풀코스, 단돈 금화 한 냥에 모시겠습니다아~!"

물론 장사에는 약간의 허풍도 필요한 법이다. 대담하게도 나투국 황실의 이름을 팔아 서국 황제의 후궁들을 꾀어 낸 그녀의 안목은 탁월했다.

"어머, 어머, 그런 비법이 있어? 나 할래! 나!"

"나도 해 줘!"

"나도! 그런데 풀코스가 뭐야?"

"지금 그런 게 중요하니? 나투국 황실에서 열광하는 비법이라는데! 얘, 금화 더 얹어 줄게! 나 먼저 해 줘! 나!"

"뭐야? 그렇게 좋은 거면 나도 할래!"

환호하는 후궁들의 모습에 나빌도 은근슬쩍 손을 들며 금화를 꺼냈다. 역시 미모를 가꾸는 일엔 귀가 솔깃한 법이다. 짤랑짤랑, 쌓여 가는 금화에 윤조가 싱글벙글했다. 그녀는 피부 관리에 사용할 재료나 물품을 준비하는 동안 후궁들에게 따뜻한 물로 목욕을 하고 다시 모이라고 한 후 방으로 향했다.

"후후후, 이게 다 얼마냐."

치마폭 가득 쌓인 금화를 안고 룰루랄라 방으로 돌아온 윤조는 곧장 하녀들을 불렀다.

"지금부터 제가 불러 주는 것들을 준비해 주었으면 해요."

"무엇을 준비하면 될까요?"

"달걀 열 개와 꿀 한 통, 팥 한 말, 감자 다섯 개는 생으로 껍질을 벗겨 갈아 주세요. 그리고 율무가루 한 되는 최대한 곱게 간 것으로. 또 손안에 들어오는 오목한 접시와 화장을 할 때 사용하는 붓 중에 납작하고 모가 부드러운 것을 마마님들 머릿수에 맞게 부탁해요. 깨끗한 물이 담긴 항아리도요. 마지막으로 황궁에서 사용하는 향유 중에 동백꽃 기름을 낸 향유가 있다면 그것도 부탁해요."

"알겠습니다. 그런데 그것들을 어디에 쓰시려고……?"

"후궁마마님들 몸단장에요."

"예? 달걀이랑 감자를요?"

어리둥절해하는 하녀들을 바라보며 윤조가 자신만만하게 고개를 끄덕였다.

"그럼요, 최고의 미용 재료인걸요. 부탁해요."

"알겠습니다. 곧 준비하겠습니다."

하녀들이 밖으로 나간 뒤 방 안에 혼자 남은 윤조는 나빌이 안내해 주었던 수르암의 내부와 복도를 오가던 병사들을 떠올리며 탈출 계획을 구체적으로 짜기 시작했다.

그녀는 옷 안에 숨겨 두었던 염모제를 침대 아래 깊숙이 밀어 넣으며 고민했다. 수르암을 구석구석 돌아다녔지만 정문으로 나가는 것 외에 다른 탈출로는 보이지 않았다. 정문은 밤낮으로 순찰을 돌며 감시하는 병사들의 수가 적지 않다. 들키지 않고 빠져나가려면 변장으로 병사들을 속이는 수밖에 없었다.

"머리를 염색한다고 해서 완전히 속일 수 있을 것 같진 않지만……."

하녀들 중 지위가 높은 자들은 모두 서국인이었다. 그들은 후궁들의 식사 후 남은 음식을 처리하기 위해 수르암 밖으로 나갈 수 있으니 그들 중 하나로 변장해 나간다면 어떨까?

문제는 수르암에서 탈출하는 게 아니라 그다음 황성을 호위하는 무수한 경비병들을 따돌리고 황성 밖으로 탈출하는 일이었다. 성 밖으로 빠져나갈 만한 곳이 있는지 확인해야 했다. 급한 감이 있지만 우선은 하녀로 변장하고 나가서라도 밖의 상황을 살펴보고 올까?

그녀가 고민하던 때였다. 닫힌 창문을 두드리는 소리가 났다. 얇은 창호지 뒤로 날갯짓하는 그림자가 보였다. 현령이었다. 윤조는 차분히 자리에서 일어나 문을 걸어 잠갔다. 그러고는 창가로 달려가 급히 창문을 열었다.

"돌아왔구나!"

현령이 자신을 쓰다듬는 윤조의 손에 부리를 비비며 반가움을 표했다. 윤조는 현령의 다리에 묶인 서신을 발견하고 급히 그것을 펼쳤다. 준영이 보낸 서신이었다. 서신에는 위험하니 절대 혼자 움직이지 말라는 당부와 함께 사람을 보내겠다는 말이 적혀 있었다. 서국에 심어 둔 나투국의 정보원들이 있으니 탈출을 돕겠다는 내용이었다.

반드시 데리러 가마.

마지막에 적힌 글귀에서 그녀는 한참 동안 시선을 떼지 못했다.

두 나라 간에 전운이 감도는 시점에서 쉬이 군대를 움직이진 못할 터였다. 아마도 준영은 최소한의 인원만을 이끌고 오리라. 서국의 추격대가 따라붙을 수도 있었다. 한 나라의 대장군으로서 해선 안 되는 사사로이 목숨을 건 일이 될 것이다. 자신을 구하기 위해 그는 그렇게 하려 한다.

윤조는 자신도 모르는 새 툭, 하고 서신 위로 떨어진 눈물에 놀라 눈가를 문질렀다.

"보고 싶어요. 많이 보고 싶어……."

그리움이 번지듯이 눈물에 젖은 글귀가 번져 갔다. 참아 왔던 그리움이 봇물 터지듯 흘러넘쳤다. 준영의 서신을 가슴에 끌어안고 우는 그녀의 곁으로 현령이 머리를 내밀며 낮게 울었다. 숨을 고르며 눈물을 훔친 그녀는 준영에게 보낼 답신을 적어 내려갔다.

편지에는 알겠다는 대답과 함께 자신이 서국 황후를 치료한 일, 내일 저녁에 있을 축하연에 관한 내용, 그리고 모레가 되면 서국의 황제를 치료해야 한다는 내용과 그가 '선사'라고 부르는 정체 모를 나투국의 조력자에게서 나투국 황실에서만 사용하는 선단을 얻어 건강을 유지하고 있다는 내용, 더불어 14년 동안이나 그들이 긴밀한 관계를 유지해 왔다는 내용도 함께 적었다.

"미안해. 힘들겠지만 한 번만 더 부탁할게."

윤조는 지쳐 보이는 현령에게 물과 음식을 먹인 후 미약한 신력으로 매의 날개에 쌓인 피로를 덜어 주었다. 그러고는 다리에 서신을 매달아 창밖으로 날려 보냈다. 윤조는 멀어지는 현령을 바라보며 두 손을 들어 자신의 뺨을 때렸다.

"정신 바짝 차리자."

곧 하녀들이 그녀가 부탁한 것들을 모두 준비했다고 알려 왔다.

'후궁들 중 아직 나를 경계하는 이들이 많다. 필시 황제의 눈과 귀가 되어 나를 감시하는 이들도 있겠지. 황제의 경계심을 낮추기 위해서라도 그들의 앞에서 철없고 긴장감 없는 모습을 보여야 한다. 더는 그가 신경 쓸 만한 존재가 아니라는 것처럼 보여야 해.'

서국의 황제는 기회가 온다면 언제든지 자신이 탈출을 노릴 것이라고 생각하고 있을 것이다. 그의 치료가 아직이니 혹시 모를 일에 대비해 수르암 곳곳에 사람도 심어 놓았을 게 분명했다.

'그들의 눈을 속이면 황제를 속일 수 있다.'

윤조는 최대한 천진한 척, 자신이 이미 탈출은 포기한 지 오래이며 수르암에서 살아남기 위해 어떻게든 후궁들의 예쁨을 받으려 작정한 사람처럼 굴기로 했다.

"마마님들~ 오래 기다리셨죠! 목욕은 다 하고 오셨나요?"

"그래, 네가 말한 대로 따뜻한 물에 목욕하고 왔어. 이제 뭘 하면 되지?"

"마마님들은 가만히 누워 계시기만 하면 된답니다. 다들 편하게 누워 주세요~"

후궁들과 함께 수르암의 홀에 모인 윤조는 각각 후궁의 하녀에게 달걀흰자를 풀어 거품을 낸 접시를 건넸다.

"자, 본격적인 관리에 들어가기 전에 먼저 기초 작업을 해야겠죠? 피부의 묵은 각질을 시원하게 밀어 버립시다!"

하녀들은 윤조가 시범을 보이는 대로 거품을 낸 달걀흰자를 후궁들의 얼굴에 발랐다. 그리고 손가락으로 원을 그리며 후궁들의 뺨이며 코, 이마와 턱을 가볍게 문질렀다. 얼마 안 되어 후궁들의 얼굴에서 묵은 각질이 밀려나오기 시작했다.

"마마, 피부가 밀려나옵니다!"

놀란 하녀 하나가 소리치자 윤조가 손가락을 흔들며 그녀의 말을 정정했다.

"피부가 밀려나오는 게 아니라 피부 위에 쌓인 각질이 밀려나오는 거예요. 한마디로 지금 마마님들 얼굴에서 하얗게 밀려나오는 것의 정체는 그동안 쌓인 노폐물이라는 거죠."

"세상에, 내 얼굴에 노폐물이 이렇게 많이 쌓였었단 말이야?"

거울을 통해 자신의 얼굴에서 밀려나온 각질을 확인한 후궁들이 경악했다.

"각질은 적어도 보름에 한 번씩 밀어 주는 게 좋답니다. 너무 자주, 너무 오래 각질을 밀면 피부가 건조해질 수 있으니 조심해 주세요~"

"지금 바른 건 뭐로 만든 거지?"

"그저 평범한 달걀흰자로 거품을 낸 달걀물이랍니다."

"오, 달걀흰자로 만든 달걀물이라. 하녀들은 냉큼 받아 적거라!"

"예, 마마!"

"자, 그럼 이제 얼굴을 닦아 내고 다음 관리로 넘어가 볼까요?"

윤조의 지시에 하녀들이 물에 적신 수건으로 후궁들의 얼굴을 깨끗이 닦아 냈다. 자신들의 얼굴 상태가 궁금해진 후궁들이 하녀에게 거울을 가져오라 손짓했다.

"어머, 각질만 벗겨 냈을 뿐인데 벌써 피부가 촉촉해졌어!"

"전보다 윤기도 나고 색도 밝아진 것 같아!"

반응이 나쁘지 않았다. 윤조가 씩 웃으며 이번에는 꿀과 율무가루 그리고 껍질을 벗겨 간 감자를 내왔다.

"자, 이제부터 이 세 가지를 섞어 얼굴에 바를 팩을 만들 거예요. 얼굴에 발라 흘러내리지 않을 정도로 농도만 맞춰 주시면 됩니다. 원래 피부가 건조한 분은 꿀을 많이 넣어 주시고, 그렇지 않은 분은 소량만 넣어 물로 섞어 주세요."

"하나는 꿀이고 나머지 두 개는 뭐지?"

"율무와 감자예요."

"그걸 얼굴에 바른다고?"

궁에서는 잘 먹지도 않는, 농가의 백성들이 먹을 법한 식재료를 얼굴에 발라 피부를 좋게 한다니 믿기지 않는 모양이었다.

"감자는 얼굴의 부기를 가라앉히고 햇볕에 그을린 피부를 하얗게 만들어 주는 효능이 있답니다. 민감하고 여린 피부에도 거부감 없이 사용할 수 있고, 얼굴에 올라온 화농에도 효과가 아주 좋지요. 또 율무는 얼굴의 수분을 잡아 주어 피부를 촉촉하게 가꾸어 주고 혈색을 맑게 하며 탄력을 준답니다. 또 사마귀와 티눈을 제거하는 데도 아주 좋답니다."

막힘없는 윤조의 설명에 후궁들이 눈을 반짝이며 경청했다.

"자, 그럼 여기서 문제. 한 가지만으로도 이렇게 좋은데 이 두 가지를 섞으면 어떻게 될까요?"

"수분도 잡고, 탄력도 잡고, 미백도 잡는 거지!"

"정답입니다! 무려 일거양득도 아닌 일거삼득! 이렇게 좋은데 당연히 사용해 보셔야죠~"

"어서! 어서 발라라! 어서!"

후궁들이 무엇에 홀린 사람처럼 자리에 누워 하녀들을 재촉했다. 윤조는 후궁들의 얼굴에 차례로 발리는 '윤조 특제 율무팩'을 바라보며 숨죽여 웃었다. 하얀 팩을 얼굴에 바른 후궁들의 모습이 대한 민국 사람이라면 누구나 다 아는 그런 얼굴이 되어 일렬횡대 한 것처럼 홀 안에 가득했기 때문이다.

"이제 눈을 감고 말도 하면 안 됩니다. 그랬다간 얼굴에 주름이 지니 제가 다 됐다고 할 때까지 편하게 누워 쉬세요."

얼굴에 주름이 진다는 말이 무서워서인지 후궁들이 눈과 입을 닫은 채 조용히 윤조의 말을 따랐다.

'와, 팩 하나로 한 나라의 후궁들을 좌지우지할 줄 알았으면 진작이 사업 시작할걸!'

그들의 열렬한 반응을 온몸으로 느낀 윤조는 나투국으로 돌아간다면 반드시 이 사업을 크게 벌여야겠다고 다짐했다.

"자, 누워 계신 동안 아랫배가 따뜻해지게 제가 찜질팩을 준비했어요. 헝겊에 팥을 넣어 데웠는데 혈액 순환이 안 되거나 몸이 찬 분들께 그렇게 좋답니다. 만드는 법도 간단하고, 추운 겨울에는 이불 속에 넣어 따뜻하게 자기도 좋아요."

후궁들의 배 위에 뜨끈한 팥 주머니까지 올려 주자 여기저기에서 '오!' 하는 감탄사가 터져 나왔다. 하녀들은 모시는 주인의 반응이 좋자 한 가지라도 놓칠세라 붓과 종이를 준비해 윤조가 말하는 모든 것을 꼼꼼히 받아 적었다.

잠시 뒤, 후궁들 사이를 돌아다니며 얼굴에 바른 팩이 반쯤 마른 것을 확인한 윤조는 하녀들을 시켜 후궁들의 얼굴을 깨끗이 닦으라고 했다.

"얼굴에 바른 팩은 완전히 마르기 전에 닦아 내는 게 좋아요. 젖은 수건으로 닦은 후에 깨끗한 물로 한 번 더 닦아 주세요. 이번에는 가장 빨리, 많은 효과를 보기 위해 얼굴 위에 팩을 직접 올렸지만, 닦아 내는 게 번거롭다면 팩을 올리기 전에 얇은 무명천을 얼굴에 올린 후 그 위에 팩을 발라도 된답니다."

"효과만 좋다면 그런 번거로움쯤이야. 여봐라, 어서 거울을 가져와라!"

얼굴을 닦아 내고 하녀가 들고 온 거울을 확인한 후궁들의 입에서 이전보다 더 큰 감탄이 터져 나왔다.

"어머, 어머머, 한눈에도 피부가 좋아졌어!"

"세상에! 이거 뭐니? 윤기 흐르는 것 좀 봐!"

"얼굴도 촉촉하고 피부가 전보다 하얘졌어!"

만족스러운 소비자의 평가에 윤조가 우쭐해하며 고개를 끄덕였다.

"암요, 암요. 제가 괜히 특제 비법이라고 한 게 아니라니까요~"

거울을 보며 얼굴을 살피던 나빌도 놀란 눈으로 그녀의 말에 긍정했다.

"어쩜, 이거 정말 좋다~!"

"자, 이제 마지막 단계만 남았어요. 다들 다시 자리에 누워 주세요~"

"이게 끝이 아니야?"

"보습 후에는 반드시 수분이 날아가지 않도록 피부를 보호해 줘야 한답니다. 그래서 짜잔! 동백꽃으로 만든 향유예요. 이걸 손에 조금 발라서 얼굴 전체에 톡톡 두드려 주면!"

윤조가 직접 나빌의 얼굴에 동백기름을 발라 주었다.

"이렇게 하면 화장도 잘 받고, 하루 종일 촉촉한 피부를 유지할 수 있답니다."

마지막 관리까지 마친 후궁들 사이에서 '미쳤다', '끝내준다', '기적이다' 같은 찬사가 쏟아졌다. 박수갈채까지 받으며 후궁들을 향해 인사를 한 윤조가 한쪽 눈을 찡긋했다.

"다른 비법이 궁금하시다면, 다음 시간을 기대해 주세요~"

"언제든지!"

"준비되면 언제든지 말해 줘!"

"쟤들 말고 나한테 먼저 해 줘! 나!"

"돈은 내가 더 많아! 나! 나 먼저!"

"예쁜 마마님들이 이렇게 좋아해 주시니 저도 기분이 좋네요. 헤헤."

"아유, 귀여운 것! 처음 봤을 때부터 느낌이 좋았다니까?"

"맞아, 맞아. 필요한 게 있으면 언제든지 이야기하렴."

"약과! 누가 가서 약과랑 다과 좀 많이 챙겨 오거라!"

"흐헤헤헤헤."

앗, 정말 기분이 좋으면 안 되는데 정말 기분이 좋아져 버렸다. 윤조는 절로 튀어나오는 웃음을 참으며 방긋 미소 지었다.

'이것으로 후궁들 내 편으로 만들기 성공!'

황제에게 과연 뭐라고 보고가 들어갈지 기대가 되는 윤조였다.

"무녀는 어쩌고 있느냐?"

황후와 함께 저녁 식사를 하고 황제전으로 돌아온 키얀의 앞으로 나빌이 고개를 조아렸다.

"특별히 수상한 행동은 하지 않았습니다. 식사를 하고, 저와 함께 산책을 하고, 수르암의 후궁들과 어울리는 게 무척 즐거운 모양입니다. 허물없이 어여쁨받고 싶어 하는 점이 무척 귀엽기도 하고요."

"내 앞에서는 하늘 무서운 줄 모르더니, 후궁들은 좋은 모양이지?"

"예쁜 언니들이 좋답니다. 참 귀엽지 않습니까? 이대로 수르암에서 지내게 해도 좋을 것 같습니다. 다른 후궁들도 좋아하는 눈치고요."

"자네와 다른 후궁들이 그리 생각한다면 다행이지만. 그 외에 다른 점은 없었나? 궁 밖으로 나가고 싶어 한다거나, 황성의 구조 같은 것을 묻거나 하는."

"전혀요. 생각나는 게 있다면 약과나 다과를 매우 좋아하는 점 정도일까요? 형제가 많은 집에서 가난하게 자라 간식거리를 먹어 본 것이 올해가 처음이라고 하더군요. 생각할수록 가여운 아이입니다. 납치되어 연고 없는 서국 땅에 홀로 와 무척 무섭다는 이야기도 했습니다. 폐하 앞에서 강한 척 굴었지만 사실 많이 무서웠다고요. 약하게 굴면 언제 어떻게 죽을지 몰라 두려워 그랬다고 합니다. 너무 겁주지 마셔요."

"다른 사람도 아닌 홍준영의 반려다."

"아직 어린아이입니다. 가난이 두렵고, 먹을 걸 좋아하는 어린아이요. 자신에게 조금만 호의를 보여도 좋아 어쩔 줄 모르는 천진한 아이 말입니다. 혼례를 앞두고 큰일을 당해 많이 혼란스러운 것 같았습니다. 덤덤해 보이려고 애쓰는 것 같았어요."

계속되는 나빌의 설득에 움푹 들어가 있던 키얀의 미간이 풀어졌다. 그 역시 윤조가 애써 자신의 앞에서 두려움을 감추고 발톱을 세운다는 사실을 알고 있었기 때문이다.

황후를 치료하고 혼절했던 그녀의 몸은 보이는 것보다 더 작게 느껴져서, 키얀은 까무룩 바닥에 거꾸러진 그녀가 그대로 죽어 버리는 건 아닐까 생각했다. 황후를 생각해서라도 부디 전쟁을 멈춰 달라 청하던 그녀의 눈물 젖은 얼굴이 떠올랐다. 과거의 자신과 닮아 있던 그 간절함은 거짓이 아니었다.

"그대의 뜻은 잘 알았다."

누그러진 키얀의 기세에 나빌이 기뻐하며 미소 지었다.

"감사합니다, 폐하. 하온데……."

"더 보고할 게 남았나?"

"저 오늘 좀 달라 보이지 않습니까?"

"음?"

"얼굴이 좀, 달라 보이지 않나 해서요."

윤조의 앞에서는 그녀의 속내를 떠보기 위해 황제에게 잘 보이는 일에 신경 쓰지 않는 척 연기했으나, 그녀도 수르암에 속한 황제의 후궁이었다. 평생을 모셔야 하는 하나뿐인 지아비에게 잘 보이고 싶지 않을 리가 없었다. 가만히 나빌의 얼굴을 살피던 키얀이 대수롭지 않게 말했다.

"오늘따라 얼굴이 더 고와 보이는구나."

"이왕이면 조금 더 구체적으로 말해 주시어요."

키얀은 평소와 조금 다른 나빌의 행동을 의아해하면서도 자신에게 어여삐 보이고 싶어 그런 거라 생각하며 입을 열었다.

"전보다 얼굴에 생기가 도는 것 같구나. 피부도 더 고와지고."

그 한마디가 후궁전에 어떤 파장을 불러일으킬지 키얀은 미처 알지 못했다.

"너 그 얘기 들었어? 윤조라는 무녀가 알려 준 비법으로 관리한 후궁들이 폐하께 더 고와졌다고 칭찬을 들었대!"

"어머, 그게 정말이야?"

"그렇다니까? 나빌도 폐하께 칭찬을 받았다고 했어."

"어머머, 그게 사실이면 이러고 있을 게 아니니!"

그날 저녁이 되자 소문은 순식간에 후궁전을 휩쓸었다. 윤조에게 별다른 관심을 보이지 않던 후궁들도, 그녀에게 적개심을 보였던 후궁들도 금화를 들고 그녀를 찾아왔다. 그때마다 윤조는 미리 만들어 둔 율무팩 세트를 비단 보자기에 담아 후궁들에게 내밀었다.

짤랑짤랑, 금화 쌓이는 소리가 몹시 행복했다. 이런 게 바로 진정한 애국이지. 남의 나라에서 남의 나라 자본으로 땡전 한 푼 안 들이고 돈을 벌 줄이야.

'헤헤, 이거 다 들고 가서 대장군님 호강시켜 드려야지.'

마냥 좋아하고 있을 때가 아닌데, 이렇게 큰돈을 만져 본 건 처음이어서 그런지 마음이 두둥실 하늘을 떠다니는 기분이었다.

"큼큼, 정신 차리자. 내가 지금 이럴 때가 아니지."

헤벌쭉했던 표정을 갈무리한 그녀가 일부의 금화를 주머니에 가득 담아 품에 넣었다.

'다 못 가져갈지도 모르니 조금만 갖고 있어야지.'

툭툭 가슴을 치자 주머니에서 제법 두둑한 소리가 났다. 그렇게 방석 위에 쌓인 금화를 정리할 때였다. 밖이 소란했다. 물건이 부서지고 깨지는 소리와 함께 비명 소리가 들려왔다.

"무슨 일이지?"

심각한 표정으로 방 밖을 나선 윤조는 어질러진 홀과 그 가운데에 서 있는 낯선 소년을 발견했다.

"당장 무녀를 데려와! 나투국의 무녀는 어디 있나!"

"황자님, 이러시면 안 됩니다."

"놔라! 감히 누가 황자의 몸에 손을 대는가!"

소년은 자신을 말리는 병사들을 매섭게 밀쳐 내며 소리쳤다.

"무녀를 데려와라. 어서!!!"

"황자 전하! 이 일을 폐하께서 아시면······!"

"닥쳐라! 네놈이 내 손에 죽고 싶은 게냐?"

막아선 병사의 절반만 한 작은 체구에도 불구하고 황자의 기세는 거칠 것이 없었다. 윤조는 눈앞의 소년이 후궁들이 말했던 그 황자일까, 짐작했다.

'무슨 일인지 몰라도 잘못 걸리면 골치 아파지겠는데.'

잔뜩 화가 난 얼굴로 자신을 찾고 있는 황자의 모습에 이 자리에서 멀리 떨어져 숨어 있어야겠다고 판단한 윤조가 조용히 뒷걸음으로 빠져나가려던 때였다.

"거기 너! 너로구나! 네가 바로 그 무녀로구나!"

귀여운 얼굴과는 어울리지 않게 험악한 인상을 쓰고 있던 황자가 윤조를 발견하고 어쩐지 반가운 얼굴을 했다.

'잠깐, 반가워한다고? 황자가 나를?'

알 수 없는 그 변화에 주춤하는 사이, 어느새 그녀의 앞으로 다가온 황자가 빠르게 그녀의 팔을 낚아채 열려 있던 수르암의 입구를 향해 달려 나갔다.

"어, 어, 어······!"

"시간 없어! 빨리 뛰어!"

윤조가 상황을 판단하고 말고의 여유조차 없었다. 갑자기 그녀를 붙잡은 채 수르암 밖으로 냅다 달려 나온 황자가 뒤쫓아 오는 병사들을 피해 어딘가로 달리기 시작했다.

"어디로 가는 거예요!"

갇혀 있는 내내 수르암을 탈출할 궁리는 했지만 그 일을 서국의 황자와 함께할 거라고는 상상도 못 했다. 당황한 윤조가 소리치자 황자가 간신히 자신과 발을 맞추는 그녀를 보며 소리쳤다.

"일단 뛰어! 병사들을 따돌려야 해!"

가까이서 바라본 어린 황자는 황후의 얼굴을 닮아 있었다. 서국의 붉은색 머리카락이 아닌, 검은색에 가까운 짙은 갈색 머리카락이 그의 태생을 증명했다.

그들은 곧장 복도를 지나 건물을 나섰다. 저물어 가는 태양이 두 사람을 비췄다. 서국에 와 궁을 벗어난 건 처음이었다. 윤조는 황자의 손에 이끌려 가면서도 무의식적으로 고개를 돌려 주위를 살폈다. 건물 사이를 지나며 오른쪽을 바라보자 높은 성벽이 보였다. 시야는 다시 빠르게 바뀌었다. 그들은 몇 번의 모퉁이를 돌아 어딘지 알 수 없는 계단의 뒤편 빈 공간에 몸을 숨겼다. 계단의 틈으로 병사들이 빠르게 지나치는 모습이 보였다.

"후우, 따돌린 것 같네."

병사들의 발소리마저 들리지 않을 무렵이 되어서야 황자가 안심한 듯 이마 위로 흐른 땀을 닦았다. 벽을 짚고 선 채 거친 숨을 토하던 윤조가 그를 바라봤다.

"대체, 무슨, 헉, 일입니까. 허억……."

이렇게 갑작스럽게 거친 운동을 하게 될 줄이야. 숨이 턱 끝까지 차올랐다. 그녀의 물음에 황자가 다급히 대답했다.

"부탁이야. 파이옌을 살려 줘."

황자의 얼굴이 금방이라도 울음을 터뜨릴 것처럼 일그러졌다. 뜻 밖의 이름이 황자의 입에서 흘러나오자 윤조의 머리가 멍해졌다. 지금, 누구를 살려 달라고……?

"피를 너무 많이 흘렸어. 그냥 놔두면 정말 죽을지도 몰라. 너는 무녀잖아! 신력으로 치료할 수 있지? 그렇지?"

그가, 파이옌이, 키얀에게 어떤 끔찍한 일을 당했을지도 모른다 는 짐작은 했었다. 당분간 그를 볼 수 없을 거라는 키얀의 말에 섬 뜩한 무언가를 느끼면서도 상관할 바 아니다, 내가 신경 쓸 일이 아니다, 애써 외면했다. 그러면서도 한편으로는 마음이 편치 않았 던 것도 사실이었다. 하지만 정말 그가 죽어 버렸으면 좋겠다고 바 란 적은 없었다.

윤조가 황자와 함께 도착한 곳은 서국 황실의 지하 감옥이었다. 나선형으로 이어지는 계단을 따라 까마득한 아래로 내려가자 빛 도, 바람도 닿지 않는 어둠뿐인 공간이 나왔다. 지키는 간수 하나 없는 적막한 공간이었다.

횃불을 들고 더 깊숙한 곳으로 들어가자 옥사의 가운데, 새장처 럼 생긴 원형의 커다란 감옥 안에 그가 있었다. 그의 양손과 양발 은 쇠사슬로 묶여 있는 상태였다. 비릿한 피 냄새가 훅 끼쳤다. 바 닥에 낭자한 핏물이 전부 그의 것일까? 참혹한 광경에 윤조의 두 눈이 잘게 떨려 왔다.

"왜……."

문장이 되지 못한 신음이 마치 그를 탓하듯이 흘러나왔다. 그녀 의 목소리에 반응하듯 바닥에 무릎을 꿇은 채 축 늘어져 있던 파이옌이 고개를 들었다.

"병아리……?"

힘겹게 눈을 뜬 그의 얼굴은 피 범벅이었다.

"파이옌! 나다! 내가 무녀를 데려왔다! 죽으면 안 된다!"

황자가 감옥으로 달려가 파이옌의 상태를 확인했다. 파이옌이 그런 황자와 윤조를 번갈아 보다 한숨을 쉬었다.

"스안, 너 쟤 어떻게 데려왔어?"

"네 목숨이 달렸는데 그게 중요한 것이냐!"

"아 나, 미치겠네. 야, 병아리. 너는 여기가 어디라고 와!"

평소와 같은 가벼운 말투였으나 고통이 묻어나는 그의 음성은 낮게 가라앉아 갈라진 채였다. 윤조는 얼굴 위로 떠오른 복잡한 심경을 감추지 못하며 그에게 물었다.

"어쩌다가, 왜 이렇게 된 거예요……?"

"놀랄 거 없어. 한두 번도 아니니까."

"뭐라고요?"

"이번은 조금 심하긴 했는데, 괜찮아. 죽을 정도는 아니야."

"이런 적이 한두 번이 아니라고?"

"어. 그러니까 걱정 말고 황자 데리고 나가. 괜히 불똥 튈라."

매질을 당했는지 온몸에 상처가 가득했다. 윤조는 고문당한 흔적이 역력한 그의 모습을 바라보며 믿을 수 없다는 듯이 읊조렸다.

"이런 짓을 당하고도 서국 황제를 도운 거라고……?"

"……."

"이런 적이 한두 번이 아니었다면서! 그런데도 지금까지 그를 도운 거라고?"

도무지 이해되지 않았다. 이해할 수가 없었다. 살고 싶다면서, 살아남고 싶다면서, 어떻게든 원래의 세상으로 돌아갈 거라면서, 이런 꼴을 몇 번이나 당하면서도 서국 황제를 도왔다고? 대체 왜? 무엇 때문에?

　머릿속이 하얗게 변하는 기분이었다. 쇠사슬에 묶여 피 칠갑을 한 채 감옥에 갇혀 있는 파이옌의 모습이 도무지 믿기지 않아서, 덤덤하게 이런 일이 한두 번이 아니었다고 대답하는 그의 모습에 간신히 정신을 붙잡고 있던 이성이 마비되는 느낌이었다. 파이옌이 힘겹게 뜬 눈으로 윤조를 바라보며 실소했다.

　"야, 병아리. 너 은근 말 깐다? 왜? 갑자기 측은해서 친해지고 싶어졌어? 거리 두려고 존댓말 쓴다고 할 때는 언제고?"

　"지금 그런 농담이 나와요?"

　"왜 화를 내."

　"지금 당신 꼴을 좀 보라고!"

　그를 치료하고 싶어도 치료할 신력이 남아 있지 않았다. 황후를 치료한 후 회복된 신력은 너무나 미미한 수준이었다. 그래서 회복을 핑계로 서국 황제의 치료를 더 미룰 수 있을 거라고, 시간을 더 벌 수 있을 거라고 안심했었는데…….

　파이옌은 창살을 붙잡은 채 어찌할 바를 몰라 입술을 깨무는 그녀를 바라보며 그저 웃어 버렸다.

　"그러니까, 왜 네가 화를 내냐고. 화를 내도 내가 내야지. 넌 나 미워하잖아."

　"너는 네가 이런 끔찍한 짓을 당했는데 아무렇지 않다는 거야? 제정신이야? 살고 싶다면서! 살아남기 위해 사람을 죽이는 일도 서슴지 않았다면서! 살아서 원래의 세계로 돌아갈 거라면서! 그런데 왜-!!!"

화를 내며 소리치는 그녀를 바라보며 파이옌이 옅게 웃었다. 소리 내어 웃자 다친 근육이 아파 왔지만 개의치 않았다.

"화내 주니 좋네. 속도 없이."

"야 이 미친 새끼야!!!"

"간만에 만났는데 욕은 좀 빼 주라. 나 지금 기뻐하고 있는 거 안 보여?"

"이 미친놈이, 이 미친……."

"그래그래, 내가 바로 서국의 미친개 파이옌이다."

파이옌이 그렇게 말하며 울 것 같은 윤조의 눈을 들여다봤다.

"울지 마라. 나 안 죽었다. 정신 차렸으면 저 꼬맹이 황자 데리고 어서 나가. 난 괜찮으니까."

"안 된다, 파이옌! 피를 너무 흘렸다. 이러다 정말 죽는단 말이다!"

"꼬맹이, 내 말 들어. 네놈 아비는 나를 안 죽여요. 내가 죽으면 누가 놈을 위해 싸워 주겠어?"

"그의 말이 맞다."

계단 위에서 들려오는 키얀의 목소리에 세 사람의 시선이 동시에 그곳을 향했다.

"젠장."

계단을 내려와 감옥 앞에 선 키얀의 모습에 파이옌이 짜증스럽게 미간을 구겼다. 언제부터 있던 거지? 어디서부터 들은 거야? 그의 시선이 곁에 있던 황자 스안과 윤조를 향했다. 바짝 긴장한 세 사람을 물끄러미 바라보던 키얀이 스안을 향했다.

"스안."

"아, 아바마마, 소자는 그저⋯⋯!"

"파이옌이 죽을까 염려되어 무녀를 이곳까지 데려온 것이냐? 무녀를 수르암에 구금한다는 황명을 잊었느냐?"

"죄송합니다. 하지만 두고 볼 수가 없었습니다. 아바마마, 왜 파이옌을 매질하신 겁니까? 아바마마와 어마마마를 위해 국경도 넘어 무녀를 데려오지 않았습니까?"

스안이 이해가지 않는다는 듯 말을 이었다.

"왜 아바마마께서는 유독 파이옌에게만 이리 모질게 구시는 것입니까? 그는 서국을 위해 군을 이끄는 장수입니다! 아바마마의 신하이잖습니까!"

"나의 신하라⋯⋯."

키얀이 무감한 눈을 들어 파이옌을 바라봤다.

"파이옌, 너도 그리 생각하느냐?"

"언제부터 내 생각이 중요했다고?"

기운 없는 목소리로도 빈정거리는 파이옌의 태도에 키얀이 조소했다.

"황자가 무언가 착각하고 있는 것 같구나. 저놈은 나를 위해서도, 서국을 위해서도 싸우지 않는다. 그는 나의 신하가 아니다. 그저 자신의 눈앞에 있는 적을 물어뜯는 미친개일 뿐이지."

키얀의 말을 들으며 윤조는 전날, 서국에 도착했을 때 느꼈던 두 사람 사이의 알 수 없는 관계에 대한 진실을 알게 된 것 같았다.

어째서 파이옌은 모시는 서국의 황제를 향해 예의를 갖추지도, 경외하는 모습도 보이지 않았던 것인지. 서국의 황제는 왜 그런 그를 지적하지도, 신하로서의 모습을 요구하지도 않았던 것인지. 어째서 둘 사이에 오가는 대화는 그리 가벼울 수 있었고, 엄격한 신분제가 있는 이 세계의 예법을 완전히 무시해 버릴 수 있었는지. 어째서 파이엔뿐만 아니라 본래 이 세계의 사람임이 분명한 서국의 황제 역시 그와 같은 태도로 일관할 수 있었는지.

돌이켜 보면 '미친개'라는 파이엔의 별명도 서국의 황제가 그에게 붙인 것이라고 했다. 누가 보아도 한 나라의 군대를 이끄는 장수의 별호라고는 생각되지 않는 치욕스러운 이름을. 어쩌면 두 사람은 애초부터 서로가 서로를 완벽히 배제하고 있는 상태가 아니었을까? 처음부터 '필요에 의한 공존'을 택했던 건 아니었을까……?

윤조가 그런 생각을 하며 두 사람을 바라보고 있는데, 키얀이 혼란스러워하는 스안의 머리를 다정히 쓰다듬으며 말을 이었다.

"아들아, 저것은 애초에 나의 신하가 아니었다. 그는 누구보다 완벽한 죽음을 원했고, 나는 그 죽음을 샀지. 그는 스스로를 팔아 나를 이용하고, 나는 그의 죽음을 사 누구보다 강한 전사를 얻었을 뿐이다. 처음부터 주종 간의 충성심이나 신의 따위는 존재하지 않았다. 하여 내가 그를 다스릴 방법은 그 육체와 정신 깊숙이 고통과 두려움을 심어 주는 방법뿐이었지. 이렇게라도 그를 통제하지 않으면, 그가 마음이 바뀌어 언제 내 목을 물어뜯을지 알 수 없는 일이니까. 그런데……."

키얀의 시선이 돌연 윤조를 향했다.

"지금껏 나조차 알지 못했던 파이엔의 열망을 그대는 알고 있는 것 같구나?"

표정 없이 섬뜩한 그의 기세에 윤조가 움찔 몸을 떨었다.

'들었나? 어디서부터? 어디서부터 들은 거지?'

"살고 싶다고 했다? 살기 위해 사람을 죽이는 일도 서슴지 않았다? 원래의 세계로 돌아간다는 건 무슨 뜻이지?"

'젠장.'

윤조가 속으로 욕지기를 삼켰다. 자신과 파이옌의 대화를 처음부터 끝까지 다 들은 모양이었다. 그녀가 초조하게 주먹을 쥐었다.

"무녀여, 왜 말이 없는가? 나는 지금껏 저놈이 완벽한 때에 완벽한 죽음을 갖길 원한다고만 알고 있었는데 말이야."

"그건 저도 처음 듣는 내용입니다."

"그런가? 하긴, 그대에게 숨겼던 것도 한두 가지가 아닐 테니."

밝힌 것도 한두 가지가 아니고 말이야. 물론 더 숨기는 게 있는 것 같지만. 윤조는 그렇게 생각하며 힐끗, 파이옌을 바라봤다. 문제는 자신과 파이옌의 대화로 키얀이 지금까지는 몰랐던 파이옌의 비밀을 알아 버렸다는 사실이었고, 그는 모르지만 적국의 무녀인 자신은 알고 있는 그 사실에 대해 무척 궁금해한다는 점이었다. 이대로는 접점이 있는 그녀와 파이옌 모두가 곤란해진다.

윤조가 서국 황제의 시선을 어떻게 다른 방향으로 돌려야 할지 고민할 때였다. 신경질적인 파이옌의 목소리가 그들의 귀를 때렸다.

"그런 게 뭐가 중요하지?"

파이옌이 날카로운 시선으로 키얀을 쏘아봤다. 억지로 힘을 주는지 그의 팔을 묶어 둔 쇠사슬이 절그럭거리며 흔들렸다.

"너는 네 목적을 달성하면 그만이고 나는 내 목적을 달성하면 그만이다. 처음부터 동의했던 것 아니었나?"

"그랬지."

"그때나 지금이나 내가 원하는 건 하나다. 네놈이 전쟁을 일으키

건, 재앙을 일으키건, 나는 내가 원하는 결말에만 도달하면 돼."

"나투국이 멸망하고, 홍준영이 내 손에 죽는 것 말이냐?"

"그래."

'뭐라고?'

두 사람의 대화에 윤조의 눈이 크게 뜨였다. 지금 이자들이, 무슨 대화를 주고받는 것인가. 경악한 그녀의 시선이 파이옌을 향했다. 파이옌은 그녀를 무시한 채 키얀을 노려볼 뿐이었다.

"누가 누굴 죽이는 걸 원한다고……?"

떨리는 윤조의 물음에 답한 건 파이옌이 아닌 키얀이었다.

"전쟁으로 멸망한 나투국에서 내 손에 홍준영이 죽는 것. 그것이 파이옌이 원하는 결말이고 가장 완벽한 죽음의 때다. 그는 그것을 위해 내게 자기 자신을 팔았고, 나를 위해 싸우다 죽겠노라 다짐했지. 안 그런가?"

"네놈도 원하는 일이지. 지금도 그 결심에는 변함없다. 그거면 우리의 거래는 충분한 거 아닌가?"

"나는 한 나라의 황제다. 내가 부리는 자가 내가 모르는 비밀을 적국의 무녀와 공유하고 있는데 그대를 어떻게 믿고 일을 맡기라는 거지?"

"그동안 억지로 나를 찍어 누르려 고문하면서도 느낀 점이 없어? 네게 충성을 맹세하지 않는 나를 꺾으려 죽기 직전까지 몰아붙이는데, 그러길 수년이 흘렀는데, 그럼에도 내가 왜 네 아래에서 네 명령을 따르고 있는지. 네 목에 칼을 꽂고, 배신하고, 복수하지 않는지."

"……."

"그만큼 간절하기 때문이다."

파이옌이 이를 갈며 입 안에 고여 있던 피를 뱉었다.

"나를 짐승처럼 길들이려는 네놈을 감내해서라도 반드시 그때를 봐야 하기 때문이라고."

거짓이 아니다. 흔들림 없는 파이옌의 두 눈과 그의 목소리를 들으면 알 수 있었다. 이 공간의 누구라도 그의 말이 거짓이 아닌 진심이라는 것을 깨달을 수 있을 정도로 드러난 그의 의지는 확고했다.

거칠게 옥사 안을 채우는 그의 숨결을 따라 피 냄새가 번졌다. 피의 황제라는 이명이 붙은 그 키얀마저도 조금 질린다는 듯이 파이옌을 바라봤다.

"홍준영을 그렇게 죽이고 싶어 하는 이유가 무엇이냐? 그가 너의 원수라도 되는 것이냐?"

"어떤 상상을 하건 네 자유다. 강조하지만 변하는 건 없어. 나는 너와 서국을 위해 싸울 거고 전쟁을 승리로 이끌 거다. 나투국은 멸망하고 홍준영은 네놈 손에 죽는다. 이변은 없어."

두 사람 사이에 짧은 침묵이 맴돌았다. 예리하게 날이 선 공기가 피부를 찌르는 것 같은 압박에 스안이 몸을 떨었다. 선연한 살기였다. 침묵하던 키얀이 날 선 기세를 죽이곤 입을 열었다.

"가끔은 내가 그들을 증오하는 것보다 네놈이 더하다는 생각이 든다. 말하지 않는 이유가 궁금하지만 그래, 네 말이 맞다. 딱히 중요치 않은 문제지. 네놈이 내게 숨긴 다른 비밀이 있다는 것도, 그 중 무언가를 무녀가 알고 있는 것도."

"그래, 그따위 건 중요한 게 아니야. 너와 내 목적이 바뀌지 않았다는 사실이 중요한 거지."

"모든 것이 바뀌지 않으리라 자신하나?"

키얀은 조금 전의 대화로 하얗게 질린 채 주먹 쥔 손을 바르르 떨고 있는 윤조를 가리켰다.

"내가 만약, 저 무녀의 설득에 넘어가 나투국과의 전쟁을 포기한다고 하면 그때 넌 어쩔 테냐?"

"그럴 리가 없잖아. 네놈이 그들을 용서한다고?"

파이옌은 키얀과 서국의 황후가 나투국에 어떤 모욕을 당했는지 알고 있었다. 그 분노는 쉽게 사라질 것이 아니었다.

"황후가 깨어났다. 저 무녀 덕분이지."

하지만 다음 순간 들려온 키얀의 대답에 흔들림 없던 파이옌의 표정에 균열이 갔다.

"무슨 소리야……?"

"무녀가 황후를 치료했다. 황후가 건강을 되찾았으니 내 결심도 바뀔 여지가 생긴 것 아닌가?"

"황후를 치료했다고……?"

믿을 수 없다는 그의 시선이 윤조를 향했다.

"너-!"

그가 거친 동작으로 몸을 흔들며 윤조에게 소리쳤다.

"너, 네가 무슨 짓을 한 건지 알기나 해-!!!"

그 원망 어린 외침에 창백하게 질려 있던 윤조가 정신을 차렸다. 꼭 움켜쥐었던 주먹을 폈다. 얼마나 힘주어 잡았던지 손안에서 싸한 고통이 느껴졌다.

"당신이 어떻게 날 비난해……?"

그를 걱정했다. 그가 죽을지도 모른다는 황자의 말에 그를 걱정했다. 그가 미워도 죽기를 바란 적은 없었다. 그로 인해 많은 것이 어그러졌어도 이상하게 그가 죽도록 밉지는 않았다. 살아가고 싶다는 그의 의지에 동질감을 느끼기도 했다. 세상에 홀로 남아 살아가기 위해 발버둥 치는 고통을 누구보다 잘 알기에, 그를 완전히 미워할 수가 없었다.

그래서 상처투성이로 감옥에 갇혀 있는 그의 모습에 걱정하고 분노했다. 동정이든, 연민이든, 혹은 도덕적인 이성의 판단이든, 고통에 피 흘리는 그의 모습에 가슴이 아팠다.

그런데 그가 원한 것이 사랑하는 내 연인의 죽음이었다. 처음의 처음부터, 이 세계로 와 서국 황제의 밑으로 들어갔던 그 순간부터, 살기 위해 짐승의 길을 걸은 그 순간부터 그가 원한 것은 내 연인의 죽음이었고, 내 조국의 완벽한 멸망이었다.

"당신이 무슨 자격으로, 네가 무슨 자격으로 나를 원망해……?"

이상하다고 생각했다. 살아남기 위해서라면 전쟁에서 먼 삶을 살아야 하는 것 아닌가? 살아서 원래의 세상으로 돌아가고 싶다면 전쟁을 일으키려는 서국 황제의 품에서 도망쳐야 하는 것 아닌가? 애초에 전쟁을 겪어 보지도, 사람을 죽인 적도 없는 민간인이 다른 세상에 떨어졌다고 그리 쉽게 천성이 바뀔 수 있는 걸까? 그 물음은 차오르는 분노와 함께 의심과 확신으로 바뀌었다.

파이옌은, 그는, 처음부터 그런 자였던 거다. 남의 불행이 아무렇지 않고, 남의 목숨을 짓밟아서라도 원하는 것을 얻어야 하는. 원하는 것을 얻기 위해서라면 잔혹한 황제의 밑에서 사람을 죽이기도 하고, 고문을 받으면서도 그를 이용하며, 장기 말로 사용할 수 있는.

"내가 물었지, 나람성을 나왔던 날. 대체 내게 무엇을 바라는 거냐고, 내게 무엇을 바라기에 이런 일을 당하게 하는 거냐고."

"신채영!"

"닥쳐. 그 이름으로 부르지 마. 그때 당신이 그랬어. 당신이 바라는 것이 무엇인지, 바랐던 것이 무엇인지 나는 모른다고. 나는 아무것도 모른다고."

윤조는 그날, 나람성을 나온 직후 자신의 원망 어린 물음에 답하던 파이옌의 말을 떠올렸다.

─너는 내가 바라는 것이, 바랐던 것이 무엇인지 몰라.

─너는 아무것도 몰라.

알 수 없는 표정으로 그렇게 답하던 그였다.

"내가 모른다는 게 이거였어? 처음부터 대장군님의 목숨을 노리고 나투국의 멸망을 노렸던 거야? 나를 전쟁의 빌미로 삼으려고? 그래서 내게 접근한 거였어?"

"그런 게 아니야!"

"아니긴 뭐가 아니야!!!"

심장이 제멋대로 날뛰는 기분이었다. 고함을 내지른 윤조가 숨을 몰아쉬었다.

"나는 당신이 억지로, 억지로 이런 일을 하는 줄 알았어. 서국의 황실과 내가 모르는 어떤 사정이 있어서, 그래서 당신이 어쩔 수 없이 그런 길을 걸어왔고 살아남기 위해 노력하는 줄 알았어. 적어도 나는 그렇게 믿었어! 바보같이, 원래 이런 사람인 줄도 모르고……."

배신감에 전신이 떨려 왔다.

"하."

배신감. 분노와 함께 전신을 뒤흔드는 건 배신감이었다. 그녀는 파이옌에게 배신감을 느끼는 자신에게 분노했다. 자신도 모르는 사이 그를 믿고 있었다는 것에, 그를 신뢰하고 있었다는 사실에 치가 떨렸다. 등 뒤에서 자신에게 비수를 꽂으려는 줄도 모르고!

"좋은 사람일지도 모른다고 생각했는데."

사람이 사람에게 배신감을 느끼는 건 그만큼 기대한 바가 있기 때문이라고 했다. 기대한 바가 있었기에 기대감에 충족하지 못하는 무언가를 발견했을 경우 실망과 배신감이 드는 거라고. 윤조는 자신을 탓했다. 이건 나의 잘못이다. 그에게 헛된 기대를 품었던 내 잘못이다. 그를 동정하고, 이해하고, 동질감을 느낀 내 잘못이다.

분노한 윤조를 바라보는 파이옌의 눈동자가 흔들렸다. 아니라고, 그런 게 아니라고 외치던 그는 그녀를 향해 무어라 말하려다 일그러진 얼굴로 이내 입을 다물었다. 제대로 된 변명조차 하지 않는 그의 모습이 윤조에게는 무언의 긍정으로 다가왔다.

"생각보다는 얕은 관계였던 모양이야."

두 사람을 지켜보던 키얀이 피식, 입매를 당겼다.

"내가 과민했군. 그저 툭 치면 무너질 모래성이었던 것을."

그는 거부당한 파이옌의 모습이 마음에 드는지 눈을 접어 웃었다.

"감히 나를 이용할 생각을 했으면 완벽한 내 패가 되어야지. 안 그런가?"

육체적으로나 정신적으로 상대를 압박해 옴짝달싹 못 하게 하는 건 키얀의 특기였다. 본디 어중간한 관계는 쉬이 부서지거나 적으로 돌아서기 마련이다. 그는 윤조를 향해 보였던 파이옌의 관심이 혹여 자신을 배신하고 나투국의 편으로 돌아서려 함인지를 우려했으나, 지금 보니 그런 것은 아닌 것 같았다. 오히려 파이옌은 그가 원하는 결말을 위해 무녀를 속였다. 키얀은 그렇게 판단했다. 배신이 아니면 됐다.

원하는 바를 확인한 키얀이 감옥으로 다가가 파이옌을 묶어 두었던 쇠사슬을 풀었다. 요란한 소리를 내며 바닥에 떨어진 쇠사슬을 보면서도 파이옌은 움직이지 않았다. 키얀은 그런 파이옌의 눈앞으로 약이 담긴 작은 주머니를 던졌다.

"선사가 보낸 단약이다. 먹도록."

"아바마마……."

"황자는 속히 궁으로 돌아가라."

"하오나."

"더는 듣지 않겠다."

단호한 키얀의 태도에 황자가 하는 수 없이 감옥을 나섰다. 황자가 계단을 다 올라 감옥에서 완전히 벗어났을 때쯤, 키얀이 품 안에서 검을 꺼내 들었다. 날카로운 곡도가 윤조의 목에 닿았다.

"그만 가지."

"……."

키얀의 부름에 윤조가 그의 뒤를 따라 파이옌을 지나쳤다. 뒤에서 시선이 느껴졌으나 그녀는 돌아보지 않았다.

지상으로 향하는 나선형의 계단을 오르는 동안 무거운 침묵이 맴돌았다. 그 침묵을 깬 건 윤조였다.

"아까 그 말, 진심이신가요?"

"어떤?"

"전쟁을 포기할 수도 있다고 하셨던 거요. 진심이신가요?"

키얀이 걸음을 멈추고 그녀를 바라봤다. 그의 검은 여전히 윤조의 목을 향한 채였다.

"왜? 없던 희망이라도 생겼나?"

"제가 잘못 느낀 게 아니라면, 뜻 없이 하신 말씀은 아닌 것 같아서요."

서로가 피를 보지 않고 이 사태를 원만하게 해결할 수 있는 방법은 키얀이 전쟁에 대한 마음을 접는 것뿐이다. 그렇기에 윤조는 부디 그의 말이 진심이길, 황후의 치료로 굳어 있던 그의 마음이 바뀌었기를 바랐다.

키얀은 올곧은 시선으로 자신을 응시하는 그녀의 금빛 눈동자를 마주했다. 어둠 속에서도 빛을 잃지 않는 기이한 눈빛이다. 그는 그런 그녀의 눈빛이 썩 싫지 않았다. 속내를 떠보며 계산하기보다는 올곧게 자기 의지를 밝히는, 과거의 자신을 떠올리게 하는 그녀의 태도가 싫지 않았다. 무수한 암투와 정치적인 위선 속에 닳고 닳아진 자신의 어렸던 신념을 보는 것 같았다. 시간이 지나면 그녀도 자신처럼 변할까? 시간이 지나면 저 올곧은 눈동자도 빛을 잃고 탁해질까?

마치 변한 그 자신을 나무라는 것 같은 시선에 불쾌하고 갑갑한 기분이 들면서도, 그는 자신을 그런 눈빛으로 마주하고 대화를 나눌 수 있는 상대가 아직 이 세상에 남아 있다는 사실에 조금은 안도했다. 아직 이 세상이 완전히 썩어 버린 것 같지는 않아서. 어쩌면 없던 희망을 찾은 것은 그녀가 아니라 자신인지도 몰랐다. 사랑하는 황후를 다시 살아가게 해 준 것만으로도.

하지만 어린 무녀가 모르는 사실이 있었다. 한 나라를 이끄는 황제에게 목숨을 건 투쟁보다도 더 어려운 것이 바로 평화를 위한 타협이라는 것을.

"나투국 황실에서 징집령을 내렸다. 그들의 군대가 모이고 있지."

이제 막 알게 된 사실에 윤조의 낯빛이 바뀌었다. 키얀은 시선을 돌려 지하 감옥의 까마득한 어둠을 바라봤다.

"당하기 전에 먼저 공격하자는 나투국 신료들의 주장도 거세지고 있다."

"그러니 더 늦기 전에 폐하께서 밝혀 주세요, 전쟁을 하지 않겠다고. 서국은 나투국과 싸울 마음이 없다고. 폐하의 그 한마디면 이 전쟁을 막을 수 있습니다!"

"정말 그렇게 생각하느냐?"

"예. 전쟁을 일으킬 의사가 없다고 밝히면 분명 막을 수 있을 겁니다. 저를 납치했던 것도 황후마마를 살리기 위함이었다고, 급박한 상황에 나라 간의 이해가 통하지 않아 벌인 어쩔 수 없는 일이었다고. 결코 위해를 가하려던 게 아니었다고요. 저도 나서겠습니다. 폐하께서 전쟁을 하지 않겠다고 해 주신다면 저도 나서서 돕겠습니다."

"그대의 이상은 세상이 추구하는 이상과 다를 것이다."

왜인지 모르게 안타까움이 느껴지는 음성이었다.

"서국의 세작이 나투국의 수도에서 날뛰었다. 서국의 장수가 나투국의 수비대의 목숨을 앗았다. 또한 한 무녀를 죽이려 했으며, 대장군 홍준영의 목숨도 노렸다. 그들을 수도 안으로 들인 배후는 나투국의 3대 가문이라 불리는 문씨 가문의 수장이자 황실 서고를 지키는 비서랑인 문상겸이었다."

"그게 무슨…….."

문씨 가문의 수장이자 비서랑이라면 혜린 무녀의 아버지인 문 비서랑을 말함이었다. 문 비서랑이 서국과 손을 잡고 세작과 파이옌을 끌어들인 배후였단 말인가? 경악으로 물드는 윤조의 모습에도 아랑곳없이 키얀은 계속해서 설명을 이어 갔다.

"목숨이 극에 달한 서국의 황제가 눈이 뒤집혀 나투국의 황실을 습격했다. 황제를 위협하고 마침 혼례 중이던 대장군 홍준영을 습격해 그의 반려가 된 무녀를 납치했다. 혼례에 참석한 나투국의 황제와 문무백관, 죄 없는 백성들을 인질로 삼고, 나투국의 성문을 공격해 반파했다. 무자비한 서국 전사들의 손에 성벽을 지키던 열이 넘는 병사가 목숨을 잃었다. 사건에 경악한 나투국의 황제가 대승상과 함께 직접 추국을 열어 서국과 내통한 배후를 잡으려 했으나, 비서랑 문상겸은 목을 매 자살한 채 발견되었다. 그를 보좌하던 수행 비서랑이 입을 열어 그의 죄를 낱낱이 고하자 그의 가문이 역적으로 몰리고, 황실의 외척이었던 그의 가문이 역적으로 몰리자 나투국의 황후 역시 사건에 연루된 것은 아니냐는 비난이 들끓었다. 나투국 황실이 반으로 갈려 흔들리기 시작했다."

이미 지나간 일처럼 이야기하고 있으나 그가 말하는 모든 것은 윤조는 미처 알지 못했던 현실이었다.

"또 납치된 무녀를 구출하려던 추격대가 이미 서국의 손에 넘어간 나람성에서 아군과 전투를 벌였고, 무녀는 그만 서국의 손으로 넘어가고 말았다. 그리고 그 무녀가 악랄한 서국 황제를 치료하는 건 시간문제다. 그러니 먼저 군대를 움직여 그를 쳐야한다. 들으면서 뭔가 느껴지는 것이 없느냐?"

키얀이 웃으며 그녀를 바라봤다.

"왜 서국이 계속해서 나투국에게 서국을 공격할 명분을 주었는지."

웃고 있는 그의 모습에 등골이 서늘했다. 누군가 망치로 뒤통수를 친 것같이 정신을 차릴 수가 없었다.

"애초에 전쟁을 멈출 수 없게 하려고……?"

누가 먼저 전쟁을 일으키고 말고는 중요한 게 아니었다. 처음부터 이 모든 일을 시작하면서 그는 알고 있던 것이다. 어떤 방향으로든 이미 흘러와 버린 시간을, 사건을 되돌릴 수 없듯이 이 전쟁은 멈출 수 없다는 것을.

"어린 무녀야, 네가 짐작하기 더 오래전부터 전쟁은 이미 시작된 거나 다름없단다. 내가 이제 와 전쟁을 포기한다고 해도 이미 명분을 얻은 저들이 순순히 내 말을 들어줄지는 모르는 일이지."

"그래도, 그래도 노력은 해 볼 수 있잖아요. 사람들이 죽을 거예요. 죄 없는 사람들이, 수백 수천의 사람이 죽을 거라고요."

"설령, 전쟁이 무마된다 해도 누군가는 죽어야 한다. 이미 서국을 공격할 명분을 얻은 그들이 순순히 물러날 것 같으냐? 이런 좋은 기회를? 과거처럼 다시 서국은 나투국의 발아래에 엎드려 그들의 황실을 배불리고, 서국의 백성들은 그들의 병사로 전장에 보내져 피를 흘리겠지. 후환이 두려운 그들은 기회를 봐서 나를 죽이고, 황후를 죽이고, 황자를 죽일 거다. 그 뒤에는 평화가 찾아올지도 모르지. 그대가 원하는 그런 이상적인 평화는 아니겠지만."

잠깐 사이 알게 된 수많은 정보에 윤조의 눈이 혼란으로 물들었다. 머리가 복잡한 와중에도 그녀는 자신에게 일련의 사건을 설명하던 키얀의 모습을 곱씹었다. 이야기를 듣는 내내 알 수 없는 이

질감이 들었던 것이다.

기민하게 신경을 곤두세우지 않으면 지나쳐 버릴 만한 그 이질감은, 바로 그가 일련의 사건들을 마치 명확한 답이 적힌 종이를 보고 읽는 것처럼 이야기했다는 점이었다. 그리고 또 다른 한 가지는, 그는 문 비서랑의 죽음을 이야기하며 조금의 감정도 보이지 않았다. 마치 처음부터 그를 죽은 자로 취급한 것처럼.

'이 전쟁을 멈출 생각 없이 시작한 자가 자신과 가장 긴밀하게 손잡은 배후의 죽음을 당연하다는 듯이 이야기한다? 그것도 스스로 적국의 무녀라 칭한 내 앞에서 그 정체를 밝히면서까지?'

그는 자신이 손안에 쥔 패를 자신이 원하는 대로 움직이고 휘둘러야 직성이 풀리는 자였다. 파이엔에게 한 짓만 보아도 그의 지배욕과 소유욕이 병적인 수준이라는 것을 알 수 있었다.

"전부 계획됐던 거였어……."

무언가를 깨달은 윤조가 바싹 마른 입술을 움직였다.

"전부 다. 방금 말한 그 모든 사건, 전부. 그렇게 흘러갈 것을 이미 다 알고 있었던 거였어. 문 비서랑의 자살도 자살이 아니라 사실 다 계획된……. 누굽니까? 대체 누가 당신과 손을 잡고 이런 일을 벌인 겁니까!"

흥분해서 외치는 윤조의 움직임에 날카로운 칼날이 그녀의 목을 스쳤다. 붉게 베인 상처 아래로 피가 흘렀다. 미간을 좁히던 키얀이 검을 거두며 냉정히 답했다.

"그것까지 알았다면 이제 상황 파악은 다 되었겠구나. 내가 멈춰도, 그가 멈추지 않으리란 것을."

옥사 밖으로 나온 키얀은 대기하던 병사들에게 윤조를 넘겼다.

황자가 수르암에서 일으킨 소란이 황후의 귀에도 들어갔는지 궁인들과 함께 걸음 한 그녀의 표정이 걱정으로 가득했다.

"폐하, 어떻게 된 일입니까? 황자는요? 윤조 무녀는 괜찮은 것입니까?"

"황자는 돌려보냈소."

"녀석, 어쩌자고 이런 짓을. 신첩이 따끔하게 혼을 내겠습니다. 폐하께서는 괜찮으십니까?"

"괜찮네."

"의원들이 절대 무리해서 움직이면 안 된다고 했습니다."

몸 상태가 정상이 아님에도 무리해서 움직이는 그를 염려하던 황후의 시선이 병사들에게 끌려가는 윤조에게 닿았다.

"잠깐, 목에서 피가 나지 않습니까! 어쩌다 이런 겁니까?"

병사들을 멈추고 윤조의 목을 살핀 그녀가 인상을 찌푸렸다. 그러고는 키얀을 향해 물었다.

"어찌 된 일입니까?"

"……."

"누가 무녀의 목에 이런 상처를 낸 겁니까? 황자인 겁니까? 스안이 이런 짓을 한 겁니까?"

범인이 누구인지 다 알면서도 황자가 그런 것이냐며 화를 내는 그녀의 모습에 키얀은 말없이 입을 다물었다. 내색하지 않아도 그가 곤란해하고 있다는 것을 안 황후가 흥, 콧방귀를 뀌며 윤조의 목에 자신의 손을 가져다 대었다.

"마마! 옥체에 피가 묻사옵니다!"

"괜찮네. 나를 치료한 무녀가 아닌가."

황후는 그녀를 말리는 궁인들을 물러나게 하고 신력을 이용해 윤조의 상처를 치료했다.

"목숨을 구한 은혜를 입고도 이렇게밖에 돕지 못해 미안합니다."

귓가에 작게 속삭이는 황후의 말에 윤조가 고개를 들어 그녀를 바라봤다. 이 절망 속에서 누구라도 붙잡아야 했다. 무엇이라도 붙잡아야 했다.

"도와주세요."

"……."

"제발."

간절한 목소리에 목에 닿은 황후의 손이 작게 떨리는 것이 느껴졌다. 치료를 마친 황후가 창백한 윤조의 뺨을 가만히 쓸어 주다 이내 물러났다.

'만나러 갈게요.'

머물렀던 온기가 따스했다. 키얀과 함께 멀어지는 그녀의 뒷모습을 바라보며 윤조는 말없이 고개를 숙였다. 표현할 수 없는 마음을 그렇게밖에는 전할 길이 없었다.

황후가 수르암에 있는 윤조를 찾은 것은 밤이 깊은 시각이었다. 황후는 함께 온 궁인 두 사람을 방 밖에 세워 망을 보게 하고 윤조와 독대했다.

"정말로 와 주실 줄은 몰랐어요……."

"이래 봬도 하겠다고 마음먹으면 하는 사람이랍니다."

황후가 손을 뻗어 하루 새 얼굴이 까칠해진 윤조의 뺨을 쓰다듬었다.

"많이 괴롭죠. 많이 힘들죠."

나투국을 떠나 지금까지 누구도 그렇게 말해 주는 이가 없었기에 홀로 감당해야 했던 감정이었다. 꾹꾹 눌러 담은 그 감정을 애써 참으려는 윤조의 모습에 황후가 괜찮다며 그녀를 다독였다.

"내가 키얀을 따라 나투국을 떠나 서국으로 왔을 때, 그때가 딱 윤조 무녀 나이였어요. 사랑하는 이와 함께할 수 있어 기뻤지만 한편으로는 무섭고, 힘들었죠. 처음 보는 낯선 곳에서 낯선 사람들에게 둘러싸여 시선을 받는 일이 그렇게 힘들 줄 미처 몰랐거든요."

과거를 더듬는 그녀의 시선이 먼 허공을 향했다.

"높은 자리에 있는 그의 곁에 서기 위해, 함께하기 위해 그저 사랑만으로는 극복할 수 없는 괴로움도 있구나, 느꼈던 때도 있었어요. 때로는 이유도 없이 사람들의 비난을 받아야 했고, 원치 않는 일도 해야 했고, 불의를 보고도 눈감아야 했죠. 비겁하게 들릴지 몰라도 그래야 했어요, 나는. 나를 죽이며 살아야 했죠. 그래도 버틸 수 있었던 건 내가 사랑하는 사람이 적어도 그런 불의에 맞서 싸울 수 있는 사람이었고, 실제로도 그는 그렇게 했기에 믿을 수 있었어요. 내 사랑이 틀리지 않았다고, 내가 선택한 이 길이 옳다고 믿으며 살아갈 수 있었으니까요. 그런데 눈을 떠 보니 그가 변했어요."

황후의 얼굴이 슬픔으로 일그러졌다.

"내가 잠든 동안 일어났던 이야기를 들었어요. 나로 인해 키얀이 힘들었던 것도, 7년 전쟁이 일어났던 것도, 지금 나투국과의 상황도 전부."

윤조는 그녀가 죄책감에 괴로워하고 있음을 알 수 있었다.

"다 나 때문이잖아요. 내가 그런 병에 걸려서, 내가 쓰러지지만 않앉어도, 내가 그를 곤란하게 만들지만 않았어도 이렇게까지……."

참았던 눈물을 보이는 황후의 손을 윤조가 조심스럽게 감쌌다.

"마마의 잘못이 아니에요. 아픈 사람의 목숨을 빌미로 이용한 사람들이 잘못한 거예요."

"변해 버린 키얀의 모습이 너무 낯설어요. 그가 그렇게 된 이유가 나라서 마음이 아파요. 그러니 이제라도 되돌리고 싶어요. 내가 알던 어질고 다정했던 그의 모습을 되찾아 주고 싶어요. 나도 그대처럼 이 전쟁을 멈추고 싶어요."

"방법을 찾아야 해요. 마마가 깨어나시고 폐하의 심경에 조금이라도 변화가 있다면, 희망이 있다고 전 믿어요. 폐하께서는 이미 늦었다고 하지만, 아니요. 아직 늦지 않았어요. 아직은 늦지 않았어요."

"내가 어떻게 하면 되나요? 무엇을 도우면 되죠?"

"폐하께서 그러셨어요. 자신이 전쟁을 포기한다 해도 결코 포기하지 않을 사람이 있다고. 그자가 누구인지 찾아야 해요. 폐하와 이번 사건을 계획한 자가 누구인지, 나투국 어디에 숨어 있는지."

"혹, 짐작 가는 인물이 있나요?"

윤조가 다급히 말을 이었다.

"14년 전에, 나투국을 떠나 서국으로 오셨을 때 기억하세요? 그때 추적을 받았었다고 들었어요."

"맞아요. 그랬어요. 정식 무녀가 되어 신력이 등록되면 나투국 내에서는 추적이 가능하니까요."

"그때 추적을 피하는 데 도움을 준 사람이 있다고 들었는데 누구인지 아시나요?"

윤조의 말에 황후가 놀란 눈으로 입을 벌렸다.

"설마. 하지만 그럴 리가, 그분이 왜⋯⋯."

그럴 리가 없다며 혼란스러워하던 황후가 윤조를 보며 말했다.

"14년 전 우리에게 도움을 주었던 사람은 묘길 무녀장입니다."

<hr/>

같은 시각, 나투국 황제의 집무실에서 황후와 대승상에 대한 각종 상소문을 확인 중이던 온 황제는 묘길의 방문에 반가워하며 그녀를 맞이했다.

"무녀장 묘길, 폐하를 뵙습니다."

"오, 무녀장이 아닌가. 그대가 늦은 시각에 어인 일인가?"

"무녀들에게 요즘 폐하께서 쉬이 잠에 들지 못하신다고 들었습니다."

"내가 걱정을 끼쳤군."

"폐하의 건강을 책임지는 게 제 일이잖습니까. 불편한 곳이 있다면 숨김없이 알려 주세요."

"그리하리다."

묘길이 온 황제의 곁으로 다가와 그를 살피며 물었다.

"많이 고단하시죠."

"시국이 시국이지 않나, 골치 아플 수밖에."

"실은 오늘 오후에 최씨 가문을 찾아갔었습니다. 대승상의 여식인 무녀 나래가 많이 아프다는 소식을 들어서요."

"그랬군. 그 아이는 괜찮은가?"

"치료를 하고 왔습니다. 다행히 나올 때는 한결 나아진 모습이었어요. 열도 내렸으니 식사만 잘 한다면 곧 기운을 차릴 겁니다."

"제 아비가 그리 되었는데 기운이 나겠나……."

온 황제가 대승상을 떠올리며 깊은 시름을 내비쳤다.

"아직도 믿어지지가 않아. 대승상이 역모를 꾸몄다니? 자네는 믿어지는가?"

"세상에 둘도 없는 충신입니다. 저도 믿기지 않습니다."

"나 역시 같은 생각이네. 하지만 상황이 좋지 않아."

황제가 탁자 위에 가득한 상소문을 가리켰다.

"대승상을 참수하고 최씨 가문을 수도 밖으로 쫓아내야 한다는 상소문들이네."

"아직 명확히 밝혀진 사실도 아니잖습니까?"

"대장군이 나선 일이 아닌가. 확신이 없다면 그리할 수 있었겠나."

"하지만 폐하께서는 아니라고 생각하시지 않습니까. 지금 대승상에게 그보다 힘이 되는 일은 없을 겁니다."

"벌써 며칠째 지하 감옥에 갇혀 있는데 별고는 없는지, 찾아갔다가 괜한 반발이 나올까 그러지도 못하고 있네."

황제의 걱정에 잠시 그를 지켜보던 묘길이 조심스럽게 입을 열었다.

"허락하신다면, 제가 가서 살펴볼까요? 저라면 정치와 무관한 무녀의 신분이니 별다른 반발은 없을 겁니다."

"그리해 주겠나?"

"예, 그리하겠습니다."

"고맙네. 자네가 있어서 참 다행이야."

"그리 말씀해 주시니 황공합니다. 신력으로 피로를 덜어 드릴 터

이니 오늘은 이만 편히 쉬십시오."

"알겠네."

신력으로 황제의 피로를 거두고 물러 나온 묘길은 홀로 복도를 걸었다. 일렁이는 등불이 그녀의 모습을 비추었다. 궁을 나선 그녀가 곧장 향한 곳은 최 승상이 갇혀 있는 옥사였다. 옥사의 입구를 지키던 병사들이 그녀를 보고 고개를 조아렸다.

"무녀장님을 뵙습니다."

"대승상을 만나러 왔네."

"무슨 용무십니까?"

"대승상의 여식인 나래 무녀에 관한 일일세. 잠시면 되네."

대승상의 딸이 쓰러져 크게 앓고 있다는 소식은 이미 수도 안에 알려질 대로 알려진 사실이었다. 혹 그녀의 신변에 무슨 문제라도 생긴 게 아닐까, 고민하던 병사들이 길을 열었다.

"혼자는 못 가십니다. 저희와 함께 가셔야 하는데 괜찮겠습니까?"

"괜찮네. 안내해 주게."

두 명의 병사들이 앞뒤로 그녀를 감시하며 최 승상이 있는 지하 감옥으로 향했다.

"대승상."

조용한 그녀의 부름에 감옥 안에 있던 최 승상이 조금 놀란 눈을 했다.

"무녀장이 여긴 어떻게?"

"폐하의 명으로 왔습니다. 폐하께서 시름이 깊으십니다. 어디 상하신 곳은 없으십니까? 감옥에 있을 대승상이 걱정된다 하여 저를 보내셨습니다."

"그런가, 폐하께서……."

묘길의 말에 최 승상은 불충을 저지른 것과 다름없는 자신의 행동을 자책했다. 그러면서도 한편으로는 폐하의 말을 전하기 위해 자신을 찾아온 이가 다른 사람이 아닌 묘길이라는 것에 안심했다. 적어도 그녀는 이 황궁 내에서 유일하게 정치적인 싸움을 벌이거나, 휘말릴 일이 없는 사람이었으니까.

"폐하께 근심을 드려 송구스러울 뿐이네."

"대승상의 처우를 놓고 상소문이 빗발치고 있습니다. 어떻게 된 일입니까? 정말 대승상께서 역모에 가담하신 겁니까? 저는 도무지 믿기지가 않습니다."

"그대가 믿건 믿지 않건 눈에 보이는 대로일세."

"폐하께서도 저와 같은 생각이십니다. 정녕, 정녕 폐하를 등지신 겁니까?"

"무녀장, 더는 나를 곤란하게 하지 말게."

"오늘 대승상의 사가에 다녀왔습니다. 나래 무녀의 상태가 좋지 않다는 이야기를 들어서요."

앞선 이야기에도 흔들림 없던 그의 표정이 딸의 이야기에 크게 바뀌었다.

"나래에게 무슨 일이 생긴 건가? 그 아이는 괜찮은 건가?"

"처음 봤을 때는 열도 심하고 상태가 좋지 않았습니다. 치료한 뒤에는 한결 나아졌어요."

"고맙네. 다행이군. 정말 다행이야."

"열이 올라 앓으면서도 아버지를 찾더이다. 아버지께서 그러실 리 없다고, 그러실 분이 아니라고……."

아픈 나래의 모습이 눈앞에 그려지는 것 같았다. 최 승상이 착잡한 심경을 감추지 못하고 긴 숨을 내쉬었다.

"그 아이에게 죄스러울 뿐이네."

"혹, 말 못 할 사연이 있는 거라면 폐하께만이라도 알리세요. 폐하께서는 대승상을 믿고 계십니다."

"미안하네, 무녀장. 하지만 어쩔 수 없는 일이야."

최 승상의 말에 묘길의 안색이 변했다.

"어쩔 수 없는 일이라니요? 무슨 뜻입니까?"

최 승상은 더는 대답하지 않고 입을 다물었다. 묘길이 자신과의 대화를 모두 폐하께 전한다면 이 정도의 말로도 폐하께는 충분하리라고 여겼기 때문이었다.

그때 옥사를 향해 다가오는 누군가의 발소리가 들렸다. 두 사람의 시선이 동시에 소리가 들려오는 곳을 향했다. 어두운 복도에서 곧 모습을 드러낸 사람은 길림이었다. 준영의 명으로 최 승상을 만나러 왔던 그는 감옥 앞에 서 있는 묘길을 발견하고 의아한 눈을 했다.

"무녀장님께서 여긴 어떻게?"

"길림 부관, 오랜만에 뵙습니다."

"아, 죄송합니다. 무녀장님을 뵙습니다."

"괜찮습니다. 당황할 만도 하지요. 저도 대승상을 만나기 위해 지하 감옥에 와야 할 일이 생길 줄은 꿈에도 몰랐답니다."

길림의 등장에 묘길을 감시하고 있던 병사들이 뒤로 물러났다.

"이곳은 내가 있을 테니 너희는 입구를 지켜라."

"예."

멀어지는 병사들을 바라보던 묘길이 길림에게 물었다.

"그런데 이 시각에 길림 부관이 감옥에는 무슨 일로……?"

그녀는 영문을 모르겠다는 얼굴로 길림과 최 승상을 번갈아 살폈다.

"대장군께서 이런 시각까지 부관에게 대승상을 감시하라 명한 건가요? 정말 너무합니다!"

불편한 심기를 드러내며 어떻게 도의적으로 그럴 수 있느냐 따지는 그녀의 모습에 길림이 당황하며 최 승상을 바라봤다. 여기에서 대장군의 명으로 최 승상에게 이야기를 전하러 왔다고 순순히 대답했다가는 준영과 최 승상이 함께 일을 도모하고 있다는 사실이 드러날 것이다. 그런 길림을 바라보던 최 승상이 짐짓 화가 난 음성으로 그를 꾸짖었다.

"이렇게까지 하는 이유가 뭔가! 나를 추국하려거든 제대로 된 증좌를 가져와야 할 것이라고 했을 텐데! 더는 말할 게 없다고 하지 않았나─!"

"대승상, 저는……."

"꼴도 보기 싫으니 썩 돌아가게! 내 입을 열고 싶거든 대장군이 직접 증좌를 가져와야 할 것이야!"

"대화는 무리겠군요. 가서 그리 전하겠습니다."

길림은 하는 수 없이 발걸음을 돌리는 척 불편한 상황을 벗어났다. 묘길은 가볍게 묵례를 마치고 왔던 길을 다시 돌아가는 길림의 뒷모습을 바라봤다.

"무녀장도 이만 가 보는 게 좋겠습니다. 피곤하군요."

"아, 그러실 테죠. 제가 신력으로 피로를 덜어 드려도 될까요?"

"괜찮습니다. 괜히 저와 접촉했다가 어떤 말이 돌지 모르니 이만

가시는 게 좋겠습니다."

"알겠습니다. 몸조심하십시오."

묘길이 감옥을 나서고, 다시 고요해진 옥사 저편을 향해 최 승상이 입을 열었다.

"길림, 아직 거기 있나?"

"예."

복도의 어둠을 엄폐 삼아 빈 옥사 안에 숨어 있던 길림이 최 승상에게 다가왔다.

"어떻게 된 일입니까?"

"폐하께서 보내셨다는군. 무녀장을 보내는 게 가장 안전하다고 판단하신 것 같네. 무녀는 파벌과 무관한 존재니 후에 알려진다고 해도 문제가 되지 않을 테지. 그래도 혹시 모르니 무녀장을 주시하게."

"예. 안 그래도 매복 중인 부하들에게 뒤를 밟게 했습니다."

"대장군에게 전해 진짜 폐하께서 보낸 것인지도 확인해야 할 걸세."

"예."

"그래, 나를 찾아온 용건은?"

"윤조 님이 서신을 보냈습니다."

"정말인가?"

"예. 윤조 님이 길들인 황실의 매가 있는데 녀석이 혼례식에서 윤조 님이 납치되던 순간부터 그 뒤를 따라갔던 모양입니다. 돌아온 매의 다리에 서신이 묶여 있었습니다."

"내용은?"

"처음 서신의 내용은 서국 황제의 치료까지 3일의 시간을 벌었다는 내용이었고, 수르암에 구금된 상태라고 했습니다. 대장군님께서 서국의 정보원들에게 탈출을 돕겠다는 답장을 보내셨고, 이번에 다시 답장이 왔습니다."

"3일의 시간을 벌었다? 그럼 아직 서국 황제가 몸을 회복한 상태는 아니란 뜻이군."

"예. 그리고 내일이 3일째 되는 날이라고 합니다. 서국의 황제는 자신을 치료하는 것보다 먼저 황후를 치료하게 했고, 서국의 황후가 건강을 되찾아 내일 축하연을 연다고 적혀 있었습니다."

"서국의 황후가……."

7년 전쟁의 발단이 된 그녀의 사건을 최 승상이 모를 리 없었다. 나투국은 죄 없는 그녀의 목숨을 빌미로 서국을 지배하려 했다. 작금의 사태는 모두 그날 불의로 가득 찼던 그 잘못된 선택에서부터 비롯된 것인지도 모른다.

그녀가 깨어났다는 소식에 그는 앞으로 불리하게 돌아갈 외교와 정치적 상황을 계산적으로 판단하면서도, 마음 한편으로는 안도했다. 처음부터 그런 고통을 받지 않아도 될 여인이었다.

"또 다른 내용은 없었나?"

"서국의 황제와 내통한 배후가 14년 전에도 서국 황제를 도운 적이 있던 자인 것 같다고 했습니다. 서국의 황제에게 '선사'라고 불리는 자인데, 그자가 나투국 황실에서만 사용하는 선단을 서국 황제에게 보내 주고 있다고 합니다."

"선단을 서국의 황제에게? 잠깐, 14년 전이라면……."

"아는 바가 있으십니까?"

"14년 전이라면 서국의 황제가 황자였던 시절 사절단으로 와, 나투국의 무녀였던 그의 황후를 데리고 서국으로 도피했을 때다. 그럼 그때 그를 도왔던 자가 지금까지 그와 손을 잡고 있단 말인가?"

"그 일이라면 저도 어렸을 때 들은 기억이 있습니다. 신력을 추적해 추격대를 보냈지만 실패했다고요."

"신력의 추적은 이 제국 안에서만 가능하지. 국경을 넘으면 추적은 불가능하네. 하지만 그들은 수도를 벗어난 직후부터 추적이 불가능했어."

"추적이 불가능했다니요?"

"감찰 무녀들이 신력을 추적했지만 신호가 사라졌다고 했네. 마치 증발되어 버린 것처럼 말이야."

"그런 일이 가능한 겁니까?"

"불가능한 일이지. 무녀의 몸 안에 있던 신력이 어느 순간 갑자기 사라져 버린 게 아니고서야. 그래서 황실은 그녀가 죽었을 거라 여겼네. 도피 중 어떤 사건이 일어나 그녀가 비명횡사한 게 아닐까 하고."

"그런데 그게 아니었던 거군요."

"그래. 그 두 사람은 무사히 국경을 넘어 서국에 도착했지. 심지어 서국의 황후가 된 그 무녀는 여전히 신력을 사용할 수 있는 상태였어."

"감찰 무녀들이 뭔가를 착각했던 건 아니었습니까?"

"아니었네. 그들 외에도 신력을 추적할 수 있는 황궁 안의 모든 무녀들이 나서서 그들을 찾으려 했지만 신력의 신호를 전혀 찾아내지 못했어."

"단 한 명도 없었단 말입니까?"

"그래, 무녀장조차도 그들을 찾을 수 없다고 했……."

최 승상이 말을 하다 말고 입을 다물었다. 그는 당시의 일을 떠올렸다. 황궁 안의 모든 무녀들이 혼란에 빠져 있던 그때를.

떠올려 보면 처음 사건이 터지고 감찰 무녀들이 그들을 추적할 때 무녀장은 그 자리에 있지 않았다. 어느 순간 사라져 버린 신력의 신호에 감찰 무녀들은 당황했고, 그들을 지켜보던 신료들이 황궁 안의 무녀들을 하나둘씩 불러왔다. 최 승상은 열린 문밖에서 하나둘 벽록서 안으로 들어오던 무녀들의 모습을 떠올렸다. 하나, 둘, 셋, 넷…… 서른하나, 서른둘…… 쉰셋, 쉰넷…….

벽록서 안에 50여 명이 넘는 무녀가 불려와 추적을 시도하는 동안 걸렸던 시간은 한 식경이 조금 넘어가던 시간. 무녀장이 나타난 것은 맨 마지막이었다.

—죄송합니다. 저도 그들의 행방을 알 수 없습니다.

모든 무녀들이 당황하여 아우성치던 때, 그녀는 그렇게 말했다. 다른 무녀들이 그러하듯 자신도 그들의 행방을 알 수 없다고.

최 승상이 길림을 바라봤다.

"무녀의 일은 같은 무녀밖에 증명할 길이 없지. 무녀가 아닌 자들은 신력을 다루지도, 그 이치를 깨우칠 수도 없으니까. 무녀들이 하는 말을 그저 믿는 수밖에 없어. 만약 그날 그 자리에 있던 누군가가 거짓말을 했던 것이라면?"

"거짓말을요? 하지만 무녀장님도 계셨을 텐데 그랬다간 금방 탄로 나지 않았겠습니까?"

자연스럽게 의문을 던지던 길림이 그 속에 숨은 함정을 깨닫고 입을 벌렸다.

"만약 무녀장님이 거짓말을 했던 거라면……."

"누구도 알 길이 없지."

14년 전 서국의 황제를 도왔던 자가 무녀장이고, 지금도 첩자 노릇을 하는 것이라면?

그녀는 황궁 안에서 누구보다 정세가 돌아가는 과정을 빠르게 파악했을 것이며, 황제를 포함해 모든 문무백관들의 자취를 자리에 앉아 낱낱이 살필 수 있었을 것이다. 거기다 무녀라는 논외적인 절대선의 지위로 모든 귀족 파벌의 시선도 피할 수 있었을 터. 정치적인 명분도, 귀족 파벌에 속한 것도 아닌 그녀가 역모를 도모했다고는 누구라도 의심하기 어려울 것이다.

짧은 순간 두 사람은 시선을 교환했다. 빨리 이 사실을 준영에게 알려야 했다.

"당장 전하겠습니다."

길림이 급히 몸을 틀어 옥사를 벗어나려던 때였다. 돌연 그의 앞에 나타난 하얀 여인의 얼굴이 그를 향해 미소 지었다.

"어딜 그리 급히 가시나요?"

순식간에 길림의 팔을 붙잡은 그녀의 손에서 엄청난 양의 신력이 방출됐다. 그 힘에 밀려난 공기가 바람이 되어 사방으로 흩어졌다.

"길림 부관-!"

눈 깜짝할 사이에 일어난 일이었다. 바닥으로 쓰러지는 길림의 모습에 최 승상이 비명처럼 그의 이름을 불렀다.

"부관! 일어나게! 길림 부관!!!"

"한동안은 일어나지 못할 겁니다."

"자네!!!"

어두운 복도에서 모습을 드러낸 묘길이 그를 향해 미소 지었다.

"제가 돌아간 뒤 두 분이서 어떤 재미있는 이야기를 하실까 궁금해서 다시 돌아왔답니다."

"경비!!! 밖에 아무도 없느냐! 여봐라-!!!"

"아무도 오지 않을 겁니다."

"뭐라?"

"오지 못할 테니까요."

그녀가 어깨 아래로 흘러내린 하얀 머리카락을 쓸어 넘기며 무감하게 말했다.

"매복했던 병사들도, 문 앞의 경비들도 모두 죽었습니다."

"죽었다고……?"

"예, 모두 죽였습니다. 제가."

그녀의 보랏빛 눈동자가 경악으로 흔들리는 최 승상의 검은 눈동자를 응시했다.

"어떻게 이런 일을 했는지 믿을 수 없다는 눈이네요. 하긴, 대승상께서는 신력으로 사람을 치료할 수 있다는 것밖에 모르실 테죠. 그런데 반대로 죽일 수도 있답니다."

"어떻게, 그대가 어떻게……."

"충격이 큰가 봅니다. 천하의 대승상께서 말을 다 더듬으시고."

"무슨 생각으로! 대체 무슨 생각으로 이런 일을 벌이는 건가-!"

"생각?"

묘길이 이상하다는 투로 그를 지적했다.

"생각만으로는 이런 일을 벌일 수 없지요. 이게 어디 생각만으로 되는 일인가요?"

"자네 미친 건가? 머리가 어떻게 되기라도 한 거냐 말일세!"

"예."

"뭐……?"

묘길이 감옥의 창살에 매달려 있는 최 승상을 향해 다가가며 눈을 접어 웃었다.

"아주 오래전부터 제정신이 아니었지요. 대승상이 상상조차 할 수 없는 아득한 시간 동안 저는 미쳐 있었습니다."

"묘길, 자네……."

묘길은 창살 사이로 손을 뻗어 충격으로 굳어 버린 대승상의 얼굴을 쓰다듬었다.

"아주 잠깐 따끔할 겁니다."

감옥 안에 다시 한차례의 바람이 불었다. 그녀는 길림과 마찬가지로 바닥에 쓰러져 정신을 잃은 최 승상을 바라보며 조용히 읊조렸다.

"때가 된 것 같네요."

텅 비어 버린 지하 감옥과 죽어 있는 병사들이 발견된 건 다음 날 아침이었다.

'대승상과 길림 부관이 사라졌다.'

보고를 받은 준영이 현장에 도착했을 때는 이미 두 사람은 어디론가 사라져 버린 뒤였다.

비슷한 시각 서국의 황궁, 수르암.

저녁에 있을 황후의 축하연을 앞두고 이른 아침부터 후궁들이 분주하게 움직였다. 수르암 안팎으로 황후를 위한 비단과 보석, 귀한 향신료가 오갔다. 빠르게 시간이 흘러 어느새 정오에 가까워진 시각, 후궁들 중 윤조에게 한 번 더 율무 팩을 부탁하기 위해 찾아왔던 후궁들은 하루 사이 푸석하게 변해 버린 그녀의 얼굴에 깜짝 놀라 기함했다.

"세상에, 무슨 일이 있었던 거니? 꼴이 말이 아니잖아."

급한 와중에도 윤조의 소식을 듣고 찾아온 나빌은 눈 밑이 거뭇거뭇하게 변한 채 침대 위에 멍하게 앉아 있는 그녀의 모습에 놀라 다가갔다.

"어제 황자마마랑 무슨 일이 있던 거야? 그런 거야?"

"아니에요……."

"아니긴 뭐가 아니야! 거울 좀 봐!"

나빌이 가져다준 거울 속 자신의 몰골을 확인한 윤조가 깊은 한숨을 내쉬었다.

"그렇지? 네가 보기에도 한숨밖에 안 나오는 꼴이지?"

"마마, 죄송해요. 혼자 있고 싶어요."

기운 없이 낮게 가라앉은 그녀의 음성에 심각함을 느낀 나빌이 알겠다며 자리를 피해 줬다. 하녀들도 모두 내보내고, 방 안에 혼자 남게 된 윤조는 밤새 한숨도 자지 못하고 곱씹었던 한 사람의 모습을 떠올렸다.

"대체 왜. 무녀장님이 대체 왜……."

생각지도 못했던 그녀의 이름이 황후의 입에서 나왔을 때 윤조는 누군가 자신의 머리에 찬물을 끼얹은 것 같은 기분을 맛봤다. 전혀 예상하지도, 짐작하지도 못했다. 키얀과 손을 잡은 사건의 배후가, 역모를 일으킨 인물이 묘길 무녀장이었다니.

창가로 다가간 그녀가 창문을 열고 하늘을 확인했다. 밤새 매가 돌아오길 기다렸지만 아직까지 소식이 없었다. 구름한 점 없이 맑은 하늘에 그녀가 초조하게 입술을 깨물었다.

"이 사실을 대장군님께 전해야 하는데. 한시라도 빨리 알려야 하는데……."

대장군님께서 보낸다는 정보원들은 대체 어디에 있는 걸까? 그녀는 자신이 수르암에 갇혀 있어 그들을 만나지 못하는 건 아닐까 염려했다.

'밖으로 나가자. 나가서 그들을 찾건, 따로 탈출로를 찾건, 지금은 움직여야 할 때다. 하녀로 변장해서 탈출할 곳을 찾아보자.'

연회 준비로 한창 바쁠 테니 하녀들 틈에 섞여 수르암 밖으로 나간다면 상황을 살피기 좋을 것 같았다.

"대장군님은 절대 혼자 행동하지 말라고 하셨지만……."

죄송해요, 대장군님. 상황이 상황이니만큼 한 번만 봐주세요. 고민하던 그녀가 속으로 준영에게 용서를 구하며 침대 아래 숨겨 두었던 염모제를 꺼냈다.

서국의 병사들이 그녀의 방 안으로 들이닥친 것은 그때였다. 갑작스러운 상황에 놀란 그녀가 상황을 파악하기도 전에 키얀이 나타났다.

"어딜 가려던 참인가?"

윤조가 들고 있던 유리병을 가져간 그가 그 안에 들어 있던 염모제를 확인하고 인상을 구겼다.

"이건 어디서 났지?"

"그건……."

"누가 너를 도운 것이냐? 누구냐? 이 수르암 안에 있는 후궁들 중 하나인가?"

후궁들을 모두 잡아 고문이라도 할 것 같은 그의 기세에 윤조가 다급히 고개를 저었다.

"아니에요! 제가 혼자 구했습니다. 쓰레기를 버리는 창고에서 발견했습니다. 수르암의 누구도 폐하를 배신하지 않았어요."

"쓰레기 창고라. 산책을 한다더니 몰래 귀여운 짓을 하고 다녔구나. 홍준영에게 매를 보냈나? 그가 군대를 이끌고 달려와 준다더냐?"

"그걸 어떻게……."

"기분 나쁘게도, 내 궁에서 일어나는 일을 나보다도 먼저 알아챈 이가 있어서 말이다."

화가 난 키얀이 윤조의 멱살을 거칠게 잡아당겼다.

"그것도 모자라 감히 내 그늘에서, 나 몰래 황후까지 수작질에 엮으려 들어? 좋게 좋게 봐 줬더니 네년이 내 손에 죽으려고 환장을 한 게로구나. 다리 한 짝을 분질러야 정신을 차리겠느냐? 그 소식을 널리 알려 네가 그토록 그리워하는 홍준영이 이성을 잃고 쳐들어오게 만들어 줄까? 황후를 꿰어 낸 그 혀를 잘라 비단으로 감싼 상자에 담아 그에게 보내 줄까? 응?"

"폐하, 제발 제 말을 들어 주세요. 모두를 살리고자 그랬습니다. 폐하와 함께 일을 도모하는 자가 누구인지 압니다. 그녀를, 묘길 무녀장을 막으면 이 전쟁을 멈출 수 있는 거 아닙니까!"

"네 노력은 아무 소용도 없을 것이다. 오히려 네 허튼수작 때문에 엄한 사람이 다치게 되었지."

"그게 무슨……?"

"너로 인해 대승상과 홍준영의 부관이 위험해졌다."

"갑자기 대승상님과 길림 부관님이 왜……."

"대승상 최익현은 나와 손잡은 사건의 배후를 캐기 위해 대장군 홍준영과 결탁해 스스로 역모의 죄를 뒤집어쓰고 옥에 갇혔다. 자신의 목숨을 미끼로 묘길을 끌어내려는 속셈이었지. 그런데 일이 잘못되었다. 너 때문에."

"그게 무슨 말씀이십니까?"

"간밤에 지하 감옥에 갇혀 있던 나투국의 대승상과 대장군의 부관 길림이 실종됐다. 그들을 지키던 병사들도 시체로 발견됐지. 그리고 더 재밌는 사실을 알려 줄까? 그들이 사라진 감옥에서 무녀장이 습격을 당한 채 발견되었다. 자, 그럼 의심의 화살은 누구를 향할까? 역모죄로 감옥에 갇혀 있던 대승상일까? 습격을 받은 무녀장일까?"

"거짓말! 거짓말하지 마십시오. 대승상께서 지하 감옥에 갇혀 있었다는 말부터 전부 거짓입니다!"

"네 하찮은 발버둥이 그들의 죽음을 앞당긴 것이다."

"이거 놔! 말해! 두 사람을 어떻게 한 건지 말해!"

병사들이 광분하여 몸부림치는 윤조의 몸을 양쪽에서 붙잡았다.

"무녀를 옥에 가두고 축하연이 끝날 때까지 감시토록 하라."

병사들에게 끌려 수르암을 벗어난 윤조는 서국 황실의 추국장에 위치한 옥에 갇히는 꼴이 되었다.

"내보내 줘! 나를 내보내 달라고!!!"

창살에 매달려 부르짖는 그녀의 외침에도 답해 주는 이는 아무도 없었다.

'대승상님과 길림 부관님이 실종되었다니.'

하룻밤 사이에 일어난 충격적인 사태에 그녀는 넋을 잃은 사람처럼 비틀거리며 주저앉았다.

"대장군님……."

이제 더는 어떻게 해야 할지 모르겠다. 더는 어떤 노력을 해야 이 전쟁을 멈출 수 있는지, 누구에게 도움을 청해야 할지, 도움을 받아 줄 사람은 있을지 아무것도 모르겠다.

지푸라기라도 잡는 심정으로 황후에게 매달려 묘길의 정체를 알아내는 데 성공했지만 상황은 더욱 악화되었다. 감시는 더욱 늘어났고, 탈출의 희망도 보이지 않는다. 절망으로 일그러진 그녀의 눈동자가 태양이 뜬 푸른 하늘을 향했다. 어쩌면 지금 바라보는 하늘이 그녀가 간직할 마지막 평화의 모습인지도 몰랐다.

대승상과 길림이 실종된 직후 나투국 조정은 대 파란을 맞았다. 사건의 진실을 모르는 조정 신료들은 대승상과 부관 길림이 결탁해 그들이 거느린 역적의 무리와 함께 탈출을 도모한 게 아니냐는 비난을 쏟아 냈다. 그들이 모르는 진실을 알고 있는 사람은 준영과 홍 장군, 단 두 사람뿐이었다.

"뭔가 기억나는 건 없으십니까?"

"누군가 입구에 서 있던 것까지는 기억이 납니다. 그런데 횃불도 꺼져 있고 주변도 너무 어두워서…… 미안합니다. 도움을 줘야 하는데……."

"상처는 좀 어떠십니까?"

"치료를 했으니 괜찮을 겁니다."

묘길은 대승상과 길림이 실종되고 병사들이 죽어 있던 옥사의 입구에서 칼에 찔려 기절한 채 발견되었다. 그곳에 있던 유일한 생존자였다. 급히 무녀들에게 옮겨져 치료를 받은 그녀는 평소보다도 창백한 안색으로 자신을 찾아온 준영을 바라봤다.

"저와 그곳을 습격한 자들이 누구인지 짐작 가는 바가 있으십니까?"

"죄송합니다."

"대승상과 길림 부관의 소식은……."

"……."

"후, 이런 일이 벌어질 줄은 상상도 못 했습니다."

"그곳은 왜 가셨던 겁니까?"

"폐하께서 대승상을 염려하시며 저를 대신 보내셨습니다. 무녀 나래의 치료로 대승상께 알려 드릴 것도 있었고요."

"따로 확인을 해도 되겠습니까?"

준영의 말에 묘길이 선뜻 고개를 끄덕였다.

"괜찮습니다. 당연히 그리해야지요."

"그럴 필요 없네."

온 황제의 목소리에 자리에서 일어난 준영이 예를 갖추었다.

"대장군 홍준영, 폐하를 뵙습니다."

"무녀장 묘길, 폐하를……."

"괜찮네, 무녀장. 무리하지 말게."

온 황제는 준영을 지나쳐 자리에서 일어나 고개를 숙이는 묘길을 부축해 다시 침대에 눕게 했다.

"누워 있게."

"하오나……."

"황명일세. 누워 있게."

"이런 모습으로 뵈어 송구합니다."

"아닐세, 아니야. 사과하지 말게. 그대를 그곳에 보낸 내 잘못이야."

온 황제는 창백한 그녀의 안색에 노여움과 슬픔이 가득한 눈으로 고개를 숙였다.

"폐하, 그러지 마십시오. 고개를 드십시오. 폐하의 잘못이 아닙니다."

"그대가 잘못되었을까 봐 무서웠네."

"폐하……."

"그대의 처소로 오는 내내 그대가 잘못되었을까 봐 무서워 걸음이 자꾸만 느려졌어."

떨리는 온 황제의 음성에 진심이 묻어났다. 가만히 그를 올려다보던 묘길은 조심스럽게 손을 뻗어 온 황제의 손을 잡았다.

"저는 괜찮습니다."

"그대는 이전부터 늘 그렇게 말했지. 내가 어린 황자였던 과거의 그날부터 지금까지, 단 한 번도 괜찮지 않다 속을 드러낸 적이 없었지. 나는 늘 그 모습이 안타까웠네……."

"……."

"이리 부서질 것 같은 모습을 하고서도 괜찮다고 말하는 자네의 모습이 괜찮지 않아서 늘, 늘 안타까웠네."

온 황제의 눈에서 눈물이 떨어졌다. 놀란 묘길의 시선이 준영을 향했다. 준영은 잠시 물러나 있겠다 고하며 묘길의 처소를 나섰다. 처소의 문이 닫히고, 그때까지도 눈물을 멈추지 못하는 온 황제를 바라보며 묘길이 설핏 미소 지었다.

"예나 지금이나 눈물이 많으십니다."

"자네의 앞이니까. 그때나 지금이나 자네는 항상 내가 눈물을 보일 때만 곁에 있는군."

"그래서 더 운 것은 아니시지요?"

"조금은 그런 것도 있었지."

"하하."

묘길이 소리 내어 웃었다. 그녀의 웃음소리를 듣는 것은 오랜만이었기에 온 황제는 그녀를 앞에 두고도 그리운 이를 바라보는 것같이 묘길의 모습을 눈에 담았다.

"나는 그대가 행복하길 바라네."

"예전부터 그리 말씀하셨지요."

"진심으로 그대가 행복하길 바라."

"그거 아십니까? 폐하 이전에는 그 누구도 이런 말을 해 주는 이가 없었다는걸요."

"그거 참 삭막한 사람들을 곁에 두었었군."

"예, 그랬지요. 참으로 삭막한 자들을 곁에 두고 살았습니다."

과거에 대해 이야기할 때면 왜인지 모르게 화가 난 눈으로 시리게 얼굴을 굳히는 묘길이었다. 그럴 때마다 온 황제는 좁혀진 묘길의 미간을 가만히 손가락으로 눌러 펴 주었다. 꼭 지금처럼.

"고운 얼굴에 주름이 지네."

"저보다는 폐하의 얼굴에 주름이 생겼죠."

"나도 나이를 먹었으니까. 벌써 그대와 만난 지도 수십 년이 지났군. 그대는 그때와 변한 것이 하나도 없는데 나만 세월을 맞은 것 같아 속상하기도 해."

그렇다고 대답하려던 묘길은 잠시 시선을 내려 고민하다 천천히 입술을 움직였다.

"저도 변한 것이 있습니다."

그것은 고백이었다.

"마지막까지 변하는 건 없을 거라 여겼는데, 제게도 폐하의 곁에서 세월을 보내는 동안 변한 게 있더이다."

"그게 뭔가?"

"정이란 걸 다시 알았지요."

그렇게 말하는 그녀의 눈빛은 깊은 슬픔을 지닌 채였다.

"눈물 많고 정도 많았던 어린 소년이 그걸 다시 알게 해 줬지요."

잡고 있던 온 황제의 손을 놓으며 그녀가 말했다.

"그것은 정말로 감사히 여기고 있답니다."

서산으로 해가 저물었다. 축하연이 시작된 서국 황실의 연회장에서는 흥겨운 풍악 소리가 울렸다. 황제와 황후, 수르암의 모든 후궁들은 물론이고 서국의 문무백관이 함께한 자리였다.

아름답게 치장한 무희들이 활짝 핀 꽃을 들고 춤을 추며 황후의 쾌차를 축하했다. 그 공연을 시작으로 신료들이 황후의 만세를 기원했으며, 후궁들도 그녀를 위해 준비한 선물과 함께 축하의 말을 올렸다. 예정에 없이 급하게 준비된 연회였으나 무엇 하나 빠진 것 없이 완벽했다. 상석에 자리한 서국 황제의 심기가 불편한 것을 제외한다면.

상석에 함께 자리한 황후가 그를 바라보며 씁쓸한 눈을 했다. 연회 전 키얀이 병사들을 시켜 무녀를 옥에 가뒀다는 소식은 황후도 알고 있었다. 간밤에 그녀와 무녀가 몰래 독대했다는 사실도 그는 이미 알고 있을 터였다. 하지만 황후의 앞에서 그는 아무 말도 하지 않았다. 그녀를 질타하지도 화를 내지도 않았다. 황후는 홀로 불편한 심기를 감춘 채 가까스로 감정을 누르고 있는 키얀의 모습에 속으로 한숨을 삼켰다.

"아바마마, 어마마마, 소자 두 분의 건강과 복을 비옵니다."

스안이 두 사람의 앞으로 걸어 나와 자신이 준비한 선물을 선보였다. 황자가 준비한 선물은 건강을 기원하는 용과 거북이의 자수가 금실로 수놓인 붉은 비단 옷이었다.

"아바마마, 어마마마께서 함께 입으시면 보기 좋을 듯하여 같은 옷감으로 두 벌을 준비했사옵니다."

어린 아들의 재롱에 불편한 얼굴로 자리하던 키얀의 입가에도 작은 미소가 번졌다.

"고맙구나, 황자."

"황공하옵니다. 아바마마, 소자 청이 한 가지 있사온데 들어주시겠습니까?"

"말해 보라."

"어마마마와 함께 이 옷을 입고 연회를 즐겨 주셨으면 좋겠습니다."

키얀의 시선이 황후를 향했다. 황후가 지체 없이 고개를 끄덕이자 그가 알겠노라 답하며 친히 상석에서 일어나 황후와 함께 황자가 있는 자리로 내려왔다.

"멋진 옷이로구나."

"헤헤, 소자 선물을 고르는 데 종일 고민했사옵니다."

궁인들이 나서서 키얀과 황후가 옷을 입는 것을 도왔다. 옷의 형태가 겉에 걸칠 수 있도록 만들어져 자리에서도 쉽게 입을 수 있었다. 같은 옷을 차려입은 보기 좋은 황제와 황후의 모습에 악사들이 더욱 신나는 풍악을 연주했다. 더없이 기쁜 자리에 불편했던 마음이 풀린 그가 황후와 함께 다시 상석에 오르던 때였다. 계단을 오르던 키얀의 몸이 중심을 잃고 앞으로 기울었다.

"폐하-!!!"

놀란 황후가 급히 그를 붙잡았으나 그가 쓰러지는 것은 막지 못했다. 경악한 사람들이 몰려와 황제의 상태를 확인했다. 정신을 잃은 그의 숨소리가 심상치 않았다.

"설마, 상처가?"

황후가 급히 그의 옷섶을 헤쳐 가슴에 난 상처를 확인했다. 어딘가 잘못된 것인지 상처에서는 피가 흐르고 있었다.

"무녀, 무녀를 데려와라! 어서-!!!"

비명 같은 황후의 외침이 연회장을 메아리쳤다.

같은 시각, 감옥 안에 있던 윤조는 가까워지는 병사들의 다급한 발소리에 고개를 들었다.

'무슨 일이지?'

그녀의 감옥을 찾아 온 병사들이 감옥의 문을 열고 거칠게 그녀를 밖으로 끌어냈다.

"무슨 일입니까? 이거 놓으세요, 나를 어디로 데려가는 겁니까!"

"무녀를 데려오라는 황후마마의 명이시다. 폐하께서 쓰러지셨다."

황제가 쓰러졌다? 치료를 미뤘던 상처가 어딘가 잘못된 것이 틀

림없었다. 병사들에게 이끌려 연회장에 도착한 윤조는 아수라장이
된 연회장 가운데에 쓰러진 키얀과 그를 치료하고 있던 황후를 발
견했다. 황후는 그녀가 사용할 수 있는 모든 신력을 퍼부어 출혈을
막는 중이었다.

"윤조 무녀!"

윤조를 발견한 황후가 다급한 얼굴로 그녀를 향해 소리쳤다.

"출혈이 심합니다, 이대로는 위험해요! 어서 치료를……!"

황후를 향해 다가가려던 윤조의 걸음이 멈칫했다.

'지금 내가 서국의 황제를 치료하면, 그다음은 어떻게 되는 거지?'

나투국의 황실과 조정 신료들은 이미 분열될 대로 분열되었고 거
기다 대승상과 길림이 실종되었다고 했다. '실종'이란 것은 말 그대
로 생사 여부를 가늠할 수 없다는 뜻이었다. 그 말은 두 사람이 어
딘가에 살아 있을 수도 혹은 이미 죽었을지도 모른다는 뜻이다. 두
사람을 데려가고 그들을 지키던 병사들을 죽인 자가 무녀장이라면
두 사람이 지금까지 살아 있을 확률은 낮았다.

그렇다면 지금 나투국을 지킬 수 있는 사람은 준영과 홍 장군이
거의 유일하다는 뜻이었다. 이런 때에 자신이 서국의 황제를 살린
다면, 그가 상처를 회복하고 건강해진다면, 군대를 이끌고 나투국
을 곧장 친다 해도 막을 길이 없다.

"어서 폐하를 치료하라지 않느냐!"

멈춰 선 그녀의 몸을 병사들이 억지로 떠밀어 키얀의 앞에 무릎
꿇게 했다. 키얀의 상처를 신력으로 누르고 있는 황후의 두 손은
이미 피범벅이었다. 윤조는 두 손을 내밀어 키얀의 상처 부위에 올
렸다. 미미한 신력으로 상처를 가늠하자 심장과 가까운 깊은 곳에

서부터 출혈이 시작되었음을 알 수 있었다.

'이대로 두면 서국 황제는 반드시 죽는다.'

사실상 3분의 1 정도 회복된 지금의 신력으로 그를 살릴 수 있으리라는 생각은 들지 않았다. 이대로 두면 그는 반드시 죽는다. 순간 머릿속이 차가워졌다. 소름이 돋았지만 윤조는 자신이 그러한 생각을 했다는 사실을 부정할 수 없었다.

사람을 살리기 위해 무녀가 되었다. 가난한 목숨과 귀한 목숨은 따로 없기에 차별을 두지 않고 사람을 도울 수 있는 무녀의 길이 좋았다. 그런데 지금 자신을 보라. 사람을 능히 치료할 수 있는 힘을 갖고 있으면서도 결국 흔들리는 세상과 함께 흔들리는 신념을.

—그대의 이상은 세상이 추구하는 이상과 다를 것이다.

문득 그녀는 키얀이 했던 말을 떠올렸다. 그리고 그녀 자신이 키얀을 향해 했던 말을 떠올렸다.

—적어도 제게 가치란 건 사람의 목숨을 빌미 삼거나 사람의 목숨을 해치는 일에 쓰는 말이 아닙니다.

그의 분노는 이해하나 그 행위는 정당치 못하다 비난했던 자신의 그 신념은 결국 키얀이 말했던 대로 세상이 추구하는 가치 앞에 흔들리고 있었다. 비겁하게도 사람의 목숨을 두고 득실을 저울질하고 있었다. 비겁하게도 아군과 적군으로 사람의 목숨을 분별했다. 머릿속으로 누군가의 목소리가 들리는 것 같았다.

'결국 네가 가치를 둔 목숨은 네게 소중한 사람들의 목숨이었구나!'

비난 어린 음성이 그녀의 머릿속을 메아리쳤다. 곁에 있던 황후가 그런 자신을 쳐다보는 시선이 느껴졌다. 간절함과 혼란으로 얼룩진 그녀의 시선에서 윤조는 처음으로 자신을 향한 경멸을 느꼈다.

황후를 바라보던 그녀의 눈이 질끈 감겼다. 어차피 서국의 황제를 살리지 못하면 자신은 죽은 목숨이었다. 쓸모없어진 무녀를 저들이 살려 둘 리 없었다. 손안으로 신력이 모여들었다. 출혈만은 멈춰 보자. 서국의 황제를 온전히 살리는 게 아니다. 당장은 출혈만······.

그녀의 손안에 응축된 신력이 순식간에 키얀의 혈관을 타고 심장으로, 피가 흐르는 상처로 스며들었다. 벌어진 상처 밖으로 흐르던 피가 멎었다. 하지만 그것이 끝이 아니었다.

"폐하?"

황후는 키얀의 가슴 위에 올린 자신의 두 손 아래로 느껴지는 맥박이 없음을 깨달았다.

"폐하! 폐하! 이리 가시면 안 됩니다! 정신을 차리세요! 폐하-!!!"

윤조 역시 알 수 있었다. 그의 심장이 멈췄다는 것을. 황후가 계속해서 신력을 방출해 키얀의 심장에 집중했다.

"윤조 무녀! 심장을! 폐하의 심장을 다시 뛰게 해야 합니다! 아직 늦지 않았어요!"

다급한 황후의 외침에 윤조도 상처 부위에 손을 가져갔으나 더는 남아 있는 신력이 없었다.

"신력이······."

신력을 사용하지 못하고 그녀가 당황하자 상황을 눈치챈 황후의 얼굴이 파랗게 질려 갔다.

"누가! 누구 없느냐! 폐하를 살려 다오! 누구 없느냐!!!"

그때 뜻밖의 목소리가 들려왔다.

"제가 해 보겠습니다."

가료가 이끄는 병사들과 함께 연회장에 나타난 목소리의 주인공은 다름 아닌 혜린이었다. 그녀는 곧장 키얀의 곁으로 다가와 멈춘 그의 심장에 신력을 불어넣기 시작했다.

'혜린 무녀가 이곳에 왜…….'

그녀의 아비인 문 비서랑이 죽고 혜린은 모습을 감췄다고 했다. 그것이 윤조가 알고 있던 그녀의 마지막 소식이었다.

"어떻게……?"

혜린은 자신의 등장에 멍하니 입술을 달싹이는 윤조를 바라보며 조소했다.

"왜요? 제가 죽기라도 했을 줄 알았나요?"

가소롭다는 듯이 윤조를 노려보던 그녀가 신력을 집중적으로 손가락 끝에 모았다.

본디 혜린이 사용하는 신력의 운용 방식은 전시 상황에 특화된 '광범위적인 다수의 치료'였다. 하지만 무녀들 중에서도 신력을 조절하는 기술이 뛰어났던 그녀는 그저 상처 부위 한 곳에 엄청난 양의 신력을 쏟아붓는 윤조의 단순한 방식과는 달리 손가락 끝에 신력을 집중시켜 거미줄처럼 세밀하게 뽑아낸 신력으로 상처 부위를 봉합하고 죽어 가는 피부를 재생시키는 재주가 있었다. 이미 괴사가 극도로 진행되었던 준영 같은 환자에게는 소용없는 기술이었으나, 묘길이 준 약으로 괴사의 진행을 막고 있던 키얀에게는 효과적인 치료술이었다.

치료에 집중한 혜린의 이마에서 식은땀이 흘렀다. 무조건 서국의 황제를 살려야만 한다. 그녀는 필사적으로 어금니를 깨물었다. 몸 안의 모든 신력을 끌어모아 키얀의 상처 부위를 휘감았다.

'뛰어라.'

거미줄처럼 엮은 신력으로 멈춘 그의 심장을 감싸 손끝으로 세게 당겼다 놓기를 반복했다. 그러기를 수차례, 어느 순간 작게 요동치던 그의 심장이 '쿵' 하고 뛰기 시작했다.

"심장이 다시 뜁니다."

그녀의 말에 황후가 키얀의 머리를 끌어안고 그의 이름을 불렀다.

"키얀, 키얀, 내 사랑. 눈을 떠 봐요. 제발."

볼을 타고 흘러내린 그녀의 눈물이 피로 범벅이 된 키얀의 몸을 적셨다.

"황후……."

잠시 뒤 눈을 뜬 키얀이 신음처럼 황후를 불렀다.

"키얀−!"

"왜 울고 있소."

"당신 때문이잖아요."

"그대를 축하하는 자리인데……."

"당신이 없으면 다 무슨 소용이에요. 이 무녀가 없었다면 정말 죽을 뻔했다고요!"

정신을 차린 키얀이 마지막 봉합을 위해 손을 움직이던 혜린을 발견했다. 빠르게 봉합을 끝낸 혜린이 그의 앞에 고개 숙여 예를 갖추었다.

"서국의 황제 폐하와 황후마마를 뵙습니다. 나투국의 무녀 문혜린이라 하옵니다."

"문혜린? 혹, 문 비서랑의 여식인가?"

황후의 부축을 받아 몸을 일으킨 키얀은 고통 없이 깨끗이 나은 가슴의 상처를 확인하다 놀란 눈으로 그녀를 바라봤다.

"예, 그렇사옵니다. 소녀, 폐하께서 말씀하신 문 비서랑의 여식이 맞습니다."

"그대가 어떻게 이곳에?"

"아버님이 돌아가신 직후 나투국을 떠나 무작정 국경을 넘었습니다. 다행히 하늘이 도와 위급한 상황에 가료 부관을 만나게 되었고, 함께 오게 되었습니다."

그렇게 말하는 혜린의 시선이 가료를 향했다. 사실 그녀는 가료에게 도움을 받은 것이 아니라 서국의 영토를 침범한 외부인을 소탕하던 가료의 손에 붙잡혀 온 것이었다. 가료가 지난날 파이엔과 자신들을 위험에 빠뜨렸던 그녀를 알아봤기 때문이었다.

대강의 상황을 눈치챈 키얀이 흐트러졌던 의복을 바로 하며 혜린을 향해 싸늘히 표정을 굳혔다.

"내 목숨을 구한 것을 빌미 삼아 입바른 소리를 해 대면 그러마, 하며 넘어갈 줄 알았더냐?"

살기 어린 그의 눈빛에 혜린이 흠칫 몸을 떨었다.

"폐하, 소녀가 아둔하여 그런 잘못을 저질렀나이다. 한 번만 용서해 주신다면 폐하를 위해 모든 것을 바치겠습니다."

"너는 나를 한 번 배신했다. 두 번 못 하리란 법은 없지."

"오늘 폐하의 목숨을 구한 것으로 제 충심을 알아주실 수는 없으십니까?"

"충심이라. 무거운 말을 아무렇지 않게 지껄이는구나."

혜린이 무릎을 꿇고 바닥에 엎드렸다.

"비참한 제 목숨 외에 더는 잃을 것도 없습니다. 제게 기회를 주신다면 제가 알고 있는 나투국의 모든 비밀과 정보를 넘기고 전쟁에서 서국의 군대를 지원할 것입니다."

"군대를 지원한다? 그대가 무슨 수로 내 군대를 지원하겠다는 말이지?"

"제가 사용하는 치료술은 다른 무녀들과 다르게 전시 상황에 특화되어 있습니다."

"자세히 설명하라."

"저는 광범위한 다수의 병력을 신력으로 치료할 수 있습니다. 사실 치료라기보다는 부상을 당해도 고통을 느낄 수 없도록 신경을 마비시키는 힘이지요. 또한 그 힘에 영향을 받은 병사들은 며칠간 먹지도, 잠을 자지 않고서도 최고의 힘을 발휘할 수 있습니다."

"고통을 느낄 수 없는 병사들이라⋯⋯."

키얀은 이미 지난 7년 전쟁으로 그 힘의 위력을 알고 있었다. 서국을 돕겠다는 혜린의 말이 진심이라면 군대에 버금가는 큰 전력을 얻는 셈이었다.

"그렇게 해서 네가 얻는 건 무엇인가?"

"제가 원하는 건 제 아비와 제 가문을 길바닥 쓰레기처럼 버린 나투국 황실과 위정자들을 처절하게 무너뜨리는 것뿐입니다."

키얀이 증오와 복수심으로 불타오르는 그녀의 눈동자를 마주한 때였다. 그의 곁에 있던 황후가 앞으로 나서며 두 사람 사이를 가로막았다.

"폐하, 아니 됩니다. 더 이상의 전쟁은 있어선 안 됩니다."

"황후."

"제가 잠들어 있던 동안 일어났던 일을 모두 들어 알고 있습니다. 지난 7년 전쟁이 얼마나 참혹했는지, 그로 인해 백성들이 지금까지 고통받고 있다는 것도요. 폐하, 부디 마음을 돌려주세요. 다제 탓입니다. 제가 그런 병에 걸리지만 않았어도 작금의 사태는 없었겠지요. 그러니 죄 많은 신첩이 이리 간청합니다. 살아서 폐하의 곁에서 이 죄를 갚을 것입니다. 폐하의 곁을 지키고 이 나라를 다시 부흥시킬 것입니다. 폐하, 그러니 부디 노여움을 거두고 신첩의 간청을 들어주시어요. 이리 비옵니다."

키얀은 자신의 앞에 무릎을 꿇으려는 황후를 말리며 그녀를 붙잡았다.

"황후, 무슨 짓이오!"

"폐하, 오늘은 신첩의 복귀를 축하하기 위한 자리가 아닙니까? 아직 폐하께서 제게 주실 선물이 남았습니다. 그 선물을 부디 전쟁을 하지 않겠다는 약조로 해 주시어요."

혜린의 얼굴에 난색이 스쳤다. 서국의 황후가 직접 나서서 전쟁을 반대할 줄은 생각지 못했기 때문이다. 사실 이 자리에 서국의 황후가 있다는 것조차 그녀의 예상을 벗어난 일이었다. 아버지인 문 비서랑에게 듣기로 서국의 황후는 8년간 의식 없이 잠들어 있는 상태였으며 그로 인해 7년 전쟁이 발발했다고 알고 있었기 때문이다.

'8년간 의식 불명이었던 황후가 하필이면 이 시기에 정신을 되찾았단 말인가?'

초조히 입술을 깨무는데, 순간 그녀의 눈에 들어온 것은 윤조였다.

'네년 짓이로구나.'

서국의 황제가 상처를 치료하지 않고 황후를 치료하게 했다면 그녀를 8년간의 잠에서 깨울 사람은 윤조밖에 없었다.

'네년은 끝까지 내 앞을 가로막고 나를 거슬리게 하는구나.'

악의로 가득 찬 혜린의 시선이 윤조를 향했다. 날카로운 시선을 느낀 윤조가 혜린을 바라봤다. 두 사람의 시선이 허공에서 부딪쳤다.

죽일 듯이 자신을 노려보는 혜린의 모습에 윤조가 주춤했다. 그런 모습은 전생에서도 현생에서도 처음 보는 것이었다. 자신을 향한 살의로 가득한 누군가의 모습은. 주위에서 웅성거리는 시끄러운 말소리가 사라지고, 그 공간에 오직 두 사람만이 존재하는 것 같았다. 불빛 하나 없는 검은 공간에서 새파랗게 날이 선 혜린의 시선만이 윤조의 목을 베어 버릴 듯이 날아들었다.

'나를 방해하는 자는 모두 용서치 않을 것이다.'

그녀의 눈빛이 그리 말하고 있는 것 같았다. 두 사람 사이의 기이한 적막이 깨진 것은 궁인들의 비명 때문이었다.

"황후마마—!!!"

놀란 두 사람의 시선이 동시에 황후와 키얀을 향했다.

"황후! 황후! 정신을 차리시오, 황후!"

무슨 이유인지 갑자기 정신을 잃은 황후가 키얀의 품에 쓰러져 있었다.

"황후마마!"

윤조가 부리나케 황후에게 달려가 그녀의 상태를 확인했다. 그녀의 몸 안에서 느껴져야 할 신력이 느껴지지 않았다. 윤조는 그녀가 키얀을 치료하면서 자신이 그녀에게 나눠 줬던 신력을 모두 소진했다는 것을 깨달았다.

"이전과 같은 상태입니다. 황후마마의 몸 안에 남아 있는 신력이 없어요. 폐하를 치료하면서 전부 사용하신 것 같습니다."

"그럼 저번과 같이 치료하면 될 일이 아니냐? 당장 황후를 치료하라!"

"저도 남은 신력이……."

말끝을 흐리는 그녀의 대답에 키얀의 표정이 굳어졌다. 품 안에 축 늘어진 황후를 어떻게든 깨워 보려 부르짖던 그의 화가 폭발했다.

"당장 황후를 살려 내라! 당장!!!"

무서운 그의 기세에 몰려 있던 궁인들이 겁을 먹고 뒷걸음질 쳤다. 자리에서 일어난 혜린이 앞을 가린 궁인들을 밀치고 황후에게 다가갔다.

"제가 살펴보겠습니다."

황후를 진맥해 그녀의 상태를 확인한 혜린이 도무지 믿기지 않는다는 표정으로 키얀을 바라봤다.

"황후마마께서 어떻게 깨어나셨던 겁니까?"

"신력을 나눠 줬다, 무녀 윤조의 신력을. 황후의 몸에 남아 있는 신력이 없어 그것이 원인인가 하여……."

두서없이 상황을 설명하는 그를 바라보던 혜린의 시선이 곁에 있던 윤조를 향했다.

"고작 임시방편으로 황후마마의 병세를 완화한 것으로 마마의 병을 치료했다고 한 것입니까? 저 무녀가?"

"그게 무슨……."

"너는 진정 네 그 같잖은 신력만으로 황후마마의 병을 치료했다고 믿었던 것이냐?"

"그게 무슨 말인가? 황후의 병이 낫지 않았다는 뜻이냐?"

"예, 폐하. 이 병은 한낱 어린 무녀 한 명의 신력으로는 치료할 수 없는 병입니다. 적어도 매달 열 명 이상의 무녀들이 돌아가며 신력을 보충해야만 합니다. 마마의 몸에서 신력이 바닥나는 순간 마마는 반복해서 정신을 잃으실 것입니다. 그리고 그것이 계속된 다면 언젠가는 영영 깨어나지 못하실 수도 있습니다."

"이대로는 황후가 죽게 될 거란 말인가?"

"송구하게도 그렇습니다. 여러 무녀의 신력이 필요합니다. 되도록 많은 무녀들이요. 치료까지 몇 달이 걸릴지 혹은 몇 년이 걸릴지, 평생이 걸릴지 알 수 없습니다. 당장 무녀들을 데려와야 합니다."

충격적인 진단에 일대가 술렁였다. 궁인들에게 황후를 맡긴 키얀이 자리에서 일어나 연회장 안에 대기 중이던 가료와 병사들을 향해 말했다.

"출정 준비를 하라."

"폐하!!!"

"오늘 밤 나투국을 칠 것이다."

윤조가 비명처럼 소리쳤으나 키얀의 결정을 돌릴 수는 없었다.

"가료, 부관은 매복대에게 지금 당장 거점을 치라 일러라. 선봉에는 괴혈단이 선다. 매복대가 거점을 치는 즉시 10만 대군을 이끌고 군수 물자와 군량미의 보급처가 가장 큰 성 두 곳을 기습한다."

"명 받듭니다."

병사들을 이끌고 나가는 가료를 바라보며 키얀이 크게 소리쳤다.

"어서 짐의 검과 갑옷을 가져오라! 연회는 끝이다!"

빠르게 움직인 궁인들이 그의 검과 갑옷을 대령했다. 무장을 완료한 그가 윤조와 혜린을 바라보며 병사들에게 턱짓했다.

"두 무녀를 포박해 따르거라. 출정 준비가 끝나는 대로 처우를 결정할 것이다."

"예, 폐하."

병사들이 윤조와 혜린의 손을 포박한 채 양옆에 섰다. 연회장을 나서는 키얀의 뒤를 따르며 윤조는 절망했다. 상황이 나락으로 치닫고 있었다. 혜린이 두려움으로 일그러진 윤조를 바라보며 키득거렸다.

"이제 시작이다. 내가 겪었던 그 절망을 너도, 그들도 똑똑히 느껴 보아라."

"막을 겁니다."

"푸하하! 포박당해 도망치지도 못하는 주제에 말은 잘하는구나? 아직도 현실을 깨닫지 못한 거냐?"

매서운 윤조의 시선이 혜린을 향했다.

"가여운 사람 같으니라고."

"뭐?"

"제 아비를 죽인 원수의 편에 선 줄도 모르고 웃고 있구나."

윤조의 말에 혜린의 얼굴에서 웃음기가 사라졌다.

"내가 진정 그것을 모를 거라 생각하나?"

이번에 당황한 건 윤조였다. 혜린은 무표정한 얼굴로 그녀를 죽일 듯이 노려보며 읊조렸다.

"아버님을 이용해 죽게 하고, 내 가문을 멸하고, 나를 나락으로 떨어뜨린 그자를 찾아 내 손으로 직접 찢어 죽이고 말 것이다."

"어머니, 그게 대체 무슨 말씀이십니까? 아버님과 길림 부관이 사라졌다니요?"

며칠간 앓았던 나래는 많이 야위어 있었다. 묘길의 치료를 받고 나서야 간신히 몸을 회복한 그녀는 저녁이 되어서야 자리를 털고 일어났다. 곧장 아버지인 최 승상을 만나러 가기 위해 외출 준비를 하던 그녀는 어머니로부터 믿기지 않는 소식을 전해 들었다.

"그게, 그게 무슨 말씀이세요? 네? 사라졌다니요? 실종이라니요! 감옥에 계셨던 분이 대관절 어딜 가신단 말입니까!"

직감적으로 아버지에게 안 좋은 일이 벌어졌다는 것을 알아챈 그녀가 흥분하여 소리쳤다.

"가 봐야겠습니다. 무슨 일이 벌어진 것인지 전부 알아야겠습니다."

어머니의 만류를 뿌리치고 그녀는 급히 마차에 올랐다. 황궁에 도착했으나 밤이 깊은 시각이어서 입궐이 불가능했다. 곧장 마차를 돌린 나래가 향한 곳은 홍씨 가문이었다.

"대장군! 대장군 안에 계십니까!"

요란한 소리에 달려 나온 하인이 그녀를 알아보고 고개를 숙였다.

"무녀님이 이 시간에는 어쩐 일이십니까?"

"대장군님과 홍 장군님은 안에 계신가? 지금 당장 두 분을 뵈어야겠네."

"계십니다. 그런데 손님이 와 계셔서……."

"손님?"

나래가 열린 문 안으로 몸을 밀어 넣어 마당을 가로질렀다. 깜짝 놀라 그녀를 말리는 최씨 가문의 시종들과 하인의 만류에도 나래는 걸음을 멈추지 않았다.

"대장군님 계십니까!"

저택이 떠나가라 외치는 그녀의 음성에 저택 안의 사람들이 하나
둘 몰려들었다.

"대장군님, 홍 장군님 안에 계십니까! 저 나래입니다!"

한밤중에 일어난 소란에 어두웠던 저택에 하나둘 불이 켜졌다.
그때 준영과 홍 장군이 사랑채에서 걸어 나왔다.

"무슨 일인가?"

"무례를 용서하십시오. 소녀 진실을 알고 싶어 찾아왔습니다."

"그대⋯⋯."

준영이 나래를 발견하고 침음했다. 며칠 새 야윈 그녀의 얼굴을
똑바로 마주할 수 없었다.

"아버님께 무슨 일이 생긴 겁니까? 아버님과 길림 부관이 어디로
사라졌단 말입니까? 말씀해 주십시오. 진실을 듣기 전까지 저는 한
발짝도 물러나지 않을 겁니다."

"밤이 깊었다. 날이 밝으면 사람을 보낼 테니 그때 다시 이야기
하는 게 좋겠다."

"여기서 쓰러져 죽는 한이 있어도 지금 당장 들어야겠습니다."

물러나지 않겠다는 뜻을 굳힌 그녀의 으름장에 대답한 이는 대장
군도 홍 장군도 아닌 다른 사람이었다.

"누가 대승상의 여식 아니랄까 봐 단호하기가 칼 같구나."

준영과 홍 장군의 뒤로 모습을 드러낸 이는 다름 아닌 온 황제였
다. 황제의 등장에 놀란 나래가 급히 고개를 숙여 예를 갖췄다.

"무녀 나래, 황제 폐하를 뵙습니다."

"어전에서 누가 이리 소란인가 싶어 와 봤더니, 핏줄이 어디 가
진 않는구나. 어린 무녀에게 대장군과 홍 장군이 쩔쩔매는 모습을

보게 될 줄이야."

"소란을 일으켜 송구합니다. 선객이 폐하이실 줄은 미처 몰랐습니다."

"그래, 그럼 이제 알았으니 돌아가 대장군의 연통을 기다릴 텐가?"

"소녀 비록 여인의 몸이나 한 번 내뱉은 말은 천금같이 지켜야한다는 아버님의 가르침을 받고 자랐나이다."

황제를 앞에 두고도 결코 물러남 없는 그녀의 행동에 지켜보던 나래 시종들이 새하얗게 질린 낯으로 바닥에 납작 엎드렸다. 그 모습을 바라보던 온 황제가 무거운 표정을 풀고 고개를 끄덕였다.

"과연 대승상의 자제로다. 장차 아비의 뒤를 이어도 부족함이 없겠구나."

"성은이 망극하옵니다, 폐하."

"함께 안으로 들지."

"예."

그렇게 사랑채 안에 네 사람이 모였다. 나래는 온 황제가 은밀히 이곳을 찾은 이유가 아버지인 최 승상의 사건 때문이라는 것을 알았다. 준영과 홍 장군에게 최 승상은 사실 역모의 죄인이 아니며, 숨은 사건의 배후를 끌어내기 위해 스스로 누명을 쓰고 감옥에 갇혔다는 진실도 알게 되었다.

"그럼 숨어 있는 사건의 배후가 아버님과 길림 부관을 데려가기라도 했다는 말입니까?"

"그날 밤 길림은 배후를 밝혀낼 수 있는 정보를 대승상에게 전하러 갔지. 그 직후 두 사람이 사라졌고 말이야. 어쩌면 길림의 정보를 통해 대승상이 배후의 정체를 알아냈고, 그것을 눈치챈 배후가 진실을 감추려 두 사람의 탈주극으로 꾸며 낸 것 같다는 게 나와 아버님의 의견이다."

준영의 이야기로 상황의 전말을 알게 된 나래의 표정이 굳어졌다.

"두 분을 데려간 자가 사건의 배후라면, 두 분의 생사는……."

"확신할 수 없다."

"감옥을 지키던 병사들은 모두 죽은 채 발견되었다고요?"

"그래, 길림이 매복시켰던 부하들도 모두 죽은 채 발견되었다."

"살아남은 사람은 단 한 명도 없는 겁니까?"

"묘길 무녀장만이 살아남았지."

준영의 말에 그게 무슨 소리냐는 듯 나래의 미간이 좁혀졌다.

"무녀장님께서 그 시각에 그곳에는 왜 가셨던 겁니까?"

"짐의 부탁이었다."

온 황제가 답했다.

"대승상이 역모를 저질렀다는 사실이 도저히 믿기지 않았지. 무언가 피치 못할 사정이 있는 건 아닐까 생각했네. 그래서 무녀장과 감옥에 있을 대승상이 걱정된다고 이야기하던 중 무녀장을 대신 보내 상황을 살펴 달라 부탁했지."

"그리고 사건이 벌어졌고요. 우연이라고 치부하기에는 걸리는 점이 많습니다."

냉정한 나래의 판단에 황제의 안색이 변했다.

"지금 무녀장을 의심하는 것인가?"

"폐하, 지금은 그 어느 때보다 냉정해지셔야 할 때입니다."

거침없는 직언이었다. 마치 최 승상이 바로 곁에서 말하는 것 같은 착각을 일으킬 정도로 나래의 말투는 아버지인 그와 똑같았다.

"다른 곳도 아닌 황궁 안에서 훈련받은 병사 여럿을 죽이면서까지 대승상과 길림 부관을 데려가 입을 막고자 했던 자입니다. 그런 자가 목격자를 살려 두었다는 게 말이 되지 않습니다."

"무녀장은 칼에 찔린 채 발견되었네. 교대하던 병사들이 발견하지 못했다면 그녀는 죽었을 수도 있었어!"

"하나 죽지 않았지요. 칼에 맞고 상처는 입었으나 단칼에 목숨을 잃을 정도의 치명상은 아니었을 겁니다."

"하지만……."

"폐하, 냉정해지십시오. 다른 사람도 아닌 무녀장입니다. 그녀는 웬만한 상처 따위는 순식간에 치료할 수 있는 저와 같은 무녀란 말입니다."

나래가 오기 전 준영과 홍 장군도 같은 이유를 들어 온 황제에게 묘길을 의심하는 이유를 설명했으나 전적으로 묘길을 신뢰하고 있는 황제는 그들의 말을 믿지 않았다. 하지만 묘길과 같은 무녀의 길을 걷고 있는 나래의 말이라면 그 무게가 달랐다. 무녀의 일은 무녀밖에 증명할 수 없다. 온 황제 역시 그 사실을 누구보다 잘 알고 있었다.

"몸에 상처를 내고 지혈을 해 아침에 누군가가 발견하기까지 상황을 꾸미는 일은 마음만 먹으면 어느 무녀라도 할 수 있는 일입니다."

"폐하, 나래 무녀의 말이 맞습니다. 당시 사건 가장 가까이에 있던 인물도, 폐하의 증언을 무기로 의심에서 벗어날 수 있는 것도 무녀장뿐입니다."

"확언하지 말게. 그녀가 사건을 조작했다는 증좌도 없지 않은가!"

나래가 고개를 끄덕였다.

"폐하의 말씀도 일리가 있습니다. 증좌도 없이 무녀장을 범인으로 몰아갈 수는 없지요. 그러니 증좌를 찾겠습니다. 무녀의 일은 무녀만이 증명할 수 있는 법. 폐하께서도 윤허해 주시리라 믿습니다."

"좋다, 윤허하마. 하나 현장에 수상한 단서 같은 건 아무것도 없었다. 증좌를 찾을 수 있겠느냐?"

"죽은 병사들을 확인해 보겠습니다. 어떤 방식으로 살해되었는지 어떤 도구를 이용해 그들을 해친 것인지 알아낸다면 무기를 추적해서라도 수사망을 좁혀 갈 수 있을 겁니다. 벌써 검시檢屍[7]가 끝난 것은 아니겠지요?"

나래의 말에 준영이 긍정했다.

"무녀장이 범인이라면 검시 무녀들에게까지 손쓸 수 있을 것 같아 아직 보이지 않았다. 황실 검시소에 봉해 병사들을 시켜 지키고 있으니 내일 아침 날이 밝는 대로 조사에 들어가면 될 것이다."

"알겠습니다."

두 사람의 대화를 듣던 온 황제가 침음했다.

"만약 무녀장이 범인이라면 대체 그녀가 왜 이런 일을 벌인단 말인가? 정치적인 욕심도 없고 파벌에도 속하지 않은 그녀가 어째서 역모를……. 나는 믿을 수 없네."

"소신도 그 때문에 무녀장을 의심하지 못했습니다. 그 누구도 의심하지 못했죠."

준영의 말에 홍 장군이 고개를 끄덕였다.

"누구의 의심을 받지 않고도 황궁 안에서 자유롭게 움직일 수 있는 신분이니, 당분간 결정적인 증거가 나올 때까지 이 일이 밖으로 알려져서는 안 됩니다. 특히 문씨 가문 쪽에는 더더욱."

"짐을 은밀히 이곳으로 부른 것도 그 때문이겠지. 알겠네. 윤조 무녀에게서 다시 연락이 온 내용은 없었나?"

"예. 대승상의 사건으로 아직 매를 보내지 못했습니다. 오늘 저녁부터 서국 황실에서 황후를 위한 축하연이 벌어질 것이라고 했으니 지금쯤 연회장에 있을지도 모르겠군요."

"연회가 끝나면 서국 황제를 치료해야 할 테지."

"서국의 황후를 치료하고 신력이 바닥나 당분간 시간을 더 끌 수 있을 것 같다고 했습니다. 수도로 군대가 모이는 시간은 충분히 벌 수 있을 겁니다."

준영의 말에 온 황제가 고개를 끄덕였다.

"구출 계획은 어찌 되어 가는가?"

"정보원들에게 적절한 때를 노려 그녀를 탈출시키라고 연락했습니다. 수르암에 구금되어 있는 상태라 접근이 어려운 것 같습니다."

"며칠 안으로 결판이 나겠군."

"그 안에 내부에 숨은 첩자를 전부 색출해야 합니다."

"한시가 급하니 대장군의 권한으로 전군 전시체제로 임해 주게."

"명을 받습니다. 지금 바로 국경에도 매를 보내겠습니다."

같은 시각, 국경 지대.

군사 기밀 지역인 나투국 행림산성 근처 제1봉화대를 지키는 병사들이 모닥불을 피운 채 손을 녹이고 있었다.

"어흐, 아직 가을도 다 안 지났는데 이렇게 춥다니. 겨울이 오면 얼마나 추울지 상상하기도 싫구만."

---

7) 검시(檢屍): 시체를 조사하는 일.

"산이 다 그렇지 뭐. 자네는 이번 겨울이 첫 경험이겠구만. 하하하."

"잡고 있던 창대랑 같이 손이 얼어 버린다면서? 어흐, 생각하기도 싫으이."

"어흐 추워, 어흐 추워. 교대 시간일세!"

"가까이 와서 불 좀 쫴. 고생했네."

봉화대를 지키는 병사의 수는 여덟이었다. 원래는 3교대로 여섯 명의 병사들이 돌아가며 봉화를 지켰으나 나람성의 사건 이후 두 명의 경계병이 더 늘어났다. 여섯 명이 봉화대를 지키는 동안 두 명은 봉화대 근처를 돌며 순찰을 도는 방식이었다.

"출출한데 고구마나 구울까?"

"좋지."

"순찰 간 김 씨랑 박 씨도 불러. 쉬는 시간 됐어."

"내가 다녀올게."

병사 하나가 순찰을 돌고 있을 다른 두 명의 병사들을 부르기 위해 달려갔다. 밤이 내린 산은 무척 어둡고 위험해서, 비탈길에 다다른 병사가 길게 목을 빼 근처에 있을 순찰대를 찾던 중이었다. 그의 바로 뒤 어둠 속에서 날카로운 곡도가 그의 목으로 휘둘러졌다.

퉁, 퉁, 퉁……

잘린 목이 날아올라 산비탈을 따라 굴러떨어졌다. 고통도 비명도 없었다. 어둠 속에서 나타난 서국의 매복대가 시체를 발로 차 절벽 아래로 떨어뜨렸다. 순찰을 돌던 병사들은 이미 그들의 손에 목숨을 달리한 상태였다.

"박유가 말했던 봉화대가 이곳이 맞는 것 같습니다."

"활을 준비해라."

모닥불 앞에 모여 있는 남은 다섯 명의 병사들을 확인한 매복대가 어둠 속에서 활대를 당겼다. 팽팽하게 당겨졌던 활시위가 놓아짐과 동시에 날아간 화살이 순식간에 병사 네 명의 몸을 꿰뚫었다. 보초를 서던 두 명이 즉사했고, 나머지 두 명도 치명상을 입었다.

모닥불 앞에 있던 병사 하나가 급히 봉화를 올려 상황을 알리기 위해 달려갔으나 퇴로를 지키고 있던 매복대의 곡도에 죽음을 맞이했다. 그들은 화살에 맞은 채 아직 숨이 끊어지지 않는 병사들을 죽은 다른 병사들과 마찬가지로 절벽 아래로 떨어뜨렸다.

비슷한 시각 서국의 황성. 출정 준비를 마친 채 도열한 군대를 바라보던 키얀은 거점을 점거했다는 가료의 보고를 받았다. 때가 되었음을 알린 그가 출격 명령을 내렸다.

"밤을 틈타 은밀히 움직인다. 오늘 밤 안으로 행림산성을 점령한다."

"존명."

아트완의 성문이 열리고, 거대한 다리가 놓였다. 진군하는 병사들을 바라보던 키얀이 뒤돌아 포박된 윤조와 혜린을 향했다.

"무녀 혜린은 나와 함께 간다."

"황공합니다, 폐하. 결코 실망하지 않으실 겁니다."

기쁘게 대답한 혜린이 키얀을 향해 고개 숙였다. 갑주를 입고 무장한 파이옌이 나타난 건 그때였다. 그는 키얀과 함께 있는 혜린을 발견하고 와락 얼굴을 구겼다.

"뭐야, 이건 또?"

"오랜만에 뵙습니다, 좌장군."

깍듯이 예를 갖추는 혜린의 태도에 삿대질을 하던 그가 키얀을 향했다.

"이 상황 뭐야? 왜 저 물건이 여기에 있어?"

"무녀 혜린도 함께 출전한다."

"그러니까 왜!"

"파이옌."

인내심이 바닥난 키얀의 낮은 음성이 그의 이름을 뇌까렸다.

"내 장기 말이 하나가 늘어나건 둘이 늘어나건 네놈이 신경 쓸 바가 아니다. 너는 네 역할에만 신경 쓰도록."

키얀은 그렇게 말하며 윤조를 바라봤다.

"무녀를 감옥에 가둬 감시하고 신력이 회복되는 대로 황후를 돌보게 하라. 짐이 돌아왔을 때 황후의 증세가 호전되어 있지 않다면 목을 벨 것이다."

"명을 받듭니다."

병사들의 손에서 벗어나기 위해 몸부림치는 윤조를 바라보던 키얀이 혜린과 함께 전차에 올랐다. 그의 뒤로 말에 오른 파이옌이 따랐다. 윤조는 성 밖으로 멀어지는 그들의 모습을 바라보다 이내 병사들의 손에 끌려갔다.

"이거 놔! 이거 놓으라고!"

"무녀님, 진정하십시오. 대장군께서 보내서 왔습니다."

양쪽에서 자신의 팔을 잡고 있는 병사들의 손을 물어 버릴 요량으로 얼굴을 들이밀던 그녀는 귓가에 작게 속삭이는 병사의 목소리에 퍼뜩 고개를 들었다.

"그럼 당신들이 전부……."

"예, 나투국의 정보원입니다. 지금부터 이곳을 탈출할 것이니 저희의 지시에 따라 주십시오."

바라본 병사들의 수는 여섯이었다. 윤조가 목소리를 낮추고 다시 정면을 바라보며 고개를 끄덕였다.

"알겠습니다. 뭘 어떻게 하면 될까요?"

"근처에 군수 물자를 보관하는 창고가 있습니다. 병장기함에 들어가 숨으시면 수레에 실어 군대와 합류하는 척 성문을 통과하겠습니다."

"알겠습니다."

병사들에게 끌려가는 척 연기를 하던 윤조는 군수 물자 창고에 다다라 건물 뒤로 몸을 숨겼다. 이미 군수 물자를 챙긴 수레는 서국의 병사들과 함께 떠난 뒤였기에 창고는 한산했다.

서국의 병사인 척 창고 앞을 지키는 두 명의 경비병에게 접근한 정보원들이 순식간에 그들을 제압했다. 제압한 경비병들을 창고 안으로 끌어다 놓고 입구를 지키는 척 위장한 정보원들이 윤조를 창고 안으로 이끌었다.

"여기에 들어가시면 됩니다. 불편하시더라도 조금만 참아 주십시오."

장창이 들어 있는 함으로 들어가 납작 엎드린 윤조는 처음 나래의 꽃 상자 안에 숨어 준영의 집으로 몰래 들어갔던 때를 떠올렸다. 곧 상자가 허공으로 들리는 느낌과 함께 상자를 실은 수레가 움직였다. 상자 옆면에 뚫린 작은 구멍으로 밖을 확인한 윤조는 자신의 곁을 스치는 무장한 서국의 병사들의 모습에 숨을 죽였다.

"거기, 뭔가?"

"군수품입니다. 준비를 하다 뒤처졌습니다."

"이런, 서둘러 합류해!"

아트완의 입구를 나선 수레가 덜컹거렸다. 수레가 빠져나가고 잠시 뒤 육중한 성문이 닫혔다. 참고 있던 숨을 크게 내쉰 윤조가 함을 열고 나왔다. 갑옷을 벗어 던진 정보원들이 검을 챙겨 윤조와 함께 산길로 사라졌다.

한편 키얀의 뒤를 따라 아트완을 나섰던 파이옌은 문득 이상한 느낌이 들어 왔던 길을 돌아봤다. 멀리서 성문이 열렸다가 닫히는 소리가 한 번 더 들렸던 것 같았다.

"뭐지?"

갑자기 말을 멈추는 파이옌의 모습에 키얀이 전차를 멈추게 하고 그를 돌아봤다.

"왜 그러나?"

"성문을 여닫는 소리가 났던 것 같아서."

"뒤처진 수레가 있는 건가? 가서 확인하고 합류하도록."

"알겠어."

말머리를 돌린 파이옌이 곧장 왔던 길을 달려 아트완의 입구로 향했다. 굽은 길을 돌아 아트완에 도착하기 전, 멀지 않는 곳에 버려져 있는 수레를 발견한 그가 의아한 얼굴로 말에서 내려 수레를 확인했다.

군수품이 실린 수레의 함은 열린 상태였으며, 수레 근처에 누군가 버리고 간 갑옷과 투구가 굴러다니고 있었다. 버려진 투구를 주워 든 그는 문득 윤조를 감옥으로 데려갔던 병사들의 수와 버려진 갑옷의 수가 일치한다는 것을 깨달았다.

"설마."

몸을 숙여 바닥에 난 흔적을 확인하던 그가 산길로 이어진 발자국을 발견하고 말에 올랐다.

"이랴!"

거칠게 말을 몰아 산길을 달리는 그의 눈동자가 초조하게 빛났다.

"다행히 뒤따라오는 자는 없는 것 같습니다."

"들키지 않아 다행이에요. 이제 어디로 가야 하죠?"

"산길을 돌아 나람성으로 갈 겁니다. 군대의 눈을 피해 가야 해서 조금 험한 길이 될지도 모르는데 괜찮으시겠습니까?"

"안 괜찮아도 가야죠. 최대한 빨리 가서 대장군님께 알려야 합니다. 연락을 취할 만한 매가 있을까요?"

"말이 있는 곳에 매도 함께 있습니다."

그들은 재빨리 산길을 달렸다. 당장 매를 날려도 수도에 도착하기까지는 반나절이 걸린다. 그때쯤이면 이미 행림산성을 잃은 뒤일지도 몰랐다. 초조한 윤조의 기색을 읽었는지 곁에 있던 정보원이 너무 걱정하지 말라며 그녀를 달랬다.

"행림산성에 서국 군대가 도착하기 전에 봉화가 피어오를 겁니다. 제1봉화대가 근방에 숨겨져 있으니 제아무리 어둠 속에 몸을 숨긴 채 행군한다고 해도 그 많은 수의 군사가 감시를 피할 수는 없을 겁니다."

"그곳에서 얼마나 버텨 낼 수 있겠습니까?"

"걱정 마십시오. 지난 7년 전쟁에서도 서국군은 행림산성을 뚫지 못해 회군해야 했습니다. 수개월은 너끈히 버틸 수 있습니다."

그 말에도 윤조는 계속해서 피어오르는 불안감을 감출 수 없었다. 그녀는 키얀이 가료에게 지시하며 매복대에게 거점을 점령하라 명령했던 부분이 마음에 걸렸다. 출군을 한 것도 가료에게서 거점을 장악했다는 보고를 듣고 난 뒤였다. 더군다나 정보원의 말처럼 행림산성이 군수 물자와 군량미가 풍부한 곳이라면 반대로 그곳이 점령당했을 경우 그 모든 자원이 서국 군대의 손에 넘어간다는 뜻이 된다. 키얀이 그곳을 첫 번째로 노린 것도 그 때문이라면 아무런 준비도 없이 군을 움직이진 않았을 것이다.

"제1봉화가 서국의 군대에게 노출되었을 가능성은 없나요?"

"없습니다. 본디 봉화대의 위치는 군사 기밀이라 아는 자가 많지 않습니다. 저희도 그 위치는 모릅니다."

하지만 나투국에는 묘길이라는 내부의 첩자가 있는 상태였다. 무녀인 그녀가 군사 기밀까지 전부 꿰고 있으리라는 생각은 들지 않았지만 확인은 해야 했다.

"대장군님과 홍 장군님 외에 봉화대의 위치를 아는 자가 누구누구죠?"

"폐하와 대승상 그리고 국경에 위치한 각 성의 성주들입니다."

윤조의 얼굴에 난색이 스쳤다. 나람성은 이미 한 번 박유의 손에 함락당해 성주가 죽었다. 나람성주를 지하 감옥에 가둬 며칠 동안 고문한 후 죽였다고 했으니 박유가 그사이 성주를 통해 봉화의 위치를 알아냈다면 묘길과 서국의 황제에게 이미 봉화의 위치를 알렸을 터였다.

'행림산성은 밤사이 점령되고 말 것이다.'

서둘러 준영에게 연락을 보내야 했다. 지원 없이는 수일 내에 국경의 방어가 무너지고 말 것이다.

"말이 있는 곳은 아직인가요?"

"거의 다 와 갑니다. 저기! 저기입니다."

냇물이 흐르는 가까운 나무에 말과 매가 묶여 있었다.

"적을 것을, 어서!"

정보원에게서 붓과 종이를 받은 그녀가 서둘러 서신을 적어 내려 갔다. 서국의 황제가 직접 10만의 대군을 이끌고 진군 중이며 행림 산성이 밤사이 점령당할 것이라는 것과 묘길이 서국과 내통한 배 후이며 봉화대의 위치가 발각되었다는 내용, 자신은 무사히 정보 원들과 탈출해 나람성으로 향하고 있다는 내용도 함께였다.

서신을 다 작성한 그녀가 종이를 접어 정보원에게 건넸다. 매의 다리에 서신을 묶은 정보원이 곧장 매를 날려 보내려던 때였다. 어 둠 속에서 날아든 화살이 매의 몸통을 꿰뚫었다.

"웬 놈이냐!"

정보원들이 윤조를 자신들의 뒤로 숨기며 검을 꺼내 들었다. 말 발굽 소리와 함께 모습을 드러낸 이는 파이옌이었다. 그는 말안장 에 걸어 놓은 활 통에서 화살을 꺼내 정보원들을 향해 쏘았다. 그 러고는 달리는 말을 멈추지 않고 곧장 그들을 향해 달려들었다. 말 을 피해 흩어진 윤조와 정보원들은 어느새 길을 막고 선 파이옌을 발견했다.

"느낌이 싸하더라니."

날카로운 그의 시선이 여섯 명의 정보원을 지나 윤조를 향했다.

"병아리가 아니라 불나방이 되기로 한 거야? 스스로 불속에 뛰어 들어 뭘 어쩌겠다는 건데!"

"비켜요. 난 가야만 해."

"너는 여전히 아무것도 몰라."

말에서 내린 파이옌이 곡도를 뽑아 들었다.

"쳐라—!!!"

눈짓을 주고받은 정보원들이 동시에 그를 향해 달려들었다. 병장기가 맞붙는 소리가 첨예하게 산자락을 울렸다. 다섯이나 되는 정보원을 한꺼번에 상대하면서도 파이옌의 손속은 거침없었다. 순식간에 정보원 두 명의 목이 날아갔다. 윤조를 지키던 정보원 한 명이 서둘러 그녀와 함께 말에 올랐다.

"이랴!!!"

"거기 서!"

빠르게 말을 몰아 멀어지는 두 사람을 바라보며 파이옌이 곡도를 하나 더 꺼내 들었다.

"시간이 없으니."

양손에 곡도를 쥔 그가 남아 있는 정보원들을 향해 그대로 돌진했다. 양손의 곡도가 바람개비처럼 춤췄다. 검이 지나간 자리, 핏물이 번진 그곳에 살아남은 이는 아무도 없었다. 그는 빠르게 말에 올라 도망친 윤조와 정보원을 뒤쫓았다.

"쫓아옵니다!"

험한 산길을 달리던 정보원과 윤조는 그리 멀지 않은 곳에서 자신들을 추격하는 파이옌을 발견하고 말을 더욱 채찍질했다.

"이랴! 이랴!"

땅을 박차는 거친 말발굽 소리가 귓가를 메아리쳤다. 점점 더 가까워지는 파이옌을 바라보며 윤조가 어금니를 깨물었다.

'괴물 같은 놈.'

파이옌의 얼굴과 옷에 핏물이 튀어 있었다. 세작으로 훈련받은 정보원 다섯 명이 붙어도 파이옌 하나를 막아내지 못했다. 심지어 그는 최근에 심한 고문을 당한 상태였다. 약발이 더럽게 잘 받는 몸인가 보네. 서국 황제가 그에게 주었던 선단을 떠올린 그녀가 욕지기를 삼키며 품 안에 숨겨 두었던 두둑한 주머니를 꺼내 들었다.

"진짜 이런 짓까지 하고 싶지는 않았는데."

비장한 얼굴로 고민하던 그녀가 주머니를 열어 그 안에 있던 것을 쥐고 파이옌을 향해 내던졌다.

갑자기 날아오는 정체 불명의 물체에 반사적으로 칼을 들어 쳐낸 그는 '쨍!' 하고 울리는 높은 금속성의 소리에 눈을 크게 떴다.

'방금 뭘 던진 거지?'

다시 앞을 바라보자 이번에는 한 손 가득 움켜진 무언가를 자신을 향해 냅다 던져 버리는 윤조의 모습이 보였다.

쨍! 딱-! 쨍! 딱-! 쨍쨍! 따다닥-!

검을 휘둘렀지만 막아 낸 건 절반뿐이었다. '딱! 따닥!' 하는 요란한 소리를 내며 이마를 아프게 때린 물건의 정체를 확인한 파이옌이 신경질적으로 소리쳤다.

"이제는 하다하다 돈까지 집어 던지냐-!!!"

"지금 너한테 집어 던진 게 얼마인지 알기나 해!!!"

분기탱천한 윤조가 그를 향해 발을 구르며 악다구니를 썼다.

"어흑, 피 같은 내 돈! 대장군님 호강시켜 드리려고 번 돈을 저런 잡놈 얼굴에 던지게 되다니!"

"뭐야? 잡놈? 야-!!!"

"뭐 인마!!! 제발 내 인생에서 좀 꺼져 버려-!!!"

진심 어린 윤조의 욕설에 순간 지끈, 가슴이 아팠지만 파이옌은 무시했다.

"미안하지만 곱게는 못 꺼져 주겠다."

더 빨리 말을 몬 그가 사정권에 들어온 정보원을 향해 화살을 겨냥했다.

"위험해요-!"

뒤를 확인한 윤조가 다급히 외쳤으나 파이옌의 손에서 날아간 화살은 한 치의 오차도 없이 정보원의 등을 관통했다.

"죄송합니다, 무녀님⋯⋯."

화살에 맞고도 고삐를 놓지 않고 말을 몰던 정보원이 순식간에 낙마했다.

"안 돼!"

비명을 지른 윤조가 정면을 향했다. 간신히 고삐를 쥐었으나 혼자 말을 타 본 경험이 없는 그녀로서는 이미 흥분할 대로 흥분해 빠르게 내달리는 말을 부릴 수도, 멈출 수도 없었다. 기수를 잃은 말이 굽은 길에서 길을 벗어나 나무 사이로 뛰어들었다.

"이런!"

마상술에 뛰어난 파이옌은 말을 따라잡아 윤조를 낚아챌 계획이었으나 흥분한 말이 길을 벗어나 달리자 낭패 어린 표정으로 급히 그 뒤를 쫓았다.

"속도를 줄여!"

파이옌이 어느새 그녀의 뒤를 바짝 따라잡았다. 그가 다급히 외쳤으나 두려움으로 몸이 굳어 버린 윤조의 귀에 그 말이 제대로 들릴 리 없었다. 뾰족한 나뭇가지가 그녀의 머리 위로 지나갔다. 고개를 들고 싶어도 들 수가 없었다. 덜덜 떨며 간신히 고삐를 잡고 있던 그녀의 눈앞으로 어느 순간 나무가 사라졌다. 눈앞으로 절벽이 보였다.

"병아리!!! 고삐를 놔—!!!"

마찬가지로 절벽을 발견한 파이옌이 소리쳤으나 이미 윤조의 말은 깎아지른 절벽의 끝에 다다른 뒤였다.

"병아리!!!"

말과 함께 절벽으로 떨어지는 윤조를 본 파이옌이 그대로 몸을 날려 공중에서 윤조를 끌어안았다.

"젠장."

작게 뇌까리는 파이옌의 목소리를 마지막으로 세상이 암전했다.

◈

"폐하께서 암행을 나가셨다가 조금 전에 돌아오셨습니다."

"대장군과 홍 장군을 만나러 다녀 오셨겠군."

호위 무녀의 보고를 받은 묘길이 그렇게 말하며 한곳을 바라봤다.

"홍씨 부자가 폐하를 설득 중인가 봅니다. 이 묘길이 의심된다고요."

"무녀장! 이런 일을 벌이고도 무사할 거라 생각하나!"

"무슨 수작을 부리는 겁니까!"

"글쎄요."

묘길은 고개를 모로 기울이며 창살 안에 갇혀 부르짖는 최 승상과 길림을 향해 이죽거렸다.

"두 분은 그저 망국의 길이 머지않았다는 것만 알아 두세요."

"이런 일을 꾸민 이유가 뭔가? 제국의 정점에서 남부러울 것 없이 황실의 사랑을 받으며 살아온 자네가 무엇이 아쉬워 역모를 꾀한 거냔 말일세!"

최 승상의 말에 묘길의 눈빛이 변했다.

"사랑?"

아주 재미있는 이야기를 들었다는 듯이 '사랑'이라는 단어를 곱씹으며 실소하는 그녀의 웃음소리는 점점 광기로 변해 갔다.

"하하, 지금 사랑이라고 하셨습니까? 하하하! 사랑? 사랑이라고? 사랑?"

그리고 한순간 웃음을 멈춘 그녀가 갇혀 있는 두 사람을 향해 가까이 다가갔다. 끓어오르는 감정을 아득하게 초월해 버린 초점 없는 보라색 눈동자가 마치 인형처럼 무감각했다.

"더 오래전에 끝냈어야 했다. 더 오래전에."

마주한 그녀의 하얀 얼굴을 바라보며 최 승상과 길림은 공포를 느꼈다. 그건 강인한 포식자를 앞둔 공포와는 조금 다른 종류의 공포였다.

제정신이 아니다. 이자는 정말 미쳤다. 두 사람은 그녀의 눈을 가까이서 본 순간 알 수 있었다. 누구도 그녀를 막을 수도, 설득할 수도 없다는 사실을. 스스로 죽음을 위해 내달리는 광인을 어느 누가 막을 수 있단 말인가! 텅 빈 그녀의 눈동자는 이미 죽은 자의 것과 같았다.

"내가 이때를 얼마나 기다려 왔는지 너희는 모를 것이다. 내가 얼마나 이 날을 숨죽여 기다려 왔는지, 내가 얼마나 피눈물을 삼키며 살아왔는지, 너희와 웃고 떠들며 숨 쉬는 것조차 고통인 이 세상에서 어떤 심정으로 살아왔는지, 너희는 아무것도 모를 것이다."

"무슨 일이 있었던 거요? 대체 당신에게 무슨 일이 있었기에⋯⋯!"

묘길이 고개를 저으며 창살에서 떨어졌다.

"너희는 들을 자격이 없다."

"당신의 분노가 무엇 때문인지는 모르겠으나 나투국은 부정할 수 없는 당신의 나라요. 전쟁이 일어나면 당신과 같은 무녀들의 피도 흐를 것이오. 그들을 아끼지 않소! 고통 속에 죽어 가는 그들의 모습을 꼭 두 눈으로 봐야만 하겠소!"

"닥쳐라. 그 입을 찢어 버리기 전에."

"무녀장!"

"너희는 자격이 없다. 감히 나를 비난할 자격도, 감히 무녀들을 빌미로 새치 혀를 놀릴 자격도, 감히 내 앞에서 떠들고 숨을 쉴 자격조차 없는 존재들이다."

최 승상은 그녀가 말하는 '자격'이 무엇인지 알 수 없었다. 하지만 한 가지는 분명했다. 눈앞의 무녀장이 바라는 것은 단순히 나투국 황실을 등지고 서국과의 전쟁을 일으키려는 의도가 아니라는 것을. 그 때문에 자신들을 곧장 죽이지 않고 살려 두었다는 것을.

"무엇을 알려 주고 싶은 거요? 왜 우리를 죽이지 않고 살려 둔 거요?"

묘길이 답했다.

"봐야 하니까. 이 세상의 멸망을."

❖

온몸이 욱신거렸다. 차가운 한기에 정신을 차린 윤조는 자신이 살아 있다는 것을 깨달았다. 눈꺼풀이 무거웠다. 한참 만에 간신히 눈을 뜨자 날이 밝은 푸른 하늘이 보였다. 쏟아지는 햇살에 시야가 어지러웠다.

'뭐가 어떻게 된 거지.'

다시 눈을 감은 그녀가 손끝을 움직였다. 팔다리를 움직여 몸을 일으키려 했지만 말을 듣지 않았다. 계속해서 기침이 나왔다. 고개를 옆으로 돌려 물을 토해 내자 공기가 밀려들었다. 온몸이 축축했다. 가만히 귀를 기울이니 바로 곁에서 세찬 물이 흐르는 소리가 들리는 것 같았다.

'물?'

퍼뜩 눈을 뜬 그녀의 머릿속으로 절벽 아래로 추락했던 순간의 기억이 지나쳤다. 그리고 그 아래 흐르던 계곡물에 휩쓸렸다는 사실도.

'시간이 얼마나 지난 거지?'

바라본 하늘은 이미 중천으로 해가 떠오른 뒤였다. 힘겹게 몸을 일으킨 그녀가 고개를 돌렸다. 바로 옆으로 계곡이 흐르고 있었다. 물살에 휩쓸려 떠내려온 모양이었다. 두 손으로 몸을 더듬던 그녀는 다친 곳이 없다는 것을 깨닫고 안도했다. 그리고 다음 순간 자신을 감싼 채 절벽 아래로 함께 떨어졌던 파이옌을 떠올렸다.

"이자는 어디에⋯⋯."

비틀거리며 주변을 살피던 그녀는 멀지 않은 물가에 쓰러져 있는 파이옌을 발견했다. 무의식적으로 그쪽을 향해 걸어가려던 윤조가 움직임을 멈춘 채 자리에 섰다.

'그를 구해야 할까? 살려 내면 다시 나를 잡으려 들 텐데. 대장군

님을 죽이려 한 자를 내가 살려야만 할까?'

나를 속이고, 기만하고, 내 연인의 죽음을 원하는 자를 내가 정말 구해야만 할까? 의식 없는 파이옌을 향한 그녀의 눈동자가 잘게 떨려 왔다. 이대로 모른 척 두고 간다 해도 아무도 나를 비난할 사람은 없다. 나를 납치하고, 내 조국을 짓밟으려는 적이다. 적을 죽게 놔두는 것뿐이다. 아무도 나를 탓하지 않을 거다. 그가 죽었다는 사실을 알면 오히려…….

갈등하던 그녀가 발길을 돌려 그를 등지고 섰다.

'그냥 가 버리면 된다. 그냥 가 버리면.'

그녀는 계속해서 걸었다. 한 걸음, 두 걸음, 세 걸음. 파이옌을 두고 멀어졌다.

'내가 죽이는 게 아니야. 내가 죽이는 게 아니라고. 처음부터 나를 속이고 납치하고 전쟁을 일으키려 한 저 인간 잘못이야. 이건 내 잘못이 아니야.'

직접 그를 칼로 찌른 것도 아니건만 손발이 덜덜 떨려 왔다. 머릿속을 헤집는 수만 가지 생각과 죄책감을 애써 무시하며 그녀는 입술을 깨물었다. 찢어지고 터진 입술에서 비릿한 피 맛이 났다.

'저 인간이 자초한 거야. 내가 도와 달라고 하지 않았어. 내가 살려 달라고 하지 않았어. 저 인간이 멋대로 나를 구하려다가 저렇게 된 거야. 내가 잘못한 게 아니야. 내가 죽이는 게 아니야. 내가 죽이는 게 아니…….'

"제기랄-!!!"

한순간 이성이 뚝 끊어졌다. 화가 폭발한 그녀가 바닥에 깔린 자갈을 걷어차며 소리쳤다.

"왜!!! 대체 왜 나를 구한 거야-!!!"

왔던 길을 되돌아 파이옌에게 다가간 그녀가 정신을 잃은 그의 뺨을 마구잡이로 내리치며 악을 썼다.

"왜 나를 살렸어! 대체 왜! 왜 나를 구했어!!! 당신 때문이잖아! 내가 이렇게 된 건 전부 당신 때문이잖아! 내가 죽건 말건 상관없는 일이잖아! 그런데 왜 나를 구했어-!!! 일어나! 일어나라고, 이 망할 새끼야!!!"

힘껏 뺨을 내리쳐도 반응이 없었다. 씩씩거리며 흥분을 가라앉힌 그녀가 한 손으로 자신의 이마를 짚었다. 정신이 망가지는 기분이다. 깊은 숨을 내뱉으며 떨리는 몸을 진정하던 그녀가 파이옌의 상태를 확인했다. 체온이 낮고 맥박이 약했다. 물에서 끌어내는 게 우선이었다.

간신히 그를 물 밖으로 끌어내는 데 성공한 그녀가 무겁게 그의 몸을 내리누르는 갑옷을 벗겨 내고 신력을 끌어올렸다. 하지만 손안에 모이지 못하고 그대로 흩어져 버리는 미약한 신력에 그녀가 욕지기를 하며 파이옌을 노려봤다.

"돈까지 던지게 하더니 이제는……."

그녀는 곧장 양손을 겹쳐 그의 가슴에 대고 수차례 압박했다.

"죽어도 내가 없는 곳에서 죽어. 기분 더러우니까 죽어도 내가 없는 곳에서 죽어. 알겠어?"

짓씹듯이 저주를 퍼부은 그녀의 입술이 파이옌의 입술을 덮었다. 그의 파이옌의 턱을 잡고 그의 입 안으로 숨을 불어넣었다.

"눈 떠!"

그녀가 다시금 그의 가슴을 압박했다.

"돌아갈 거라며! 집으로, 원래의 세상으로 돌아갈 거라며! 눈 떠! 사람 바보 만들면서 여기까지 왔으면 뭐 하나라도 제대로 해야 할 것 아니야!!!"

힘에 부친 그녀가 손을 떼고 주먹으로 그의 가슴을 쾅쾅 내리쳤다. 그러자 숨을 들이켠 파이엔이 기침을 하며 물을 토해 냈다.

"졸라 아파……."

그 말을 끝으로 그는 다시 정신을 잃었다. 당황한 윤조가 그를 흔들었다.

"파이엔? 파이엔? 야이씨! 미쳐 버리겠네, 진짜!"

기운이 빠진 그녀가 바닥에 주저앉을 때였다. 가까운 풀숲에서 인기척이 들렸다. 놀란 그녀가 소리 난 쪽을 바라보며 벗겨 놓은 파이엔의 갑옷에서 곡도를 찾아 꺼냈다. 이곳이 서국의 군대가 있는 곳이라면 낭패였다. 긴장한 그녀가 한껏 곡도를 그러쥐는데, 민가에서 볼 법한 행색의 옷을 차려입은 젊은 사내가 낚싯대를 들고 나타났다.

"어?"

놀란 눈으로 칼을 든 윤조를 바라보던 그는 그녀의 옆에 쓰러져 있는 파이엔을 발견하고 기함했다.

"지훈 씨?"

그의 말에 놀란 건 윤조도 마찬가지였다.

"그 이름을 어떻게……."

파이엔과 사내를 번갈아 바라보던 윤조가 검을 내리며 물었다.

"당신은 누구죠? 그 이름을 어떻게 알고 있죠?"

"그러니까 아이만 씨와 시센 씨 두 분 다 저와 파이옌과 같은 세상에서 오셨다는 말인가요?"

윤조는 믿기지 않는다는 표정으로 눈앞의 부부를 바라봤다. 물가에서 만난 사내, 아이만의 도움으로 파이옌을 옮긴 그녀는 아이만과 그의 아내 시센이 살고 있는 산속의 작은 오두막에 도착했다. 그곳에서 듣게 된 이야기는 놀라운 것이었다.

"네, 맞아요. 지훈 씨와는 오래전부터 알고 지낸 사이랍니다."

"그럴 수가……."

"처음 지훈 씨를 만났을 때도 윤조 씨 같은 반응이었어요. 하지만 사실인걸요. 그리고 저희 외에도 이 세계에는 우리 같은 사람들이 꽤 많이 존재한답니다."

"더 많이 존재한다고요? 어떻게 그게 가능한 거죠?"

"이 세계는 주인공을 원하고 있으니까요."

"그게 무슨 뜻이죠? 이 세계가 주인공을 원하고 있다니요?"

혼란스러워하는 윤조의 앞으로 시센이 따뜻한 차를 내밀었다.

"추울 텐데 좀 드세요. 몸이 녹을 거예요."

"아, 감사합니다."

따뜻한 차를 마시자 찬물에 얼어 있던 몸이 녹는 기분이었다. 한결 풀린 표정을 한 윤조를 바라보며 시센이 그녀를 마주 보고 앉았다. 아이만은 음식을 준비하겠다며 부엌에 들어간 뒤였다. 아직 깨어나지 못한 채 정신을 잃고 침대에 누워 있는 파이옌을 바라보던 시센이 천천히 이야기를 시작했다.

"저희도 이 세계의 시작이 언제부터였는지, 언제부터 이런 일이 벌어지고 있었던 건지는 정확히 알지 못해요. 저희가 알고 있는 내용은 저희 이전에 먼저 이 세계에 왔던 사람들로부터 전해 들은 지식이니까요."

"세계가 주인공을 원한다는 건 무슨 말인가요?"

"이곳은 이야기책 속이에요. 동시에 다른 세상이자 다른 우주이기도 하죠. 그리고 이야기책 속에는 언제나 이야기를 이끌어 가는 주인공이 존재하고요."

"책 속이라니요? 이 세계가 책 속이라고요……?"

"윤조 씨는 지훈 씨보다 아는 게 더 없는 것 같네요. 처음 이곳에 올 때 오래된 낡은 책 한 권을 읽지 않았나요?"

윤조가 고개를 저었다.

"전혀요. 저는 그런 책을 읽은 적이 없어요."

단호한 그녀의 부정에 시센이 그럴 리가 없다며 의아한 눈을 했다.

"이곳에 온 사람들 모두 그 책을 읽은 사람들이에요. 그런데 그 책을 읽은 적이 없다고요?"

"네, 전혀요. 저는 사고를 당했어요. 교통사고였고, 아마 죽었던 것 같아요. 그리고 눈을 떠 보니 전생의 기억을 간직한 채 아기로 태어났어요."

"아기, 라고요?"

시센은 이번에야말로 믿을 수 없다며 고개를 흔들었다.

"그럴 리가, 아기라니. 지금도 그 이전에도 '아기'로 이 세상에 태어난 다른 세상의 사람은 없었어요. 그건 말 그대로 정말 다시 '태어난' 거잖아요? 저희가 알고 있는 진실은 이곳이 수백, 어쩌면 수천 년에 걸쳐 제목과 내용을 스스로 바꾸며 존재하는 기이한 책 속 세계라는 거고, 이 책은 이야기가 새롭게 적힐 때마다 해당하는 이야기의 주인공을 다른 세계에서 끌어들이고 있다는 사실이에요."

"이야기가 새롭게 적힌다? 하나의 이야기가 끝나면 또 다른 이야기가 새롭게 적힌다는 건가요? 그때마다 새로운 주인공들을 끌어들이는 거고?"

"맞아요. 그리고 그렇게 책 속으로 끌려 들어온 사람들은 책 속의 사람들의 몸에 빙의하게 되죠. 저는 저주에 걸린 사막의 소수 부족의 마지막 계승자의 몸으로, 제 남편인 아이만은 사막 모래폭풍에 휘말린 이국의 여행자의 몸으로 깨어났어요. 당시 우리 둘은 서로가 서로의 아군이자 연인이 될 운명을 타고난 주인공으로 이야기 속에 자리했죠."

"아군이자 연인이요? 그렇다면 시센 씨와 아이만 씨에게도 맞서 싸워야 할 적이 있었다는 뜻인가요?"

"네. 이야기에는 주인공과 주인공을 위협하는 악역이 필요하니까요. 저희가 맞서야 했던 악역은 저와 제 부족에 저주를 걸었던, 지금은 사라진 사막 왕실의 마법사였어요."

"그 마법사도 빙의자였나요?"

"아니요. 그는 원래 책 속의 인물이었어요. 제가 도서관에서 읽었던 낡은 책 속의 악역이었죠. 저는 그 책의 결말을 읽은 뒤 이 세계에 오게 되었어요."

"그럼 당시 이야기의 끝이 어디로 향할지 알고 있었다는 거군요?"

"네. 주인공의 역할이 바로 그거예요. 이야기의 완벽한 결말을 맞는 것. 무슨 이유에서인지 이 책은 자신이 만들어 낸 이야기를 이끌어 가고 결말을 지을 주인공을 필요로 하는 것 같아요. 마치 신이 인간의 운명을 주관하듯, 주인공이 어떻게든 정해진 이야기와 운명을 따라가게 만들죠."

"책이 정한 운명을 거스를 수도 있는 건가요?"

"그런 경우는 보지 못했어요. 저와 아이만도 어떻게든 책이 정한 결말을 벗어나고자 했지만 결국 그 결말에 도달해야 했고요."

"왜죠?"

"게임에서 주인공이 과업을 성공적으로 마치면 보상을 주듯이 이야기의 주인공으로 선택된 자들이 책이 정한 완벽한 결말을 보게 되면 소원을 한 가지 빌 수 있어요."

그녀의 말에 윤조 시선이 문득 침대 위에 누워 있는 파이옌을 향했다.

"원래의 세상으로 돌아가게 해 달라는 소원 같은……?"

"네. 이 세계를 없애 달라는 소원만 빼고는 무엇이든 가능해요. 그리고 아이만이 결말에 도달해 빌었던 소원은 저를 다시 살려 달라는 소원이었어요."

그렇게 말하는 시센의 눈에는 죄책감과 애정 그리고 마음 깊은 고마움이 섞여 있었다.

"그이는 저를 살리고 이 세계에 남아 살아가기로 결심했던 거죠."

"사랑하니까요."

"네, 맞아요. 사랑하니까요. 서로가 없는 세상은 이제 상상할 수 없는걸요."

그렇게 말하며 미소 짓는 시센의 모습은 무척이나 아름다워서 윤조는 한참 동안 그녀의 얼굴을 가만히 바라봤다. 그녀가 말한 이 세계의 복잡한 진실과 이야기를 들으면서도 윤조의 마음속에 가득한 얼굴은 오직 준영이었다. 그리고 아주 간혹 불쑥불쑥 그 틈을 비집고 머릿속에 떠오르는 또 다른 얼굴은 파이옌이었다.

'그가 서국 황제에게 원한다는 완벽한 죽음과 완벽한 결말의 정체는 이런 것이었나…….'

그는 자신을 속이지 않았다. 모든 진실을 말하지도 않았지만 거짓을 말하지도 않았다. 진실을 감춘 것도 기만이라면 기만이겠지만 그의 목적은 변함없었다. 이야기의 결말에 다다라 원래의 세상으로 돌아가게 해 달라는 소원을 빌기 위해, 그 소원 하나를 위해 살아왔다는 그의 말은 진실이었다.

하지만 그가 말하는 완벽한 결말에 도달하기 위해서는 서국의 손에 나투국이 멸망해야 하며, 서국의 황제의 손에 준영이 죽어야만 했다. 그가 원하는 완벽한 결말은 윤조와 나투국의 모든 사람들에겐 완벽한 지옥이나 다름없었다.

"저는, 모르겠어요……."

우울한 목소리가 튀어나왔다.

"윤조 씨?"

"적이 아닌 아군으로 만났다면 좋았을 텐데. 어쩌다 이렇게 되어 버린 것일까요……."

"무슨 문제라도 있나요?"

"설령 지금 이곳이 책 속 세상이라는 걸 알았다고 해도 파이옌이 원하는 결말과 제가 원하는 결말은 공존할 수 없어요. 제가 알았던 이 세계는, 저에게 이 세상은 다른 세상 같은 것이 아니라 제 모든 것이니까요. 비록 이전 세상의 기억이 남아 있다고 해도 저는 이곳에서 태어났고, 가족을 만났고, 친구를, 이웃을, 사랑하는 사람들을 만났는걸요. 이제 와 이 세계가 제가 알고 있던 그런 곳이 아니라고 해도 그들의 존재가 사라지는 건 아니잖아요. 제가 사랑하는 사람들이 이 땅에 분명히 살아 숨 쉬고 있는데, 웃고, 울고, 때론 아파하고 슬퍼하면서도 최선을 다해 살아가고 있는데. 그런데 감히 제가 이 세계의 진실을 알았다는 이유만으로 그들의 존재를 부정할 수는 없는 거잖아요. 그들의 삶을, 마음을 가벼이 여길 수는 없는 거잖아요. 저 또한 그들에게 사랑받고 위로받은 사람으로서, 함께 추억을 쌓고 그들과 살아가고 싶은 사람으로서, 그들을 지켜 내고 싶은 사람으로서 그들이 겪을 불행과 고통을 외면할 수는 없는 거잖아요."

"그저 이야기 속의 사람들일 뿐이라고 해도요?"

"제게는 이곳이 현실이에요."

윤조가 힘주어 답했다.

"시셴 씨는 지금까지 만나 온 이 세계의 사람들을 그저 이야기 속의 사람이라고 여기시나요? 가족도, 친구도, 이웃도 모두 그저 한 차원 먼 어딘가의 존재라고만 느끼나요?"

그녀는 손을 뻗어 탁자 위에 놓인 시셴의 손을 잡았다.

"손을 잡으면 따스하고, 맥박이 뛰고, 상처가 나면 아파하고, 피를 흘리는데. 저와 같은 사람인데. 그들이 살아가는 세상이 우리와 다르다는 이유로 우리에게 그들의 삶을 결정할 권리가 있을까요? 책이 선택한 주인공이라고 해서 그들의 아픔은 아무렇지 않게 여겨도 될 자격이 있는 걸까요? 그들의 세상을 그저 아무것도 아닌 종이 묶음으로 여길 자격이 과연 있는 걸까요? 아니요! 저는 아니라고 생각해요. 왜 제가 읽지도 않은 책 속 세상으로 들어오게 되었는지는 모르겠지만, 그 운명에 어떤 이유가 있다면 절대 책을 위한 주인공으로 살아가라는 뜻은 아닐 거예요. 예정된 비극을 그저 따르고 지켜보기만 하라는 뭣 같은 삶을 주면서까지 저를 다시 살게 하진 않았을 거라고요!"

시센은 진심으로 이 세계를 위해 화를 내는 윤조를 가만히 바라보다 이내 고개를 끄덕였다. 한 번 이야기를 겪었던 주인공으로서, 그녀도 결말에 다다르기를 망설였던 사람으로서 그 마음을 이해할 수 있었다.

"저도 소중한 이들을 지키고 싶다는 그 마음 잘 알아요. 내가 있는 이 세계를 현실이 아닌 가짜라고 치부할 수 없다는 것도 알고요. 하지만 윤조 씨, 저는 원래의 세상으로 돌아가고 싶었던 마음이 간절했던 사람으로서 지훈 씨의 마음도 무시할 수는 없다고 생각해요. 그리고 지훈 씨와 윤조 씨가 적으로 만나게 된 이유는 어쩌면 윤조 씨의 잘못된 선택에 따른 이야기의 결과일 수 있어요."

"제 잘못된 선택의 결과라니요……?"

"지금까지 책 속 이야기의 주인공은 여자 주인공과 남자 주인공이 짝을 이뤄 아군이 되는 것으로 흘러갔어요. 저희도, 이전에도, 그 이전에도 마찬가지였죠. 하지만 윤조 씨와 지훈 씨는 아니에요. 적이 되었죠."

"그 말은 저와 파이옌이 연인이 될 운명으로 묶인 한 쌍의 주인공이었다는 뜻인가요?"

"네. 아마 두 사람은 첫 만남부터 지금 이 순간까지 피하고 싶어도 피할 수 없는 만남을 계속해서 반복했을 거예요. 운명인지 악연인지 분간이 가지 않을 정도로 얽히고 또 얽혔겠죠."

그녀의 말에 윤조는 뒤통수를 얻어맞은 사람처럼 입을 벌렸다.

"표정을 보니 알 것 같다는 얼굴이네요. 저와 아이만도 그랬어요. 운명인지 악연인지 모를 정도로 얽히고 또 얽혔죠. 그리고 마지막에는 사막의 마법사를 없애야 한다는 공동의 목표를 가지고 함께 이야기의 결말로 다가갔어요."

하지만 윤조가 준영을 선택한 순간 남녀 주인공이 함께 가져야 할 공동의 목표는 깨진 것이나 다름없었다. 그럼에도 남녀 주인공이 함께해야 할 이야기의 안배는 끝나지 않았기에, 두 사람은 계속해서 얽히고설킨 복잡한 갈등을 만들어 갔던 것이었다. 상황을 깨달은 윤조의 복잡한 표정에 시센이 걱정스러운 눈으로 그녀와 파이옌을 번갈아 봤다.

"이번 이야기의 주인공은 당신과 지훈 씨예요. 누구도 두 사람의 선택을 바꾸거나 막을 수 없죠. 주인공인 서로만이 서로의 선택을 강제할 수 있어요. 지금까지 여자주인공과 남자주인공이 심하게 다퉈 친해지기 힘들었다는 이야기 정도는 들어 봤어도 그 둘이 적이 되어 서로의 선택을 견제하게 되는 상황은 저 역시 처음 봐요. 하지만 두 사람의 선택으로 이야기는 결정될 거예요. 이변은 없어요."

'이변은 없다.'

지하 감옥에서 그렇게 말하던 파이옌의 목소리가 들리는 것 같았다.

"그는, 파이옌은 이런 사실을 알고 있었나요? 제 선택이 자신과 이야기 전체에 영향을 주었다는 사실을?"

"아닌 척했지만 이미 알고 있었던 거 같아요. 얼마 전 나투국에서 돌아왔을 때 다른 주인공이 자신이 아닌 다른 사람을 선택하게 되면 어떻게 되는 거냐고 물은 적이 있었거든요. 파이옌은 그전까지 이 세계의 주인공이 자신 혼자인 줄 알고 있었어요. 오래도록 만나지 못했으니까요."

그는 그럼에도 자신을 구했다. 그의 선택을 유일하게 방해하는 존재가 자신이라는 것을 알면서도 목숨을 걸고 몇 번이나…….

머리가 아찔했다. 그를 죽게 버려두고 돌아섰던 자신의 모습이 생각나 토악질이 나올 지경이었다. 거친 숨을 몰아쉬는 그녀를 다독이며 시센이 말했다.

"윤조 씨, 다른 건 몰라도 이것만은 명심하세요. 하나의 결말에 하나의 소원이에요. 이변은 없어요. 선택은 주인공들의 몫이에요."

해가 저물었다. 윤조는 그사이 파이옌이 깨어나길 바랐으나 그는 눈을 뜨지 않았다. 나람성으로 떠나겠다는 윤조를 붙잡은 건 시센과 아이만이었다. 산세가 험하고 밤에는 늑대가 나타나 위험하다는 이유였다. 길을 잘못 들어 다시 절벽에서 떨어질 수도 있으니 동이 트는 대로 출발하라는 그들의 만류에 윤조는 하는 수 없이 오두막에서 하룻밤을 머물기로 했다.

아이만에게 듣기로 행림산성은 지난 밤사이 점령당한 것 같다고 했다. 윤조의 예상대로 제1봉화는 타오르지 않았다. 낮에 행군이 없었던 걸 보면 밤에만 움직이는 것 같다는 아이만의 말에, 윤조는 그들이 오늘밤 다른 산성으로 이동할 것을 알았다.

행림산성에서 밤사이 이동할 수 있는 거리에 위치한 성은 진한산성이었다. 아이만은 거리가 멀긴 하지만 오두막과 가까운 언덕에서 그곳을 살필 수 있다고 했다. 오두막 뒤편에 있는 언덕에 오른 윤조가 아이만이 알려 주었던 방향을 살폈다. 밤의 어둠에 잠긴 산은 새까만 심해처럼 아무것도 들여다보이지 않았다.

"제발, 제발."

그녀는 양손을 모았다. 이번에야말로 봉화가 올라가기를 간절히 바라며 오래도록 자리를 지켰다. 그리고 마침내 까만 풍경 사이로 붉은색의 거대한 불꽃이 활활 타오르기 시작했다. 봉화였다. 제2봉화가 타오름과 동시에 산줄기를 따라 세 번째, 네 번째, 다섯 번째 봉화가 연이어 타올랐다. 희망의 불길이었다.

"폐하─! 폐하! 큰일 났습니다! 적습입니다! 국경에 봉화가 피어올랐습니다! 서국의 10만 대군이 국경을 공격 중이라고 하옵니다!"

깊은 밤까지 상소문을 확인하고 있던 온 황제는 다급한 내관의 보고에 복도로 달려 나가 창문을 열었다. 황성의 성곽에서 병사들이 종과 북을 두드리는 요란한 소리가 들려왔다. 적이 국경을 침범했다는 신호였다. 10만 대군이라니. 언제 그만한 병력을 준비했단 말인가! 온 황제가 내관을 향해 다급히 소리쳤다.

"대장군에게 전하라! 지금 당장 출전을 명한다!"

6만 5천의 군사들이 성 앞에 도열했다. 서국의 군대보다 적은 수였으나 당장 동원할 수 있는 병사의 수는 이것이 한계였다. 갑옷을 입고 무장을 한 나투국의 보병과 궁수대가 은빛 물결을 이뤘다.

봉화가 피어오른 곳은 제2봉화대가 있는 진한산성이었다. 준영은 제1봉화가 피어오르지 않았다는 사실을 확인하고 이미 행림산성이 함락되었다는 사실을 깨달았다. 제2봉화가 피어오른 진한산성에서 행림산성의 함락을 미리 알지 못했다면 기습을 받은 그곳은 오늘내일을 버티기 어려울 것이다. 곧장 다음 거점인 나람성으로 향해야 했다.

"아버지, 아버지께서는 수도를 지켜 주십시오."

"알겠다."

준비를 마친 준영이 말에 올랐다.

"윤조를 반드시 데려오겠습니다."

수도에서 나람성까지는 쉬지 않고 말로 달려 꼬박 이틀이 걸렸다. 휘하의 장수 둘을 선별한 그는 2, 3군인 보병 부대와 궁수 부대의 지휘를 맡기고 정예 부대인 기마대를 이끌었다. 선봉에 선 준영이 병사들을 향해 크게 외쳤다.

"전군 출정하라! 나람성으로 향한다―!"

그의 명령이 떨어지기 무섭게 3천의 정예 기마대가 땅을 박찼다. 보병과 궁수 부대의 지원이 늦어지더라도 기마대는 이틀 안에 나람성에 도착해야 했다.

같은 시각, 서국의 진영. 전투를 마무리한 키얀이 장수들을 향해 지시를 내렸다.

"척후병들을 먼저 나람성으로 보내 지속적으로 상황을 보고하게 하라. 봉화를 봤을 테니 지금쯤 나투국의 수도에서 군대가 출발했을 것이다. 오늘 밤은 병사들을 쉬게 하고 내일 아침 나람성으로 진군한다."

"존명!"

행림산성에서 나람성까지는 하루 반에서 이틀 정도의 시간이 걸렸다. 나투국 수도에서 나람성까지의 거리보다 조금 짧은 수준이었다. 키얀은 바닥에 굴러다니는 나투국 병사의 시체를 발로 밀어내며 점령한 진한산성을 살폈다. 단 한 사람도 살려 두지 말라는 그의 명령에 서국의 군대를 방어하던 진한산성의 군대는 이미 전멸한 뒤였다.

"폐하, 신력으로 피로를 덜어 드릴까요?"

"필요 없다. 때를 위해서 힘을 아껴 두어라."

"예, 알겠습니다."

헤린을 지나친 그가 가료를 불렀다.

"파이옌은 아직인가?"

"예, 아직 합류하지 않았습니다."

아트완을 나선 직후부터 파이옌의 모습이 보이지 않았다. 무슨 일이 생긴 것인가? 아니면 도주를 한 것인가. 수색대를 보내 파이옌의 행방을 추적하려던 그가 이내 생각을 접었다.

"가료, 파이옌이 합류하는 대로 내게 보내라."

"명 받듭니다."

성벽 위에 선 키얀이 멀리 불타오르는 봉화들을 바라봤다. 세찬 바람에 그의 붉은 머리카락이 흔들렸다.

"오너라, 홍준영."

키얀은 부상당했던 자신의 가슴 위로 손을 올리며 입매를 당겼다.

"절망을 맛볼 것이다."

"어머, 윤조 씨. 여기에서 밤을 새운 거예요?"

밤새 돌아오지 않은 윤조를 찾아 오두막 뒤편 언덕에 오른 시센은 두꺼운 담요를 온몸에 둘둘 감은 채 따뜻한 물을 가득 채운 커다란 물병을 품에 안고 있던 윤조를 발견했다.

"뭘 좀 살피느라……."

애벌레처럼 담요 밖으로 얼굴만 내밀고 있던 윤조가 꾸물꾸물 오른손을 꺼내 멀리 보이는 진한산성을 가리켰다. 닫힌 산성의 안팎으로 진을 치고 있는 서국 군대의 모습이 보였다.

"날이 밝으니 시야가 트여서 보고 있었어요. 불안해서 잠을 잘 수가 없더라구요. 파이엔은 깨어났나요?"

"아직이요. 그나마 어드밴티지가 육체적인 능력이어서 그런지 이전부터 회복력은 괴물 같았어요. 걱정 마요. 한숨 푹 자면 털고 일어날 테니까."

"그 어드밴티지라는 거요. 주인공들만 받게 되는 건가요? 어떻게 아는 방법이 없을까요?"

"네, 맞아요. 해당 이야기의 주인공들만 받게 되는 효과예요. 이야기가 끝나고 다른 주인공이 나타나면 사라지게 되죠. 그걸로 이야기가 끝났다는 걸 알 수 있어요. 그런데 윤조 씨는 자신의 어드밴티지가 뭔지 모르는 거예요?"

윤조가 고개를 끄덕였다.

"짐작 가는 게 있긴 한데 확실하지는 않아서요. 혹시 알 수 있는 방법이 없나 해서요."

"하긴 개중에 미묘한 능력들은 깨닫기까지 시간이 걸리죠. 게임처럼 스킬창을 볼 수 있는 것도 아니고요. 흠, 쉽게 특징을 설명하면 '이전보다 더 뛰어나진 특정 능력', '주인공의 감정에 반응', '성장하는 힘', 이렇게 세 가지 정도로 꼽을 수 있을 것 같아요."

"주인공의 감정에 반응하는 힘이라고요?"

윤조는 나람성에서 박유를 향한 분노에 반응했던 자신의 신력을 떠올렸다. 그리고 성장이라는 특징도 갑자기 내제된 신력의 양이 늘어난 것과 관계있는 것이라면……

"네. 주인공의 마음이 간절하면 간절할수록 그것과 동화되어 발현되는 힘이에요. 예를 들어 육체적 능력 쪽인 지훈 씨 같은 경우는 죽음의 고비가 찾아오면 전투력이 더 향상된다거나 하는."

"정말 싸움 특화 능력이네요, 그거."

"하하, 그렇죠. 그래도 그 능력이 아니었다면 지훈 씨는 살아남지 못했을 거예요."

"네?"

"지훈 씨가 빙의한 주인공인 파이옌의 몸은 서국 노예 아이의 몸이었어요. 그것도 매를 맞아 죽은."

충격적인 내용에 윤조는 아무 말도 할 수 없었다.

"그가 눈을 뜨자마자 느낀 건 부서질 것 같은 육신의 고통이었을 거예요. 우리가 발견했을 때 그는 팔과 갈비뼈가 부러져 있었고, 온몸이 멍으로 가득 했어요. 등에는 채찍질을 당했는지 피부가 너덜거렸어요. 정말 끔찍했죠. 고작 허리춤까지밖에 오지 않는 어린아이를 그렇게나……."

시센이 당시를 떠올리며 치를 떨었다.

"그때부터 파이옌을 알았어요. 그가 우리와 같은 세상에서 왔다는 것도. 한동안은 충격이 너무 심해서 저러다 몸처럼 정신도 망가져 버리는 건 아닐까 걱정이 들 정도였죠. 하루하루가 차마 눈뜨고 지켜볼 수 없을 정도였어요. 그가 낯선 육체에서 눈을 떠 맞이한 세상은 고통 그 자체였고, 그는 자연스럽게 자신과 이 세상을 격리했어요. 완전히 분리해서 바라봤죠. 이 세계는 꿈 같은 허상일 뿐이고, 책이 원하는 결말에 도달하기만 하면 자신은 원래의 정상적이었던 세상으로 돌아갈 수 있다고 굳게 믿으면서."

그 이야기를 들으며 윤조는 파이옌의 정체를 알게 되었던 그때, 나투국 수도의 시장 복판에서 그가 왜 그렇게 자신을 향해 화를 냈던 것인지 그 이유를 알 수 있었다. 윤조는 그날의 대화를 떠올렸다.

─우지훈 씨. 방금 제가 한 말을 이해하지 못한 것 같아서 말씀드려요. 제가 그 이름을 쓸 일은 없을 거예요. 당신의 다른 이름을 부를 일도 없겠죠. 어차피 이곳은 다른 세계니까요.

─그 말은, 서로 모른 척 지금처럼 지내자?

─그편이 서로에게 좋을 거라고 생각해요. 당신도 이 세계에서의 삶을 지켜야 하잖아요.

─너는 이전의 삶에 미련 따위는 없다는 거야?

그렇게 되묻던 그의 표정이 왜 그리 굳어 있었는지. 그의 손목 안쪽에 새겨진 '畜(짐승 축)'이라는 글자를 발견했을 때, 그가 서국의 세작이라는 것을 알았을 때 그가 왜 그렇게 무서운 얼굴을 했었는지. 사람들을 죽인 게 정말 당신이냐며 그를 두렵게 바라보는 자신을 보며 왜 그리 화를 냈었는지.

─정말 당신이 그랬어요?

─응?

─그 사람들, 죽였어요? 당신이?

─그렇게 보지 마.

왜 그렇게,

—그렇게 보지 말라고!

왜 그렇게 두려움에 떨며 화를 냈는지. 이 세계의 사람들에게 사랑받는 나의 삶 자체가 그에겐 얼마나 이질적으로 느껴졌을지. 분하고, 분했을지. 이해하고 싶지 않았는데, 그저 멀리하고 싶은 사람이었는데, 이제는 그럴 수도 없게 되어 버렸다고 윤조는 생각했다.

"정말 악연이 맞나 봐요."

매번 이렇게 아픔만 주고받는 걸 보면.

뒷말을 삼킨 채 슬프게 미소 짓는 윤조의 얼굴을 바라보며 시센이 무어라 말하려던 때였다. 굳게 닫혀 있던 진한산성의 문이 열리며 서국의 군대가 모습을 드러냈다. 자리에서 벌떡 일어난 윤조가 그들의 움직임을 살폈다.

"진군하려나 봐요! 저도 어서 출발해야겠어요."

"지도를 그려 줄게요. 여기서 나람성까지는 이틀 반 정도가 걸릴 거예요. 혼자서 괜찮겠어요?"

"괜찮아요."

시센은 그녀에게 나람성까지 가는 지도와 간단한 먹을거리, 몸을 지킬 수 있는 단검을 챙겨 주었다.

"아이만이 안전한 길까지 안내할 거예요. 몸조심해요."

"감사합니다."

윤조는 인사를 마치고 뒤돌아 가려다 파이옌을 바라봤다.

'안녕.'

다시 만날 일이 없기를 바라며. 안타깝지만 그것이 그녀가 바랄 수 있는 전부였다.

"무녀 나래, 홍 장군님을 뵙습니다."

동이 트기 무섭게 시체를 검시하기 위해 황궁의 검시소로 향하던 나래는 군사 회의를 마치고 나오던 홍 장군과 마주쳤다.

"검시 때문에 왔나?"

"예. 장군님께서는 군 회의 때문에 오셨나요?"

"그래. 정보원들과 연락이 닿지 않고 있다. 윤조의 생사도 불분명해."

나래는 애써 의연한 태도로 사실을 부정했다.

"아니요, 윤조는 분명 돌아올 겁니다. 대장군님과 함께요. 국경의 그 척박한 마을에서도 살아남았던 아입니다. 식량이 없어 홍시를 두고 까치와 싸우고, 독사도 때려잡던 아입니다. 반드시 살아 돌아올 겁니다. 그러니 홍 장군님께서도 희망을 놓지 마세요."

"그리 말해 주어 고맙구나. 마치 대승상이 곁에 있는 듯해."

"이번 검시로 반드시 무녀장을 체포할 증좌를 찾아내겠습니다."

"만에 하나 증좌가 나오지 않는다면 어찌하겠느냐?"

홍 장군의 우려에 나래가 전혀 염려할 것 없다는 투로 눈을 접어 웃었다.

"없으면 만들어야지요."

실로 최 승상과 똑같은 미소였다.

"허허, 참……."

얼이 빠져 잠시 굳어 있던 홍 장군은 멀어지는 나래의 뒷모습을 바라보며 미소 띤 얼굴로 고개를 흔들었다.

"최 승상, 어쩌면 자네보다 더 무시무시한 대승상이 장차 탄생할 지도 모르겠구려."

검시소가 있는 건물 근처에 도착한 나래는 함께 온 시종들을 물 렸다. 새벽 여명이 진 하늘은 그래도 아직은 어둑어둑했다.

"혼자 갈 것이니 너희는 예서 기다리고 있거라. 혹, 누군가 검시소 에 접근하는 자가 있다면 크게 소리쳐 알려야 할 것이다. 알겠느냐?"

"예, 아가씨."

그녀는 시종들을 건물 뒤편에 대기하게 하고 혼자서 검시소의 건 물 안으로 향했다.

'이 안에 남은 증좌가 있어 그것을 없애고자 한다면 내가 혼자가 됐을 때를 노릴 것이다.'

검시소 안은 조용했다. 준영의 명령으로 검시소의 입구와 건물 주변으로 병사들이 경계를 서며 순찰을 돌고 있었다. 사실상 외부 에서 누군가가 침입하는 것은 불가능해 보였다. 하지만 이곳처럼 경비를 섰던 지하 감옥도 그리되었다. 마음만 먹으면 이곳의 경비 를 허물고 자신을 처리하는 것쯤은 아무것도 아닐 것이다.

"검시를 맡은 무녀 최나래요."

그녀는 병사들에게 신원이 적힌 패를 보이고 방 안으로 들어갔 다. 서늘한 방 안에는 거적을 덮은 아홉의 시신이 양쪽으로 늘어서 있었다. 나래는 오싹한 방 안의 모습에 마른침을 삼켰다. 큰소리는 쳤지만 무녀가 되어 이렇게 많은 사람의 시체를 가까이에서 살피 는 일은 처음이었기 때문이다.

"하나씩 하자, 하나씩."

냉정을 되찾은 그녀가 방의 입구에서부터 거적을 들춰 시신을 확인했다.

"이럴 리가……."

피에 젖은 채 부패가 진행 중인 처참한 시신의 모습을 상상했던 그녀는 마치 깊은 잠에 빠지기라도 한 것 같은 멀쩡한 모습으로 죽어 있는 병사의 모습에 놀란 눈을 했다.

"설마 다른 시신들도?"

나래는 방 안으로 향하며 다른 시신을 가리고 있던 거적을 모두 들춰 치웠다. 그리고 마지막, 방의 가장 안쪽에 있는 시신의 거적을 들추었을 때 그녀는 방 안에 누워 있는 아홉 구의 시신 모두 같은 상태라는 것을 깨달았다. 병사들의 몸 어디에도 피를 흘리거나 치명상을 입은 외상의 흔적은 찾을 수 없었다.

'외상이 아니라면 내상이란 말인가?'

음독 여부를 확인하기 위해 황급히 바로 곁에 있던 시신의 입 안을 확인했으나 그도 아니었다. 칼에 맞은 치명상이 있는 것도, 독침에 당하거나 음독을 한 것도 아니다. 시신을 살피는 나래의 눈빛에 당혹감이 차올랐다. 한순간 알 수 없는 힘에 절명한 것이 아니고서야…….

"대체 그날 밤 무슨 일이 있었던 거야."

이래서는 살해 도구를 추적해 범인을 잡거나 특정 증좌를 잡아내는 일도 어려웠다. 안 된다. 이래서는 무녀장을 체포할 수 없다. 나래가 다시 한번 병사들의 몸을 살피기 위해 몸을 숙였을 때였다. 그녀가 등진 방의 입구, 누워 있던 병사의 시신이 소리 없이 몸을 일으켰다.

"분명 어딘가에 당한 흔적이……."

시신을 살피던 나래는 문득 자신의 그림자가 아닌 다른 커다란 그림자가 자신의 머리와 시신의 몸 위에 드리운 것을 깨달았다. 오싹한 소름이 등골을 스쳤다.

방문은 닫혀 있었다. 문이 열리는 소리도 나지 않았다. 대관절 시체뿐인 방 안에서 자신의 뒤를 노릴 만한 존재가 무어란 말인가! 숨을 죽인 그녀가 침착하게 소매 안에 감춰 두었던 단검에 손을 가져갔다. 그리고 등 뒤의 검은 그림자가 움직임과 동시에 빠르게 몸을 굴러 자리를 벗어났다.

"누구냐─!!!"

황급히 검을 뽑아 들고 침입자를 확인한 그녀는 자신의 뒤를 노린 살수가 방의 입구 쪽에 누워 있던 병사의 시체 중 하나인 것을 알고 경악을 금치 못했다. 시체들 사이에 살수가 숨어들어 있을 것이라고는 상상조차 하지 못했던 것이다.

"경비병!!! 경비병!!!"

나래가 있는 힘껏 밖을 향해 소리쳤다. 그녀의 비명에 바깥에서 급히 달려오는 병사들의 발소리가 들렸다.

"제기랄! 죽어라─!!!"

살수가 다시 검을 들고 나래를 향해 달려들었으나 그녀의 몸을 베진 못했다. 대신 하늘거리는 넓은 옷소매가 찢겨 나갔다. 나래는 들고 있던 단검을 살수의 얼굴로 집어 던지며 문을 향해 내달렸다. 경비병들이 방 안에 들이닥친 건 그때였다. 그들은 재빨리 살수를 제압해 무장을 해제하고 바닥에 꿇렸다. 나래는 혀를 깨물어 자진하려는 그의 입 안으로 찢어진 자신의 옷소매를 밀어 넣었다.

"죽고 싶어도 죽지 못할 것이다."

살수가 몸부림치며 그녀를 노려봤으나 나래는 피하지 않고 그의 눈동자를 똑바로 마주했다. 천천히 몸을 숙인 그녀가 말했다.

"팔을, 다리를, 어깨를, 가슴을 차례로 찌를 것이다. 죽어 가면 치료할 것이고, 죽어도 살려 낼 것이다. 살려서, 네놈의 목과 입을 제외한 모든 곳을 난도질해서 차라리 죽여 달라고 빌게 할 것이다."

그녀는 분노를 감추지 않고 살수의 머리채를 잡아 자신의 얼굴을 똑바로 보게 했다.

"네놈이 입을 열건 열지 않건 상관없다. 너는 무녀장 묘길의 수하다. 너는 내 손에 죽고, 다시 살고, 다시 죽고, 다시 살 것이다. 감히 내 아버지와 이 나라의 장수와 최씨 가문의 장녀인 나를 해하려 한 죄를 살아서 오래도록 느끼게 될 것이다."

그녀는 흔들리는 살수의 눈동자를 바라보며 그의 머리를 놓았다.

"사건의 조사를 맡은 감찰 무녀로서 명한다. 지금 당장 이자를 끌고 가 매우 쳐라! 숨은 붙여 놓아야 할 것이다."

"예!"

"병사들을 소집하라! 무녀장 묘길의 처소로 간다. 저항하는 자는 즉시 체포하라!"

그날 오전, 금군에 의해 무녀장의 처소가 봉인되고 처소의 주인인 묘길이 그 안에 감금되었다.

파이옌이 정신을 차린 것은 같은 날 저녁, 해가 서산으로 넘어간 뒤였다.

"아으⋯⋯."

삭신이 욱신거리는 통증과 함께 눈을 뜬 그는 자신을 돌보고 있던 시센과 아이만을 발견했다.

"지훈 씨, 정신이 좀 들어요?"

"뭐야, 내가 왜 여기에……."

아이만의 도움으로 천천히 상체를 일으켜 앉은 그는 자신과 함께 절벽으로 떨어졌던 윤조를 기억했다.

"여자는? 나랑 같이 있던 여자는?"

"윤조 씨라면 걱정 마요. 무사하니까."

시센의 말에 안도의 한숨을 내쉰 그가 어지러운 머리를 짚었다. 감각이 돌아오니 이상하게 양쪽 뺨이 욱신거렸다.

"뭐지? 얼굴이 왜 이렇게 아파? 나 어디 얼굴 다쳤어?"

그의 물음에 아이만이 조용히 거울을 가져와 그의 얼굴을 비췄다.

"이게 뭐야!!!"

파이옌은 자신의 뺨에 난 새빨간 손자국에 진저리를 치며 거울을 확인했다. 얼마나 세게 때린 것인지 얼굴이 퉁퉁 부어 있었다.

"누구야! 아이만 너야? 시센 너야? 내 얼굴 왜 이래?"

그가 황당한 눈으로 아이만과 시센을 바라보자 서로 눈을 마주 보던 두 사람이 작게 웃으며 답했다.

"저희 둘 다 아니에요."

그 대답에 파이옌은 자연스럽게 떠오르는 나머지 한 사람을 떠올리며 이를 갈았다.

"이, 돈 독 오른 병아리가! 왜 매번 얼굴만!!! 짱돌에 금화에 이제는 쌍싸대기냐! 어디 있어? 어디 있냐고!"

씩씩거리며 자리에서 일어난 파이옌이 오두막 안을 돌아다니며 윤조를 찾았다. 하지만 어디에도 그녀의 모습은 보이지 않았다.

"뭐야, 이거."

그제야 이상한 점을 깨달은 그가 시센을 돌아봤다. 그의 표정은 조금 전과 달리 심각하게 굳어진 채였다.

"애 어디 있어."

"지훈 씨, 지금은 우선 좀 더 쉬는 게……."

"애 어디 있냐고. 윤조 지금 어디 있어?"

"떠났어요."

시센의 말에 급히 침대로 다가간 파이옌이 근처 의자 위에 놓여 있던 자신의 갑옷과 검을 챙겼다.

"지훈 씨, 부상이 심해요. 좀 더 쉬어야 해요."

"다 나았어."

"고집 피우지 말아요. 지금 상태로는 하루도 못 가 다시 쓰러지고 말 거라고요!"

그의 몸에서 최근에 있던 고문의 흔적을 발견했던 시센과 아이만 이 그의 앞을 가로막았다.

"윤조 씨는 이미 아침에 떠났어요. 벌써 해가 졌다고요. 지금 간다 해도 따라잡을 수 없어요."

"제기랄!!!"

파이옌이 들고 있던 갑옷을 집어 던지며 침대에 걸터앉았다.

"보내면 안 된단 말이야. 보내면 안 된다고……."

고개 숙인 채 그가 머리를 부여잡으며 중얼거렸다.

"두 사람 사이의 일은 대충 들어 알고 있어요."

"윤조한테 들었어?"

"네. 그리고 윤조 씨도 이제 알고 있고요."

"뭘?"

파이옌이 고개를 들어 시센을 바라봤다.

"뭘 알고 있다는 건데?"

"전부요. 이 세계가 책 속 세상이란 것도, 이야기의 주인공이 결말에 도달해야 하는 이유도. 당신과 그녀가 이번 이야기의 주인공이라는 것도 전부."

"다 얘기했다고? 나에 대한 것도 전부?"

"네."

"윤조가 다 알았다고……?"

그가 멍한 시선으로 시센을 바라보다 자리에서 벌떡 일어나 그녀의 멱살을 움켜쥐었다. 아이만이 급히 그의 팔을 잡았지만 파이옌은 물러나지 않았다.

"왜 그랬어. 누가 얘기하랬어. 누가 끼어들어도 좋다고 했어!!!"

"그럼 언제까지 비밀로 할 생각이었는데요? 이 세계에 관한 이야기는 주인공이라면 마땅히 알아야 할 정보예요. 지훈 씨가 막는다고 막아지는 게 아니라고요!"

"걔는 모르고 있었어. 아무것도 모르고 있었다고. 걔한테 이곳은 현실이라고! 무슨 자격으로 그걸 부정하느냐 말이야-!!!"

파이옌이 소리치며 잡고 있던 시센의 옷을 놓았다. 고통스러운 그의 외침에 시센이 떨리는 눈동자로 그를 바라보며 입을 벌렸다.

"지훈 씨, 당신 설마 일부러 그녀를 위해……."

"가족을 끔찍이도 아꼈어. 이곳의 어머니를, 동생들을, 언니를. 가난에 죽을 고비를 넘겼다고 말하면서도 웃었어. 혼자 왜 이 세상에 떨어진 건지 아무것도 모른 채 혼란스럽고 괴로웠을 텐데도 살아왔어. 추억이라며 사랑스럽게 웃었어. 사랑하고 사랑받으며 그렇게 살았어. 내 삶과 달랐던 그 모습이 분하고 치가 떨리면서도 보기 좋았어. 네가 사랑하는 모든 것은 가짜라고, 허상이라고 눈앞에서 무너뜨리고 싶은 것을 참았어. 너도 나와 같은 지옥에 있는 거라고. 너는 나와 같은 사람이라고. 그들이 아니라 나와 같다고 말하고 싶었지만, 그러지 못했어. 혼례복을 입고 수줍게 괜찮냐고 물어 오던 그 행복한 미소를 망치고 싶지 않았어. 할 수 있다면 끝까지 몰랐으면 했어. 끝까지 몰랐으면 했다고!!!"

파이옌의 눈가에 맺혀 있던 눈물이 툭, 툭, 바닥으로 떨어졌다. 뒤늦게 그의 마음을 깨달은 시센이 비명처럼 외쳤다.

"그럼 지훈 씨는요! 당신은 어떻게 하려고 했던 건데! 아무것도 말하지 않고, 혼자서 뭘 어쩌려는 거예요? 혼자 끌어안고 죽으려고? 적국의 장수로, 살인귀 파이옌으로 혼자 다 끌어안고 죽으려고? 당신의 가족은요! 원래 세상에 있는 당신의 삶은! 지금까지 이곳에서 버텨 왔던 시간은! 이런다고 누가 당신의 희생을 알아주기나 할 것 같아요? 윤조 씨가 그런 희생을 감사히 여겨 주길 바라요?"

그녀는 웃기는 소리 집어치우라며 그의 어깨를 흔들었다.

"그것도 결국 지훈 씨 이기심이잖아! 악역이 되어 윤조 씨의 세상을 다 헤집어 놓고, 비밀만 끌어안고 죽어 버리면 그녀가 아무 일도 없었던 것처럼 멀쩡히 살아갈 수 있을 것 같아? 다른 것도 아닌 전쟁이야! 겪어 봐서 알잖아! 당신이 사람을 죽이기 전으로 돌아갈 수 없듯이, 그녀도 마찬가지라고!"

"살아갈 수 있어. 내가 없어도 살아갈 수 있다고. 오히려 나 같은 건 사라져 주는 편이 더 좋을……."

짝, 하고 피부가 마찰하는 소리가 났다. 시센의 손길에 파이옌의 고개가 돌아갔다.

"정말 그럴 거 같아? 당신이 아는 윤조 씨는 그런 사람이야? 당신의 죽음 따위는 아무것도 아닌 것처럼 모른 척 잊고 살아갈 수 있는 사람이야?"

"……."

"윤조 씨가 당신을 살렸어. 나나 아이만이 아니라 그녀가 당신을 살렸다고."

"뭐……?"

"그녀가 왜 당신을 살렸을 거 같아? 정말 죽어 버리는 게 더 나은 존재라면 왜 힘들게 당신을 살렸겠냐고. 윤조 씨가 아무것도 모르길 바랐어? 완벽한 악역이 되어 주인공인 그녀의 손에 죽기라도 바랐어? 똑똑히 들어. 당신은 지금까지 그녀에게 당신을 죽이게끔 살인을 시킨 거나 다름없어. 그녀가 사랑하는 사람들의 목숨을 빌미로 사람을 구하고자 하는 그녀의 신념을 기만했어. 당신을 죽이게끔 방조했어. 이런 짓을 해 놓고 당신이 사라진다고 그녀가 아무 일도 없었다는 듯이 예전으로 돌아갈 수 있을 것 같아? 그녀는 이미 변했어. 바로 당신이 그렇게 만들었단 말이야!"

시센이 파이옌을 밀어내며 한 걸음 뒤로 물러났다.

"숭고한 희생? 가치 있는 죽음? 당신에겐 이야기로 끝날지 몰라도 윤조 씨한테는 현실이야. 멍청하게 폼 잡을 생각 말고 그녀를 위한다면 진심을 다해. 비밀 같은 거 키우지 말고 나서서 지키고 싸워. 주인공이라면 주인공답게 행동해. 같잖은 악역 흉내 내지 말고."

시센이 씩씩거리며 분을 참지 못하고 밖으로 뛰어나갔다. 파이옌을 돌아보던 아이만이 이내 시센을 뒤쫓아 밖으로 나갔다. 순식간에 고요해진 오두막 안에서 파이옌은 헛웃음을 지었다. 손을 들어 얼굴을 가렸다. 그의 얼굴을 가린 손가락 틈으로 눈물이 번졌다.

❧

"와, 아무것도 안 보여."

윤조가 질린 목소리로 중얼거렸다. 첩첩산중이라는 말이 괜히 있는 게 아닌 것 같았다. 밤이 되자 칠흑같이 변해 버린 풍경에 그녀는 유심히 눈을 뜨고 긴 나무 막대기로 앞을 가늠했다.

멀리서 부엉이 우는 소리가 들려왔다. 문득 출발하기 전 늑대가 나온다고 했던 시센과 아이만의 말이 떠올랐다. 아이만의 안내로 늑대가 자주 출몰하는 위험 지역을 지나오긴 했지만 어쩐지 꺼림칙했다. 을씨년스러운 풍경 때문인지 괜히 더 무서운 기분이었다.

"무서울 땐 밥이 최고지."

자고로 속이 든든하면 무서움도 줄어드는 법이랬다. 누가 한 말인지는 모르겠지만 아무튼 한국인은 밥심이다. 시센이 보자기에 싸 준 주먹밥을 꺼내 우물거리며 그녀는 천천히 앞으로 나아갔다. 불을 피우고 싶었지만 멀지 않은 곳에 있는 서국의 군대가 걸렸다. 근처에 순찰대가 돌고 있을지 모르니 뭐든 조심하는 편이 좋았다.

"이럴 때는 현대 문물이 간절하다니까, 정말……."

휴대폰이라거나 손전등이라거나, 하다못해 라이터라도 있었으면 편했을 텐데.

"음, 롸이땅."

커다랗게 베어 문 주먹밥을 우물거리며 그녀는 괜히 혼잣말을 해 댔다. 그렇게라도 하지 않으면 혼자서 산길을 나아갈 용기가 나지 않을 것 같았다. 몇 걸음 걸어가는 사이 주먹밥 하나를 다 먹었다.

"아직 좀 부족한데."

한 개를 더 먹기 위해 보자기를 풀던 그녀는 그만 꺼내던 주먹밥을 놓쳐 버리고 말았다.

"악, 안 돼!"

바닥에 떨어져 데구루루 굴러가는 주먹밥에 놀란 그녀가 급히 손을 뻗었다. 흙 묻은 곳만 떼 버리면 먹을 수 있다고! 헛손질을 하며 달려가던 그녀는 수풀 앞에서 멈춘 주먹밥을 발견하고 안도했다. 하지만 그녀보다도 빠르게 주먹밥을 탐하는 존재가 있었다.

"어?"

수풀 속에서 빼꼼 고개를 내민 작고 까만 강아지 한 마리가 그녀의 주먹밥에 코를 박고 킁킁거렸다. 고소한 참기름 냄새에 이끌린 것 같았다.

"산속에 웬 강아지가 있지?"

놀란 그녀가 주먹밥을 주우려던 자세 그대로 엉거주춤 굳었다. 동그란 주먹밥을 공이라도 되는 양 앞발로 툭툭 치며 놀던 강아지가 킁킁거리며 윤조의 주변을 맴돌았다. 붙임성이 좋은 녀석인지 작게 꼬리까지 흔드는 모습에 그녀의 입가에 미소가 번졌다.

"헤헤, 귀여워."

멍청하게 중얼거리던 그녀가 퍼뜩 정신을 차렸다. 아무리 생각해도 이 산중에 이렇게 어린 강아지가 혼자 있을 리 없었다. 하다못해 주인이나 어미라도 있어야……

"젠장."

상황을 깨달은 윤조가 천천히 뒷걸음질 쳤다.

"쉬쉬, 저리 가. 저리 가."

계속해서 따라오는 강아지를 어떻게든 떼어 놓으려 손을 휘저어
봤지만 장난을 치는 줄 아는지 더 신이 나서 달려든다. 이런 깊은
산중에 강아지가 있을 리 없다. 저건 강아지가 아니다. 강아지처럼
생겼는데 강아지가 아니라면 정해진 답은 하나였다.

'늑대.'

윤조는 눈앞의 까만 강아지가 평범한 보통의 강아지가 아닌 늑대
의 새끼라는 것을 알고 식은땀을 흘렸다. 이렇게 작은 녀석이 혼자
집을 나왔을 리가 없다. 근처에 어미가 있을 것이다. 그리고 재수
가 없다면 커다란 동료들도 함께.

"자, 착하지~ 이거 봐라, 이거."

마음이 다급해진 윤조가 들고 있던 나무 막대를 흔들며 새끼 늑
대의 시선을 끌었다.

"자, 이거 던진다? 저기로 던진다?"

흥미를 보이는 새끼 늑대의 모습에 윤조가 먼 수풀 너머로 막대
기를 집어 던졌다.

"물어 와! 아니, 오지는 말고 물어!"

총총거리며 수풀 쪽으로 달려가는 새끼 늑대의 모습에 그녀가 등
을 돌려 빠르게 그곳을 벗어나기 시작했다. 점점 속도를 올리는 다
리는 어느새 뛰고 있었다. 따라오면 어쩌나 싶어 뒤를 보는데, 새
끼 늑대가 있던 자리에 커다란 덩치를 가진 노란 안광 여러 개가
보였다. 늑대였다. 윤조는 자신을 향해 달려오기 시작하는 늑대들

의 모습에 비명을 질렀다.

"재수가 없으려나 보다! 으아악!"

달리기는 누구보다 자신 있었지만 상대는 늑대였다. 사람의 달리기로 늑대를 따돌릴 수 있을 리 없었다. 달리며 주변을 살펴도 마땅히 몸을 피할 만한 장소도 보이지 않았다. 윤조는 보자기 안에서 손안에 잡히는 모든 걸 되는 대로 뒤를 향해 집어 던졌다. 남아 있던 주먹밥 세 개가 먼저였고 그다음에는 물통과 여분의 신발 등이었다. 신발을 뒤로 던지는데 '캥!' 하는 소리가 들렸다. 멍청한 한 마리 정도는 맞힌 모양이었다.

"으아아아아아―!"

갑자기 나타난 내리막길에 쿵, 하고 심장이 내려앉았다. 순식간에 몸이 쑥 아래로 꺼졌지만 다행히 중심을 잡았다. 마치 롤러코스터를 타는 것 같은 느낌에 윤조가 비명을 지르며 비탈길을 달려 내려갔다.

으르렁거리며 위협적으로 짖어 대는 늑대 두 마리가 그녀의 양옆으로 따라붙었다. 한 마리가 입을 벌려 그녀의 팔을 물어뜯으려 했다. 빠르게 만세를 한 그녀가 들고 있던 보자기를 휘두르며 미친 듯이 다리를 움직였다. 문제는 그다음이었다. 멀지 않은 그녀의 정면으로 거대한 바위산이 길을 막고 있었다. 더는 도망칠 곳이 없었다.

크르릉.

커다란 다섯 마리의 늑대가 그녀의 주위로 반원을 그리며 거리를 좁혀 왔다. 바위를 등지고 늑대를 마주한 그녀의 얼굴이 창백하게 질렸다. 여기에서 죽을 수는 없다. 피의 황제라는 키얀의 손에서도 살아났는데 겨우 이런 늑대 따위에게 죽을 수는 없었다.

'안 죽어! 못 죽어! 반드시 살아서 돌아갈 거야.'

이를 앙 다문 그녀가 지지 않고 늑대를 노려봤다. 시센과 아이만의 오두막에서 쉬는 동안 조금 이지만 신력이 회복됐다. 이 정도라면 늑대 한두 마리 정도는 능히 기절시킬 수 있는 양이다. 하지만 눈앞의 늑대는 다섯이었다.

순간 서국의 황성에서 시험 삼아 화분에 연습했던 '생명을 거두는 신력'의 힘이 떠올랐다. 하지만 그녀는 이내 고개를 저었다. 사용할 수 있다고 해도 그 힘만은 사용하고 싶지 않았다. 그런 식으로 무언가의 목숨을 빼앗는 일은 한 번으로 족했다. 만약 주인공인 자신에게 부여된 어드밴티지가 '성장하는 신력'이라면 자신은 목숨을 해치는 신력보다는 목숨을 구하는 신력을 사용하고 싶었다.

"이러니까 나 정말 주인공 같네."

위기 상황임에도 실소가 나왔다. 목숨을 위협하는 위기 앞에서도 신념을 굽히지 않는다. 영웅적인 주인공이 등장하는 이야기책 속에서나 나올 법한 설정이다. 하지만 그녀에게 이 모든 것은 현실이었다. 지금도 앞으로도 살아가야 할.

그러니 더더욱 타협할 수 없었다. 이 세계에서 사랑하는 이들과 함께 살아가기 위해서라도 누군가를 파괴하고 죽이는 힘은 절대로 성장시키고 싶지 않았다. 그건 동시에 스스로를 파괴하는 길이 될 테니까. 그러니 그 길은 선택하지 않겠다.

늑대들이 더욱 거리를 좁혀 왔다. 뛰어올라 물어뜯으려는 듯 도약 자세를 잡는 늑대의 모습에 그녀는 빠르게 양손으로 신력을 끌어모았다. 그리고 혜린이 키얀을 치료할 때 사용했던 신력의 운용을 떠올렸다. 손바닥이 아닌, 손가락 끝에 신력을 집중해 거미줄처럼 바깥으로 뽑아내던 그 운용법을.

첫 시도였으나 실패할 거란 생각은 들지 않았다. 신력의 운용은 그녀도 혜린만큼이나 자신 있었다. 윤조의 손바닥에 모인 하얀 신력이 열 손가락 끝으로 퍼져 나갔다. 늑대 한 마리가 그녀를 향해 도약했다. 동시에 그녀의 손이 뻗어졌다. 손끝에 모여 있던 신력이 거미줄처럼 얇은 은사銀絲가 되어 늑대를 향해 쏘아졌다.

"잡았다!"

혜린의 기술은 상처를 봉합하고, 멈춘 심장을 당겨 뛰게 하는 물리력을 갖고 있었다. 그 힘이라면 늑대와 맞서는 것도 가능할 것 같았다. 예상은 적중했다. 윤조는 자신이 뽑아낸 은실에 붙잡혀 허공에서 발버둥치는 늑대를 그대로 냅다 집어 던졌다.

캐갱! 캥!

바닥에 내동댕이쳐진 늑대가 아픈 소리를 내며 꼬리를 말았다. 갑작스러운 윤조의 반격에 당황한 늑대들이 쉽게 덤벼들지 못하고 주위를 맴돌았다.

'이길 수 있다.'

자신감이 붙은 윤조가 씨익 입매를 당겨 웃었다.

"덤벼-!!!"

✦

"무녀장, 바른대로 말하시오. 더는 피할 길이 없소."

홍장군의 말에 묘길이 미소 띤 얼굴로 그를 바라봤다.

"무슨 말씀이신지 모르겠습니다."

"대승상과 길림 부관을 어찌한 것인지 말하란 말이오!"

"그 두 분을 왜 제게서 찾으십니까?"

"무녀장!"

묘길을 감금한 그녀의 처소. 홍 장군은 묘길을 심문하기 위해 그곳을 찾았다. 하지만 갖은 회유와 협박도 그녀에게는 통하지 않았다. 오히려 여유롭기까지 한 그녀의 미소에 홍 장군이 진노하여 소리쳤다.

"자네가 무슨 일을 벌였는지 알고 있기는 한가!"

"무슨 말씀을 하시는지 모르겠습니다."

"이런 짓을 저지르고도 무사할 것 같나?"

"무슨 말씀을 하시는지 모르겠다고 했습니다."

정말 무슨 뜻인지 모르겠다는 표정을 지으며 그녀가 느릿하게 눈을 깜빡였다.

"제가 알지 못하는 일을 말씀하라 하시는데 어찌 대답할 수 있단 말입니까?"

"……."

더는 소용없다는 사실을 깨달은 홍 장군이 무겁게 입을 다물었다. 서국의 황제를 잡아다 대질해도, 어떤 증좌와 증인을 들이밀어도 지금과 같은 대답만 돌아올 것 같았다.

"가여운 사람."

"지금, 뭐라 하셨습니까?"

"그대가 가엾다고 했네."

못 들을 걸 들었다는 듯 미간을 좁히는 묘길을 바라보며 홍 장군이 말했다.

"14년을, 어쩌면 그보다 더 오랜 세월을, 조바심이 나서 웃을 수는 있었는가? 제대로 살 수는 있었는가?"

"무슨 소리를 하는 겁니까."

"자네의 인생 말일세. 자네가 살아온 삶. 지금껏 거짓으로 무장했던 그 삶. 그 삶이 가엽다고 했네."

"무슨……."

"두렵진 않던가? 외롭지는 않던가? 모두를 적으로 돌린 채, 적진 한복판에서 홀로 오랜 전쟁을 해 온 거나 다름없지 않은가. 등을 지켜 줄 전우도 하나 없이 온몸을 거짓으로 무장한 채 살아온 그 인생이 그대의 심장을 찌르고 있지는 않느냔 말일세."

"하!"

짧게 숨을 내쉰 그녀가 어처구니없다는 듯이 비소를 머금었다.

"무슨 자격으로 저를 가여워하십니까?"

"그게 자격이 필요한 일인가? 사람이 사람을 가여워하는 일에 자격이 필요한 건가?"

"당신이 뭐기에, 뭐라도 되는 양 내 인생을 잣대질하고 나를 가엽다 하는 겁니까?"

"그대를 아꼈던 사람으로서, 그대를 존경했던 사람으로서, 그대의 오랜 친구로서 하는 말일세."

"……."

"나는 아직도 기억하네. 온이 그놈과 내가 철없이 뛰어놀던 그 시절, 자네가 그와 내게 했던 말을."

아련한 추억이었다. 벌써 30년도 더 지나 버린.

"자네는 온이에게 다정한 황제가 되어 달라 했네. 그래서 그는 그리했지. 풋사랑에 얼굴을 붉히며 수줍어하던 그 숫기 없는 놈은 자네가 지나가듯 뱉은 그 한마디를 철석같이 지켰지. 또 자네는 내게 적을 가엽게 여길 줄 아는 장수가 되라 했네. 분노하고 증오하기보다 가여워하고 이해하라 했네. 그런 장수가 되라 했네."

분노와 원한이 가득한 눈동자로 자신을 노려보는 묘길을 바라보며 홍 장군은 슬프게 읊조렸다.

"내게는 자네가 어머니이자 누이이자 친우였네. 가족이 그런 고된 길을 걸어왔는데 가엽게 여기며 슬퍼하지 않을 자가 어디 있겠나? 그대가 말하는 자격이 대관절 무엇을 말하는지 모르겠지만, 나는 그대를 가족이라 여겼던 사람으로서 묻겠네. 그대는 어째서 우리를 버렸는가?"

"……."

"언제부터 우리를 버렸던 건가?"

묘길은 대답하지 않았다. 그녀는 더는 말을 섞지 않겠다는 뜻을 담아 홍 장군을 바라보던 눈을 감아 버렸다. 얼음송곳 같은 눈동자가 자취를 감추자, 그곳에 남은 것은 금방이라도 바람결에 흩어져 버릴 것 같은 여리고 하얀 눈송이를 닮은 여인이었다.

돌아오지 않는 대답을 뒤로한 채 홍 장군이 그녀의 처소를 떠났다. 하늘에는 커다란 보름달이 떠 있었다.

"나는……."

홍 장군이 나가고, 간신히 입을 연 그녀의 눈가가 파르르 떨려왔다. 눈물을 참으려는 듯, 혹은 치미는 분노를 참으려는 듯 거친 숨을 몰아쉰 그녀는 이내 고요히 감고 있던 눈을 뜨며 자리에서 일어났다.

"돌이킬 수 없습니다. 돌이키지 않을 겁니다."

누구에게 하는 말인지 혹은 자신에게 하는 말인지 모를 그녀의 음성이 밤의 어둠 속으로 고요히 침잠했다.

❦

"하아암."

눈부신 아침 햇살이 윤조의 얼굴을 간지럽혔다. 목이며 어깨가 찌뿌둥했다. 늦은 새벽에 까무러치듯 잠들었으니 그럴 만도 했다.

그녀는 자신의 주위에 웅크리고 있는 다섯 개의 털가죽 틈에서 몸을 일으켰다. 따끈따끈한 온도에 흐흐거리며 털가죽 틈으로 얼굴을 비벼 대던 그녀의 옆으로 커다란 늑대의 주둥이가 다가왔다. 날름, 자신의 얼굴을 핥고 지나가는 긴 혓바닥에 그녀가 몽롱해하며 눈을 떴다.

"으, 이놈의 저혈압……."

잠에서 깨고도 한참을 그녀는 자리에 앉은 채였다. 끙끙거리며 그녀에게로 머리를 들이민 늑대들이 꼬리를 파드닥파드닥 흔들었다. 윤조는 자신의 주위로 배를 드러낸 채 벌러덩 누워 있는 다섯 마리의 커다란 늑대를 바라보며 기지개를 켰다.

어쩌다 보니 늑대들의 우두머리가 되어 버렸다.

"1호, 손."

늑대들의 배를 벅벅 긁어 주던 그녀는 이전 우두머리였던 회색 늑대의 앞발을 툭툭 건드렸다. 그러자 손을 달라는 걸 알았는지 회색 늑대가 그녀의 손바닥보다 훨씬 더 큰 자신의 앞발을 척 내밀었다.

"옳지. 잘한다, 내 새끼."

머리와 목을 잡고 쓰다듬어 주자 1호가 그녀의 옆에 의젓하게 엉덩이를 깔고 앉았다. 그 모습을 지켜보던 다른 네 마리의 늑대들이 누워 있던 바닥에서 일어나 자세를 바로 했다.

"오케이, 서열 확인 이상 무."

윤조는 밤새 늑대 다섯 마리와 벌였던 조금 기괴한 싸움을 떠올리며 굳은 어깨를 주물렀다. 자신의 두 배는 더 될 법한 덩치의 늑대 다섯 마리를 신력으로 잡고, 들고, 던지고, 잡고, 들고, 던지고를 반복했더니 어깨가 빠질 것 같았다.

끈질기게 달려들고 나동그라지고, 달려들고 나동그라지고를 반복했던 늑대들은 시간이 흘러 한계에 다다른 윤조가 참지 못하고 우두머리로 보이는 1호만 집중적으로 탈탈 털기 시작하자 배를 보이며 바닥에 드러누웠다. 단체 항복을 선언한 셈이었다.

그 결과 윤조는 늑대 무리의 우두머리에게 도전을 해 승리한 셈이 되었고, 무리와 함께 도망갈 것 같았던 1호가 그녀를 향해 몸을 납작 엎드려 복종의 자세를 취하자 나머지 2호와 3호, 4호, 5호도 자연스럽게 윤조를 대장으로 인정했다. 아 참, 꼬맹이 6호를 빼먹을 뻔했네.

"6호! 우쭈쭈~!"

근처에서 벌레를 쫓으며 놀고 있던 아기 늑대 6호가 쫄래쫄래 그녀에게로 다가와 얼굴을 비벼 댔다. 6호의 엄마는 2호로, 우두머리였던 1호의 부인이었다.

"댕댕이. 너 때문에 누나 어제 너희 엄마, 아빠, 삼촌들한테 뜯어 먹히는 줄 알았다."

얼핏 보면 영락없이 까만 강아지 같은 생김새에 윤조는 6호를 댕댕이로 부르기로 했다. 까만 검댕이 같기도 한 것이 제법 잘 어울리는 이름 같다고 혼자서 뿌듯해하면서.

"으차, 그럼 다시 출발해 볼까."

옷에 묻은 흙을 털고 일어난 윤조가 보자기에서 지도를 꺼내 확인했다.

"어제 그 길에서 이렇게 비탈길로 내려왔으니까 지금은 여기쯤일 거고. 오, 이쪽 샛길로 가면 더 빠르게 갈 수 있겠다."

시센이 준 지도에는 나람성으로 향하는 큰길과 샛길이 안전 지역과 위험 지역으로 표시되어 있었는데 위험지역으로 표시된 길은 대부분 늑대가 출몰하는 지역이었다. 그녀는 위험 지역으로 표시된 샛길 중 안전한 길보다 훨씬 더 짧은 거리로 나람성에 도달할 수 있는 길을 발견했다. 이 길이라면 서국의 군대보다 더 빨리 나람성에 도착할 수 있을 것이다.

"좋았어."

지도를 돌돌돌 말아 보자기 안에 넣은 윤조가 늑대들과 함께 걸음을 옮겼다. 그렇게 얼마나 지났을 까? 한참을 걷다 하늘을 보자 해는 어느새 중천에 걸려 있었다. 그녀는 다시 지도를 꺼내 자신의 위치를 확인했다.

"이 길로 쭉 가면 오늘 밤 안에는 나람성 근방에 도착할 수 있겠어."

머릿속으로 거리를 계산하며 고개를 끄덕이는데 배 속에서 꼬르륵하는 소리가 들렸다. 간밤에 체조를 너무 열심히 하긴 했지. 생각해 보니 일어나 물을 제외하고 먹은 음식이 하나도 없었다. 보자기를 뒤적거렸지만 음식이 남아 있을 리 없었다.

"아, 맞다. 다 집어 던졌지, 참⋯⋯."

내 주먹밥 세 개.

장렬히 전사한 주먹밥 생각에 그녀가 뒤돌아 늑대들을 노려봤다.

"형제들, 갚을 건 갚아야지?"

끄응, 하고 불만스러운 울음소리가 들린 것 같았지만 대장인 그녀의 명령을 번복할 수는 없었다. 그녀는 가만히 앉아서 늑대들이 사냥해 온 사슴과 토끼를 얻었다.

솔직히 늑대들이 제 몸만 한 사슴을 잡아 왔을 때는 좀 놀랐다. 이걸 어떻게 요리해 먹으라는 건가. 허허 웃던 그녀는 다행히 5호가 물어 온 토끼를 보고 안심했다. 사실 자신이 사냥을 해 오랬다고 늑대가 그 말을 알아들을 수 있으리란 생각은 안 했는데 가능했던 모양이었다.

'생각해 보면 대장군님의 말인 산이도 사람 말을 알아듣는 것처럼 행동하긴 했지.'

이 세계에서는 동물에게 주인으로 인정받으면 언어 장벽이 초월되는 알 수 없는 힘이 작용하는 걸까? 그런 생각을 하며 윤조는 혼자 고개를 끄덕였다.

그녀는 사슴을 늑대들에게 양보한 후, 단검으로 토끼의 피를 제거하고 가죽을 벗겨 먹기 좋게 정리했다. 그리고 모닥불 위에 올린 평평한 돌이 달궈진 것을 확인하고 그 위에 고기를 올렸다. 불 위로 돌을 덮어서인지 연기도 나지 않아 눈에 띌 걱정은 없었다.

그녀는 마지막으로 근처에서 구한 송이버섯과 새의 알까지 톡 까서 돌판 위에 지글지글 구웠다. 음, 레스토랑에서 팔아도 될 것 같은 비주얼이군. 자화자찬하며 입맛을 다신 그녀가 나뭇가지를 꺾어 만든 젓가락을 야무지게 쥐었다.

"헤헤, 잘 먹겠습니다!"

소금 간을 안 했는데도 꿀맛이다. 신들린 사람처럼 고기를 뜯고 젓가락을 움직이는 그녀의 모습이 신기했는지 댕댕이가 다가와 코를 킁킁거렸다.

"이건 뜨거워서 안 돼. 아야 해."

혹시나 댕댕이가 불판에 다칠까 봐 품에 꼭 끌어안은 채 그녀는 늑대 무리의 호위 속에 평화로운 식사를 마쳤다. 그 뒤로 나람성까지 가는 길은 지금껏 그녀가 겪었던 그 어떤 시간보다 평화로웠다고 자신할 수 있었다.

그날 밤, 나람성에 도착하기 전까지는.

"성이다!"

늑대들과 함께 거의 길이 아닌 수준의 샛길을 가로질러 나람성에 도착한 윤조는 그리 멀지 않은 곳에서 보이는 성벽과 불빛을 발견하고 기뻐했다. 서국의 군대가 보이지 않는 걸 보면 다행히 그들보다 먼저 도착한 모양이었다.

마음이 급해진 그녀가 서둘러 나람성의 정문을 향해 달려가려던 때였다. 늑대들이 돌연 으르릉, 귀를 뒤로 젖히며 주변을 경계하기 시작했다. 근처로 무언가가 접근한다는 신호였다.

빠르게 수풀 사이로 몸을 납작 엎드린 윤조는 바로 자신의 발아래, 그녀와 늑대들이 있는 길 아래로 보이는 나무 사이로 저벅저벅 걸어오는 사람들의 발소리를 들었다. 횃불과 함께 점점 가까워지던 발소리는 그녀가 있는 바로 근처에서 멈췄다.

"똑바로 걸어! 허튼수작 부리면 이것들의 목숨은 없다."

"안 됩니다! 살려 주십시오! 제발 애 엄마와 아이들의 목숨만은……!"

"시키는 대로만 하면 살려 줄 것이다."

"말씀만, 말씀만 하십시오!"

들려오는 목소리에 윤조가 조심스럽게 바닥을 기어 길 아래를 살폈다. 서국의 갑옷을 입은 네 명의 병사와, 그들에게 둘러싸인 채 떨고 있는 한 가족의 모습이 보였다. 머리에 인 커다란 봇짐과 행색을 보아 하니 다른 성에서 있던 전투 중에 도망친 피난민인 것 같았다. 겁에 질린 두 아이의 어머니는 아이들을 품에 안은 채 덜덜 떨고 있었다. 서국의 척후병들이 그들을 인질로 삼아 아이들의 아버지를 협박했다.

"두 식경 뒤면 군대가 도착한다. 네놈은 그때에 맞춰 나람성의 정문을 열게 해라."

병사의 말에 아이의 아버지가 두려운 얼굴로 고개를 저었다. 그런 짓을 하게 되면 나람성의 사람들은 모두 죽게 될 것이다.

"모, 못 합니다! 어떻게 그런 짓을……!"

"이것들이 죽는 꼴을 보고 싶나?"

곡도를 꺼내 든 서국의 척후병이 인질로 삼은 그의 아내와 아이들을 위협했다.

그들의 모습을 지켜보던 윤조가 빠득 이를 갈았다.

'행림산성에 이어 진한산성이 함락되는 시간이 너무 짧다 했더니 저런 방법으로 성문을 열고 급습한 것이었나.'

제1봉화에서 신호가 없었으니 진한산성에서는 주민들의 접근을 경계하지 않았을 것이다. 상황 판단을 마친 윤조가 손안으로 신력

을 끌어모았다. 그녀의 손끝을 타고 눈에 보이지 않을 정도로 가늘
게 뽑혀 나온 무수한 은빛 실이 곧장 인질을 위협하던 병사의 몸을
휘감았다. 그녀가 손가락을 까딱함과 동시에 병사의 몸이 공중으
로 치솟았다.

"으아아악-!!!"

순식간에 수 미터는 되어 보이는 나무 꼭대기까지 끌려 올라가는
병사의 모습에, 그 광경을 목격한 나머지 척후병들이 당황하며 허
공을 바라봤다.

"뭐, 뭐야, 이건-!"

당황하는 그들을 향해 윤조가 입매를 당겨 웃었다.

"뭐긴 뭐야. 윤조 님표 꿀잼 놀이 기구지."

그녀는 공중으로 끌어 올렸던 척후병의 다리를 신력으로 동여맸
다. 그리고 허공에 거꾸로 매달려 있던 그를 순식간에 바닥으로 낙
하시켰다.

"으아아아아아-!!!"

바닥에 충돌하기 직전에 멈춰 세운 윤조는 경악하는 다른 척후병
들을 향해 잡고 있던 병사를 내던졌다. 괴이한 상황에 귀신이 나타
났다며 혼비백산한 그들을 바라보며 그녀가 벌떡 몸을 일으켰다.
그것을 신호로 그녀의 옆에서 대기 중이던 늑대들이 비탈을 달려
척후병들에게로 달려들었다.

"으아아악! 늑대! 늑대다!"

"귀, 귀신! 귀신이-!!!"

"아아악!"

늑대들이 그들을 물어 죽이기 전에 비탈을 내려간 그녀가 1호를

불렀다. 그러자 자연스럽게 나머지 늑대들도 공격을 멈추고 그녀의 곁으로 다가왔다.

으르릉.

날카로운 이를 드러내며 입맛을 다시는 1호의 머리를 쓰다듬으며 윤조가 잡혀 있던 가족을 향해 말했다.

"묶죠, 이 사람들."

"예, 예-?"

멍하게 그녀를 바라보던 아이들의 아버지가 한 박자 늦게 그 뜻을 깨닫고 고개를 끄덕였다. 척후병들을 무장 해제하는 일은 그리 어렵지 않았다. 그들은 이미 눈을 까뒤집고 기절했거나, 기절하기 직전이었다. 그들을 사로잡는 데 성공한 윤조가 간신히 정신을 유지하고 있던 척후병을 향해 말했다.

"시키는 대로만 하면 살려 줄 것이다."

그녀는 그들이 피난민 가족에게 했던 말을 그대로 돌려주며 미소 지었다.

"허튼수작 부리면 다 죽은 목숨이야. 알지?"

으르릉.

사나운 기세의 다섯 늑대들이 척후병들의 주위를 맴돌았다.

아르르르, 캉캉캉!

귀여운 꼬마 6호 댕댕이도 함께였다. 세차게 짖어 대는 댕댕이를 품에 안은 윤조가 영업용 미소를 머금었다.

"자, 병사님들~ 그럼 이제 군대에 보고한 정보와 나람성을 공격할 전술에 대한 내용을 최대한 자세히 알려 주실까요?"

이후 서국의 군대가 나람성에 도착한 시각은 척후병들의 말대로 두 식경이 지난 뒤였다.

"가료님, 척후병들이 보이지 않습니다."

병사의 보고에 나람성을 주시하던 가료가 고개를 돌렸다.

"군이 도착하기 전 피난민을 시켜 성문을 열겠다는 연락 이후로 소식이 끊겼습니다. 연락망에 문제가 생긴 것 같습니다."

간혹 야산에서 전서구로 연락을 취할 때면 부엉이나 산짐승에게 전서구가 잡아먹혀 연락이 끊기는 경우도 있었다. 행림산성에 이어 진한산성까지 손쉽게 손에 넣은 그들은 자신들의 척후병이 윤조에게 발각되어 제압당했을 것이라고는 꿈에도 생각지 못했다.

"병사들을 보내 주변을 수색하게 할까요?"

"어차피 얻을 정보는 다 얻었다."

피난민을 이용하는 방법이 편하긴 하지만 이미 봉화가 올라갔으니 외부인을 성안으로 들일 가능성은 낮았다. 바라본 나람성은 성벽 위를 오가는 병사들을 제외하고는 외부로 배치된 병력이 없었다.

일반적인 수성전守城戰[8]을 준비했다면 마땅히 성 밖으로 편재된 병력이 있어야 하나 알아본 바, 현재 나람성에 주둔한 병력은 8천이 조금 넘는 숫자였다. 수도에서 병력을 보내 군을 강화했음에도 불구하고 적은 숫자였다. 이유는 간단했다. 나람성과 며칠 거리밖에 안 되는 행림산성과 진한산성의 방어가 그만큼 강력했기 때문이다.

지난 7년 전쟁에서도 행림산성은 3만 5천의 병력으로 20만이 넘는 서국군을 막아 냈다. 서국의 수도에서 나투국으로 향하는 가장

---

8) 수성전(守城戰): 성곽에서 적들의 침입을 막아 내는 전술.

빠른 길이 행림산성을 지나 진한산성을 거쳐 나람성을 지나는 것이었기에 키얀은 대군을 이끌고 행림산성을 쳤으나 그 전투는 무려 9개월 이상 지속되었다. 진한산성을 통해 지원받은 풍족한 군수물자와 군량미 덕분이었다. 결국 서국군은 행림산성을 포기하고 먼 길을 회군해 다른 진입로를 찾아야만 했다.

하지만 지금은 상황이 달랐다. 이미 행림산성과 진한산성은 함락되었다. 묘길이 박유를 시켜 나람성을 점거하고 봉화대의 위치를 알아낸 결과였다.

7년 전보다 더 많은 4만의 병력이 주둔하고 있던 행림산성은 서국군의 기습과 지휘관의 죽음으로 하룻밤 사이에 패망했다. 키얀의 신호가 떨어지기 무섭게 하인으로 성안에 위장하고 있던 또 다른 매복조가 성주와 휘하의 장수들이 잠든 사이 그들을 모두 처리했기 때문이었다.

제아무리 많은 병력이 있다고 해도 한순간에 지휘 체계가 무너지면 오합지졸이 되어 버린다. 그런 성을 함락하는 것쯤은 손쉬운 일이었다. 그렇게 행림산성의 4만 군대가 전멸하고, 뒤이어 기습을 받은 진한산성의 2만 병력도 무너졌다. 두 산성의 풍족한 군수물자와 군량미를 얻은 서국군은 이제 두려울 것이 없었다.

나람성은 안전지대라고 불릴 정도로 전투가 없던 지역이다. 본디 방비가 견고한 성은 잦은 전투를 겪은 곳이다. 하지만 나람성은 자신들을 막아 줄 두 산성을 굳게 믿고 있었으니 방비가 허술할 수밖에 없었다. 게다가 최근에는 성주와 그 수하들이 모두 죽었다. 나투국 수도에서 파견된 새로운 지휘관이 왔다 해도 지형지물을 능숙히 사용하기란 힘들 것이다.

"보수 공사로 동쪽 성벽의 방비가 약하다고 하니 그곳을 집중 공격한다."

"명 받듭니다."

가료는 나람성을 바라봤다. 성벽 뒤에 숨은 저들은 수도에서 지원군이 오기만을 간절히 바라며 두려움에 떨고 있을 것이다. 준비를 마친 병사들을 향해 그가 소리쳤다.

"서국의 전사들이여! 나람성을 점령하라-!!!"

우레 같은 함성과 함께 지축이 흔들릴 정도로 땅이 울렸다.

한편, 동쪽 성벽 위에서 몸을 낮춘 채 성으로 진격하는 서국의 군대를 바라보던 병마절도사 도백이 윤조와 성안의 병사들을 향해 준비 신호를 보냈다.

"모두 준비하세요!"

성안의 백성들과 함께 전투 준비를 마친 윤조가 긴장한 눈으로 성벽을 주시했다. 그녀는 자신의 얼굴과 머리카락을 감추기 위해 거적을 두른 상태였다. 주먹이 세게 쥐어졌다. 저들은 모를 것이다. 서국군의 전술을 파악한 8천의 병사 외에도 2천에 달하는 민병부대가 그들을 맞이할 준비를 마친 뒤라는 것을.

마침내 서국의 군대가 나람성의 성벽을 타고 오르기 시작하자 도백의 공격 신호가 떨어졌다.

"지금이에요! 모두 부어요-!!!"

성곽 위, 수십 개가 넘는 가마솥 안에서 팔팔 끓던 물이 서국의 병사들을 향해 쏟아졌다. 곧 여기저기에서 서국군의 비명이 난무했다. 윤조는 자신의 앞에 놓인 서국군의 대나무 사다리를 사람들과 함께 밀어 버리며 민병대를 향해 외쳤다.

"두 번째 가마 앞으로-!!!"

뒤이어 대기하고 있던 두 번째 가마에 든 것은 물이 아닌 뜨겁게 달궈진 돌과 모래였다. 윤조의 외침에 민병대가 솥단지를 성벽 아래로 기울였다. 끓는 물에 이어 쏟아져 내리는 뜨거운 돌과 모래에 성벽 아래에 있던 서국의 병사들이 심각한 화상을 입고 나동그라졌다. 이 모습을 바라보던 가료가 급히 궁수 부대를 내보냈다. 하지만 이미 궁수 부대가 나올 것을 예상하고 있던 윤조와 절도사 도백이 소리쳤다.

"방패를 들어라!!!"

철로 된 커다란 방패가 마치 파도처럼 일며 일사분란하게 세워졌다.

"화살이 날아들 겁니다! 위를 조심하세요!!!"

윤조는 늑대들을 데리고 민병대와 함께 커다란 솥뚜껑과 가마솥을 방패처럼 세워 그 뒤로 몸을 숨겼다. 곧이어 허공을 수놓은 새카만 화살 비가 머리 위로 쏟아졌다. 수없이 방패와 솥뚜껑을 때리는 날카로운 쇳소리가 폭풍처럼 귓전을 때렸다. 그 소리에 겁을 먹었는지 낑낑거리며 품 안으로 파고드는 댕댕이를 끌어안으며 윤조는 숨을 몰아쉬었다.

긴장으로 근육이 팽팽했다. 머릿속이 홧홧 타오르는 것 같았다. 세차게 뛰는 심장에 가슴이 터져 버릴 것 같았다. 절로 앓는 소리가 튀어나왔지만 그녀는 이를 악물고 버텨 냈다. 나람성이 무너지면 수도가 위험하다. 지원군이 도착할 때까지는 절대 무너져선 안된다. 대장군님이 오실 때까지는 어떻게든……!

그녀는 두려움에 떨면서도 자신과 함께 싸워 주는 사람들의 얼굴을 바라봤다.

'지킬 것이다.'

이들이 자기들의 가족을 지키고자 전투에 나섰듯이 나도 이들을 지킬 것이다. 다시는 잃지 않을 것이다.

'윤조야, 꼭 살아야 해.'

소의의 목소리가 떠올랐다. 언니, 언니가 지키려고 했던 이 성을 이번에는 내가 반드시 지켜 낼게. 저들의 손에 짓밟히게 하지 않을게. 언니가 사랑했던 이곳을 반드시 지켜 낼게.

"힘을 줘, 언니."

화살비가 멎었다. 방패로 가린 곳을 제외한 성안 곳곳에 무수한 화살이 쌓였다. 부족했던 무기가 충원되었다. 때를 놓치지 않고 도백이 소리쳤다.

"궁수 부대 앞으로!!! 저들의 화살을 죽음으로 되돌려 줘라!!!"

그리고 성의 정문 쪽에서 대기하고 있던 노궁병들을 향해 외쳤다.

"쏴라!!!"

명령이 떨어짐과 동시에 그들은 규칙적인 간격으로 성벽에 난 구멍을 통해 성 밖으로 거대한 화살을 연사했다. 노궁은 특수한 장치를 이용해 거대한 화살을 연사하는 무기로, 달려드는 병사 여럿을 그대로 날려 버릴 수 있을 정도로 엄청난 위력을 자랑하는 병기였다.

대열을 갖춘 여섯 대의 노궁이 연속해서 활을 쏴 댔다. 눈에 보이지 않을 정도의 속력으로 날아간 거대한 화살이 성의 정문을 노리고 다가오던 시국의 병사들을 그대로 날려 버렸다. 성벽 위의 궁수 부대가 그때를 놓치지 않고 전열을 잃고 흩어진 서국의 병사들을 쏘아 맞혔다.

"이런……! 뭣들 하느냐! 적의 수는 고작 8천이다! 진격해라!!! 나람성을 함락하라!!!"

가료가 노기 어린 표정으로 소리쳤다. 예상외의 접전이었다. 아니, 오히려 나람성의 방어전에 군대가 주춤하며 밀리고 있었다.

"어떻게 이런 준비를……!"

우왕좌왕하며 몰려드는 대군을 막으려다 자멸할 것이라 여겼던 나람성의 병사들이 앞선 행림산성과 진한산성의 병사들보다 뛰어난 전투력을 보이고 있었다. 서국의 군대가 당도할 것을 알았다고 해도 고작 이틀이다. 8천의 병력으로 지원부대를 기다리는 게 고작이었을 풋내기들이 어떻게 이틀 만에 이런 저력을 갖추었단 말인가!

그는 무장한 병사들을 지휘하는 갑옷을 입은 장수 외에 가마솥이나 곡괭이, 낫 같은 농기구 따위로 성벽을 오르는 군사들을 막아내는 민병대의 모습에 눈을 가늘게 떴다. 민병대 사이를 분주히 오가며 그들을 지휘하는 누군가의 모습이 언뜻언뜻 보였다. 머리에 거적 같은 것을 두른, 무척 작은 체구를 가진 사람이었다.

"누구냐."

대관절 누가! 성주도 그의 휘하 장수들도 다 죽어 버린 저 성에서 공포로 숨어 지내던 백성들을 전장으로 이끌어 냈단 말인가!

"저자는 대체 누구냔 말이냐!!!"

"모르겠습니다. 척후병들이 보냈던 정보에도 저런 자에 관한 정보는 없었습니다."

가료의 얼굴이 험악하게 일그러졌다. 곁에 있던 궁수에게서 활과 화살을 빼앗아 든 그가 말을 달려 민병대가 있는 성벽으로 향했다. 민병대를 지휘하는 사람의 모습이 보였다. 사정권이 가까웠다. 그는 지체 없이 화살을 걸고 활시위를 놓았다.

성벽 위에 있던 윤조는 말을 탄 누군가가 접근하는 것을 미리 알아챘다. 가료였다. 자신을 노리고 활을 당긴 그를 향해 윤조가 신력을 모은 손을 뻗었다. 날아오던 화살이 허공에서 멈춰 섰다. 놀란 얼굴로 이쪽을 보는 가료를 바라보며 그녀는 그가 날렸던 화살을 손에 쥐고 보란 듯이 반으로 부러뜨렸다. 부러진 화살이 그대로 성벽 아래로 추락했다.

윤조는 자신의 뒤로 쌓아 놓은 돌무더기를 신력을 이용해 모조리 들어 올렸다. 무수한 돌멩이가 그녀의 주위로, 허공으로 날아올랐다. 진군하던 서국의 병사들도, 말 위에서 그 모습을 지켜보던 가료도 모두 놀라 경악을 금치 못했다. 윤조가 그들을 향해 읊조렸다.

"내가 전에도 말했지. 이래 봬도 왕년에 짱돌 윤조였다고."

칼로도 활로도 그것을 막을 수 없었다. 어찌 보면 그것은 사람의 힘을 벗어난 거대한 재앙처럼 보이기도 했다. 나람성의 성벽 위로 떠오른 엄청난 양의 돌무더기에 달려오던 서국의 병사들이 비명을 지르며 달아나기 시작했다. 윤조가 때를 놓치지 않고 돌멩이를 사방으로 던져 댔다. 날아드는 돌멩이에 빠르게 얻어맞은 병사들이 억억거리며 자리에서 넘어졌다.

가료는 자신의 이마를 때리고 지나간 돌멩이를 바라보다 성벽 위를 노려봤다. 찢어진 이마에서 그의 얼굴을 따라 한 줄기 피가 흘러내렸다. 이성이 돌아왔다. 화를 가라앉히고 손을 들어 핏물을 닦아 내던 그가 병사들을 향해 소리쳤다.

"모두 퇴각하라―!!! 전열을 정비한다!!!"

퇴각하는 서국의 병사들을 바라보며 성벽 위에 있던 민병대와 병사들이 환호성을 내질렀다. 하지만 그들 중 단 두 사람, 윤조와 병마절도사 도백만은 웃지 못했다.

"이런……!"

윤조가 가료를 노려보며 입술을 깨물었다. 퇴각이 생각보다 빨랐다. 도발에 이성을 잃고 더 공격해 올 것이라 계산했었는데, 예상이 빗나갔다. 가료는 그녀의 계산에 쉽게 넘어갈 만큼 만만한 상대가 아니었다. 서국의 군대가 전열을 정비하고 나면 분대를 나눠 쉼 없이 성을 공격해 올 게 뻔했다.

"민병대! 화살을 회수해 궁수들에게 보급하고 다시 돌을 모아라!!! 전투는 아직 끝나지 않았다—!"

민병대를 향해 소리친 그녀의 눈빛이 사납게 굳어졌다. 밤의 어둠은 여전했다. 제2봉화가 피어오른 즉시 수도에서 군대가 출발했다고 해도 이곳에 도착하려면 최소 반나절에서 하루의 시간이 더 필요했다. 그때까지 나람성은 8천의 병사와 2천의 민병대로 10만 대군의 공세를 버텨 내야 했다.

'괜찮아. 이렇게 될 거 알고 있었어. 괜찮아, 괜찮아.'

아우우우.

늑대들이 그녀의 불안을 느꼈는지 소리 높여 울었다. 올려다본 밤하늘은 지독히도 아름다운 커다란 보름달이 떠 있었다. 긴 방어전의 시작이었다.

"도백, 노궁은 몇 번이나 더 사용할 수 있겠습니까?"

"앞으로 네 번 정도입니다."

"어떻게든 아침까지는 버텨야 합니다. 노궁의 발포가 멈추면 적이 성의 정문을 노리고 공격해 올 겁니다. 성문이 열리면 나람성은 끝입니다."

"시간이 지날수록 아군이 불리한 싸움입니다. 초반에 저들의 사기를 계속해서 꺾어야 합니다."

"계획대로 갑니다. 다음 작전 준비해 주세요."

도백과 이야기를 마친 윤조가 민병대의 아낙들을 향해 소리쳤다.

"다들 요리 준비되셨습니까─!!!"

"예!!!"

"실력 발휘 제대로 해 봅시다!!!"

"예─!!!"

아낙들이 빠르게 준비를 마치고 자리를 잡았다. 성벽 위에는 준비된 솥단지가 뜨거운 열기를 내뿜고 있었다.

"적이 다시 옵니다!"

병사의 외침에 윤조와 도백의 시선이 성 밖을 향했다. 3만여 명의 분대가 충차와 탑차 등 공성 병기로 무장한 채 다시금 성을 공격해 오고 있었다. 도백이 소리쳤다.

"불화살 장전!!!"

몰려오는 적군이 사정권 안에 들어왔다.

"쏴라─!!!"

일시에 밤하늘 위로 날아오른 불화살이 낙뢰처럼 서국 병사들의 머리 위로 떨어졌다.

"충차와 탑차를 집중적으로 노려라!!! 장창을 던져라!!!"

불화살에 이어 불을 붙인 창을 들고 선 병사들이 충차와 탑차를 향해 들고 있던 장창을 던졌다. 타오르고 부서지는 서국의 공성 병기를 바라보던 윤조는 어느새 성벽을 오르기 시작하는 서국의 병사들을 알아채곤 외쳤다.

"민병대!!! 요리를 시작한다—! 기름을 부어라!!!"

성 벽 위에서 다시 수십 개의 솥단지가 아래를 향해 기울어졌다. 성벽을 타고 오르던 서국 병사들의 위로 뜨거운 기름이 쏟아져 내렸다.

"불화살을 쏴라!!!"

동시에 대기하고 있던 궁수 부대가 불화살을 쏘아 댔다. 기름에 붙은 불이 순식간에 타올랐다. 성벽에 몰려든 서국의 병사들이 비명을 지르며 아우성쳤다.

"민병대!!! 고춧가루 발사!!!"

다음으로 기름에 뭉친 고춧가루를 눈덩이처럼 뭉쳐 손에 든 아낙들이 윤조의 명령이 떨어지기 무섭게 불길에 우왕좌왕하는 서국군을 향해 그것을 던져 댔다. 질척하게 갑옷에 달라붙은 고춧가루 뭉치가 불길에 활활 타올랐다. 동시에 맵고 화끈한 고추 냄새가 그들의 코와 눈을 괴롭게 했다.

"갈고리의 줄을 끊고 사다리를 밀어내라!!! 단 한 명의 적도 성벽을 넘게 해선 안 된다—!!!"

"꺄아악!"

비명 소리에 고개를 돌리자 성벽 위로 올라온 서국군 몇몇이 아낙들을 위협하고 있었다.

"1호!!!"

윤조의 부름에 늑대 1호가 곧장 가까이 있던 서국의 병사들을 향해 달려들었다. 그 뒤를 따라 나머지 네 마리의 늑대들도 날카로운

이를 드러내며 그들을 공격했다. 서국 병사의 다리며 머리를 물어 뜯은 늑대들이 그들을 성 밖으로 던져 버렸다.

으르르릉!

간신히 오른 성벽 위, 거센 공격을 이어 가는 민병대와 함께 커다란 늑대 떼를 마주한 서국의 병사들은 검 한번 제대로 휘두르지 못하고 추락했다. 벽으로 오르는 것을 포기한 병사들이 성의 정문을 향해 몰려들자, 윤조가 깃발을 올려 정문 쪽에 대기하고 있던 민병대를 향해 신호를 보냈다.

"화염병을 던져라!!!"

성안의 양조장에서 공수해 온 거대한 술독이 가득했다. 술을 빚는 곳으로 유명한 지역이다. 화염병에 기름 대신 불을 붙이는 데 사용할 수 있는 술은 넘칠 만큼 많았다.

민병대가 미리 만들어 두었던 화염병을 적들을 향해 던져 댔다. 동시에 적들의 머리 위로 다시금 뜨거운 기름이 쏟아지고 화공이 이어졌다. 노궁병들이 때를 놓치지 않고 거대한 화살을 연사했다. 성의 정문으로 몰려든 적군을 상대하면서도 지체 없이 화공을 사용할 수 있는 까닭은 이번에 보수된 나람성의 문이 나무 문이 아닌 쇠로 된 두터운 철문이기 때문이었다.

"아낙들은 뒤로 물러나 화염병을 만들어라! 민병대!!! 죽창을 들어라!!!"

기름과 고춧가루로 시간을 버는 동안 성안의 노인과 아이들은 대나무를 잘라 죽창을 만들었다. 기름과 고춧가루를 다 사용한 윤조가 아낙들을 뒤로 물리고 죽창을 든 사내들을 내세웠다. 쿵, 쿵, 하고 달려온 충차들이 성문과 성벽을 들이받았다. 일부의 경우는 미리 바위 따위를 던져 막았으나 모조리 막는 것은 불가능했다.

'신력을 최대한 아껴야 한다.'

윤조는 충차와 성벽 사이에 신력으로 뽑아낸 은사를 둘러 충격을 막았다. 확실히 누군가에게 신력을 '소모'하는 것이 아닌 '유지'하는 기술을 터득한 자신의 선택은 틀리지 않았다. 그녀는 실과 같은 상태로 신력을 '유지'해 사용하는 이 기술이 신력의 손실을 최소화할 수 있다는 것을 깨달았다. 충차를 막아 낸 그녀가 다시 민병대에게 소리쳤다.

"죽창을 던져라!!!"

병사들의 방패 뒤에 숨어 대기하고 있던 민병대가 들고 있던 죽창을 힘껏 날렸다. 화살이 날아오면 병사들이 방패를 새워 민병대를 보호했다. 아낙들이 화염병을 만들어 던지고 궁수 부대가 불화살을 쏘았다. 성의 정문에서는 노궁병들이 버티고 있었다. 마치 오래전부터 합을 맞췄던 것처럼 그들은 일사분란하게 윤조의 명령을 따랐다. 그것은 놀라운 광경이었다.

대패하여 흩어지는 서국의 군대를 바라보던 절도사 도백은 감탄을 금치 못하며 윤조를 바라봤다. 훈련도 안 된 2천의 민병대를 정예 부대처럼 이끌며 성벽 위를 뛰어다니는 작고 어린 무녀의 지략과 기백은 제국의 어느 장수에 견주어도 뒤지지 않았다. 그는 서국의 군대가 나람성에 도착하기 전, 서국의 척후병들을 사로잡아 자신의 앞에 무릎 꿇렸던 윤조의 모습을 떠올렸다. 그녀는 대장군의 단장판을 꺼내 들며 외쳤다.

—병마절도사 도백은 들어라. 나는 나투국의 무녀이자 대장군 홍준영의 아내 윤조다. 두 식경 뒤 서국의 군대가 이곳에 당도할

것이니 그대는 지금 당장 전투를 준비하라.

함께 온 늑대 떼도 인상적이었지만 그보다 더 인상적이었던 건 그녀에게서 느껴졌던 거침없는 기백과 눈빛이었다. 전장을 누빈 장수라면 누구나 알아볼 수 있었다. 죽음의 고비를 수도 없이 헤쳐 온 그 눈빛을, 의지를, 전투에 임한 장수의 기백을.

그 순간 도백은 눈앞의 이가 작고 여린 여인이라는 것도 잊은 채 자신도 모르게 고개를 숙이고 예를 갖췄다. 생각보다 몸이 먼저 따랐다. 실로 놀라운 일이었다. 그리고 그 놀라움은 사기를 잃고 물러나는 서국군의 모습에 더욱 배가 됐다.

"적군이 물러난다—!!! 지친 자들은 뒤로 빠져 쉬게 하고 나머지는 계속해서 다음 전투를 준비하라!!!"

언뜻언뜻 성벽 아래에서 타오르는 불꽃에 반사된 그녀의 눈동자가 황금처럼 눈부셨다. 불꽃보다도 밝게 타오르는 그녀의 모습은 나람성의 빛이자 희망이었다.

"가료님, 병사들의 사기가 꺾였습니다. 공성 병기의 손실도 막심합니다. 민병대를 이끄는 자가 기괴한 힘을 쓰고 있어 타격을 줄 수 없습니다."

"지원군이 올 때까지 버틸 셈이로군."

가료가 나람성을 바라보며 조소했다.

"계속해서 분대를 내보내라! 언제까지 버틸 수는 없을 것이다."

가료는 자신이 쏜 활을 잡아 부러뜨리고, 돌을 던져 이마에 상처를 낸 민병대의 대장이 무녀이며, 그가 윤조일 것이라는 생각은 꿈에도 하지 못했다. 가료가 아는 나투국의 무녀는 전쟁 시 사람을 치료하는 의병으로의 임무만을 수행했지, 전투병으로 싸우는 자는 본 적이 없었다. 또 그는 윤조가 키얀의 지시로 아트완의 감옥에 감금되어 있다고 믿고 있었다.

따라서 그는 민병대를 이끄는 자가 최소 수도에서 파견된 절도사의 수하이거나 준영이 나람성을 강화하며 파견한, 비범한 힘을 지닌 인물이라고 판단했다. 어디에서 온 인물인지, 생김이 어떤지 가까이에서 살펴보고 싶었으나, 성벽 위로 보이는 모습은 거적 같은 것을 머리에 두른 작은 머리통이 성벽 위를 오가는 모습뿐이었다.

"제아무리 기괴한 힘을 사용하는 자라 해도 체력이 떨어지는 건 막을 길이 없지."

대기하고 있던 서국의 또 다른 분대가 나람성을 향해 진격했다. 어느새 밤이 지나고 동이 터 오고 있었다.

"모두 힘을 내세요! 조금만 기다리면 지원군이 올 겁니다!!!"

밤사이 쉬지 않고 계속된 전투에 성안의 사람들은 모두 지쳐 있었다. 전투가 거듭될수록 부상자의 수도 늘어났다. 그만큼 그녀가 치료를 위해 소비하는 신력의 양도 늘어났다. 체력도 한계에 다다르고 있었다.

끼이잉.

댕댕이가 그녀의 다리에 얼굴을 비볐다. 윤조는 따뜻한 온기가 느껴지는 댕댕이의 머리를 쓰다듬으며 주문처럼 되뇌었다.

"괜찮아. 버틸 수 있어. 막을 수 있어. 대장군님이 오실 거야. 반드시 오실 거야."

휘청거리는 그녀의 몸을 1호가 자신의 몸으로 지탱했다.

"고마워."

1호의 몸에 몸을 기대 바로 선 윤조가 성 밖을 바라봤다. 다시 전열을 다듬은 서국의 군대가 진군을 준비하고 있었다.

"죽을 거야. 우리는 다 죽을 거야⋯⋯."

겁먹은 아낙이 성벽에 주저앉아 눈물을 쏟았다. 죽창도, 화염병도, 화살도 거의 다 떨어졌다. 성안의 아이들이 엄마를 찾으며 울어 댔다. 노인들이 음식과 물을 날라 지친 사람들에게 먹이고 아이들을 달랬지만 소용없는 일이었다. 다음 공격으로 잘못하면 성이 함락될 수도 있다는 사실을 모두가 알고 있었다.

"포기하고 죽는 건 쉬워요."

사람들의 시선이 윤조를 향했다.

"힘들어서, 아파서, 괴로워서 다 놓아 버리고 죽는 건 쉬워요. 맞아요, 사는 게 어렵죠. 일을 하는 것도, 음식을 구하는 것도, 가족을 지키는 것도 다 어려워요."

그녀는 전생을 떠올렸다. 전생에서의 죽음도 떠올렸다. 세상에 홀로 남겨졌던 날. 어머니의 납골당에 다녀오다 사고를 당했던 그날. 비가 무척이나 많이 내렸던 그날. 그녀는 차라리 내리는 빗물에 잠겨 죽어 버렸으면 좋겠다고 생각했다. 힘들고 아프고 괴로워서, 삶이 고통이라서 다 포기하고 싶었다. 죽음을 생각했다.

하지만 사고가 나고, 막상 정말 죽을지도 모른다는 생각이 들자 살고 싶은 마음이 들었다. 조금 더 살아 볼게요. 사실 아직 포기하지 않았어요. 제발 나를 포기하지 말아 주세요.

"죽는 건 쉬워요. 그냥 포기하면 돼요. 무기를 내려놓고, 눈을 감고, 마지막 순간을 그냥 받아들이면 돼요. 하지만 다들 살고 싶잖아요. 힘들고 괴로워도 죽고 싶지 않잖아요. 살아가고 싶잖아요."

할 수만 있다면 다시 시작할 기회가 생겼으면 좋겠다고 빌었다. 신채영의 마지막이었을 그 순간, 다시 삶을 원했던 그녀의 마음은 죽음을 바랐던 그 어느 순간보다도 더욱 처절했다.

세상에 아무도 그녀를 위해 울어 줄 사람도, 손을 잡아 줄 사람도 남아 있지 않았지만 그런 사람이 남아 있다면 행복할 것 같다고 생각했다. 그 눈물이, 그 손길이 기적이 되어 다시 한번 자신을 삶으로 이끌어 주었으면 하고 간절히 바라고 또 바랐다.

"우리 살아요. 살아서 포기하지 않았던 순간의 나를 자랑스러워하며 살아가요. 후회하며 죽지 말고 후회 없이 살아가요. 반드시 함께 살아가요, 우리."

그건 병사들의 사기를 끌어올리는 어느 장수의 선동적인 외침이나 명령 같은 것이 아니었다. 위로를 목적으로 한 말도 아니었다. 그저 살아가고 싶은 사람의 소망이었다.

"나는 포기하지 않을 거예요."

그저 살아가겠다고 이야기하는 한 사람의 다짐이었다. 울고 있던 아낙이 눈물을 멈추며 자리에서 일어났다.

"저도 살고 싶어요."

그 말에 사람들이 너도 나도 고개를 끄덕였다.

"나도 죽고 싶지 않아."

"살아야지. 암, 내가 죽으면 우리 마누라는 누가 챙겨?"

"저도요. 우리 애들이랑 꼭 살 거예요."

"맞아, 죽고 싶지 않아. 여기까지 왔는데 이제 와 포기할 거야? 분해서라도 그렇겐 못 하지!"

"어려워도 살자고. 다들 지금까지 다 그렇게 살았잖아?"

"맞아! 우리가 지금껏 얼마나 어렵게 살아왔는데! 이대로 죽기엔 억울하지. 안 그래?"

"옳소! 옳소! 다들 연장 챙기라고! 곧 있으면 추수도 해야 하는데 잘 키운 작물, 죄다 저놈들 입으로 들어가게 할 거야?"

"그건 용서 못 하지!!!"

"암만! 내가 피똥 싸면서 키워 놨는데 그걸 누구 좋으라고!"

사람들이 바닥에 떨어진 농기구와 죽창, 방패와 칼 등을 집어 들고 전열을 정비했다. 손안에 신력을 끌어모은 윤조와 늑대들도 함께였다.

가료의 신호에 성벽을 향해 돌진하는 서국 병사들의 모습이 보였다. 까맣게 몰려오는 그들의 모습에 도백의 궁수 부대가 마지막 남은 화살을 장전했을 때였다. 지진이 난 것처럼 성벽이 진동했다. 발아래로 느껴지는 진동에 윤조가 급히 고개를 돌려 성의 동쪽을 바라봤다. 언덕 위로 까만 그림자가 줄지어 늘어서 있었다.

"설마……."

윤조가 동쪽 성벽 끝으로 달려가기 시작했다. 늑대들이 그녀의 뒤를 따랐다. 태양이 떠오른 자리, 기마 부대의 선봉에 선 준영이 대검을 들고 소리쳤다.

"돌격하라-!!! 나람성을 지켜라-!!!"

3천의 정예병으로 구성된 나투국의 기마 부대가 나람성으로 돌진하던 서국 진영의 측면을 그대로 들이받았다. 급습으로 방어를 하지 못한 서국의 3만 분대가 전열을 잃고 흩어졌다. 엄청난 기동력으로 순식간에 전장을 휩쓰는 기마 부대의 모습에 성벽 위의 병사들이 환호성을 내질렀다.

"원군! 원군이 왔습니다!!! 이제 살았습니다!!!"

충차와 함께 나람성의 정문을 향해 곧장 다가오던 서국의 병사들이 추풍낙엽처럼 쓸려 갔다. 엄청난 기세로 달려드는 기마대의 위용에, 흩어진 서국의 병사들이 그대로 몸을 돌려 달아나려다 하나둘 바닥에 쓰러졌다. 창검과 활을 가리지 않고 사용하는 준영의 기마대는 빠르게 전황을 뒤엎었다.

곧 서국의 진영에서 퇴각 명령이 떨어졌다. 3만의 분대 중 살아서 진영으로 돌아간 자는 겨우 5천이었다.

"성문을 열어라! 대장군님이시다!"

말머리를 돌려 성으로 오는 준영을 발견한 도백이 병사들을 시켜 성문을 열게 했다. 성안으로 들어 온 준영이 병사들을 향해 외쳤다.

"지금 당장 성 앞에 참호를 설치하고 수비군을 편성해 방비하라—! 곧 보병과 궁수대가 도착할 것이다!"

"존명!"

말에서 내린 준영이 도백을 향해 말했다.

"잘 버텨 주었다."

"저 혼자서는 버텨 낼 수 없었을 겁니다."

도백이 성벽 위에 도열한 2천의 민병대와 그들의 앞에 선 윤조를 가리켰다.

"윤조 님과 백성들이 이 성을 지켰습니다."

준영의 시선이 성벽 위를 향했다. 윤조가 떨리는 눈으로 그를 바라보며 입을 틀어막았다. 금방이라도 눈물이 쏟아질 것 같았다. 울먹이는 그녀를 향해 준영이 두 팔을 벌렸다.

"윤조야."

환하게 웃는 그의 모습에 윤조의 다리가 급히 움직였다. 숨을 들이쉬고 내쉬는 것조차 잊었다. 빠르게 성벽을 내려온 그녀가 준영의 품에 안겼다.

"대장군님. 흐으, 대장군님, 흐, 으으으……."

펑펑 울지도 못하고 서럽게 울음을 삼키며 자신을 불러 대는 그녀를 보듬어 안으며 준영은 울컥 치미는 감정을 애써 다스렸다.

"보고 싶었다."

내내 가슴속에 눌러 담았던 한마디를 건네며 그가 조심스럽게 윤조의 눈가와 뺨을 매만졌다.

"많이, 보고 싶었다."

애절한 그의 말에 윤조가 참았던 눈물을 터뜨렸다.

"윤조야, 내 방울새야. 다시는 그렇게 날아가 버리지 말거라……."

윤조가 숨죽여 울며 세차게 고개를 끄덕였다. 눈물이 멈추지 않았다. 쉽게 멈출 것 같지도 않았다.

"저도 보고 싶었어요. 정말 많이 보고 싶었어요. 너무 힘들었어요……."

당신이 없어서 너무 힘들었어요. 당신이 보고 싶어서, 그리워서 너무 힘들었어요. 윤조의 말에 준영이 가만히 그녀의 등을 쓸어 주었다. 눈물을 닦아 주며 그녀와 눈을 마주했다.

"몸은 괜찮느냐? 어디 아픈 곳은 없느냐?"

눈물을 그친 윤조가 코를 훌쩍거리며 손가락을 들었다.

"여기도 아프고, 여기도 아프고, 여기도 아프고, 다 아파요."

훌쩍거리면서도 아픈 곳을 콕콕 집어 알려 주는 그녀의 모습에 준영의 입에서 작은 웃음이 새어 나왔다.

"우리 장군 무녀님, 대장군님 앞에서는 아기 같네요, 아기."

민병대에서 장난스럽게 들려온 목소리에 성안의 사람들이 웃음을 터뜨렸다.

"크흠, 누, 누가 아기라는 거예요!"

발끈해서 외치는 윤조를 바라보며 준영이 가만히 그녀의 손을 잡았다.

"치료는 밤에 하자꾸나."

"네? 밤에요? 제가 신력으로 치료하면 되는…….""

영문을 몰라 눈을 깜빡이는 윤조의 모습에 민병대에 있던 아낙들이 혀를 찼다.

"아이고! 새색시가 신랑 말을 그리 못 알아들으면 어쩐다요! 지금은 훤하고, 밤에는 어둡고, 지금은 사람이 많고, 그때는 둘만 있고 하니 그렇고 그런 거지이~!"

아낙들의 말에 그제야 준영의 말뜻을 깨달은 윤조의 볼이 빨갛게 달아올랐다.

"그, 그러니까, 그렇고, 그런, 그런……?"

준영은 화들짝 놀라 자신을 올려다보는 그녀의 모습이 사랑스러워 더는 참을 수 없었다.

"다들 뒤돌아서라. 대장군의 명령이다."

갑작스러운 그의 명령에 사람들이 빠르게 뒤로 돌았다. 준영은 어리둥절해하며 자신도 뒤로 돌아야하는 건가 고민하는 윤조의 목 뒤를 감싸곤 그녀에게 깊게 입을 맞췄다.

"각오하거라."

그리 말하며 다정히 미소 짓는 준영의 모습이 너무 사랑스러워서 윤조는 다시 눈물이 날 것 같았다.

그날 오후 기마 부대를 뒤따라온 나투국의 보병 부대와 궁수 부대가 나람성에 도착했다. 군대가 도착하기 전에 다시 공격을 해 올 것 같던 서국의 진영은 예상외로 잠잠했다. 성 앞의 방비가 굳건해지고, 나람성은 안정을 되찾았다. 그날 저녁이 다 되어 가도록 서국의 병사들은 움직이지 않았다.

"왜 갑자기 공격을 멈춘 걸까요?"

"저들도 지쳤을 겁니다. 분대를 계속 돌렸다고 하나 밤새 쉬지 못한 건 서국 병사들도 마찬가지니까요. 기마 부대에게 2만 5천의 병력이 당한 것도 피해가 컸을 겁니다."

윤조가 고개를 끄덕였다.

"밤사이 기습해 올지 모르니 보초에 신경 쓰도록."

"예, 알겠습니다."

도백이 회의실을 나가고, 윤조와 준영 두 사람이 남게 되었다.

"대승상님과 길림 부관님은 어찌 되셨는지 알아내셨어요?"

"아직. 지금쯤 아버지와 나래가 무녀장을 조사하고 있을 거다."

"나래는 좀 어떤가요?"

"크게 앓았지만 떨치고 일어났다. 나래가 네 걱정을 많이 했다."

"어머니랑 동생들은 어떻게……."

차마 잘 지내고 있는지 묻지 못하는 윤조의 모습에 준영이 안타까운 눈을 했다.

"슬퍼하셨지. 하지만 네가 살아 돌아오기를 손꼽아 기다리고 계신다. 쓰러져 있을 때가 아니라고 하시면서. 서신을 쓰면 매를 보내 주마."

"예, 그럴게요."

"너는 괜찮으냐?"

소의의 죽음을 가장 가까이에서 목격한 건 윤조였다. 준영은 당시 넋이 나가 있던 윤조의 상태를 기억했다. 그의 물음에 잠시 말을 아끼던 윤조가 고개를 푹 숙인 채 작게 고개를 끄덕였다. 괜찮지 않아 보이는 모습으로 괜찮다 고개를 끄덕이는 그녀의 행동에 준영은 마음이 아팠다.

"언니가 자랑스러워할 거다. 이 성을 지켜 냈으니까."

"그럴까요?"

"그럴 거다."

준영의 말에 애써 미소 지은 윤조가 한숨을 내쉬었다.

"어쩌다가 일이 이렇게 된 걸까요. 무녀장님이 왜 이런 일을 꾸민 건지 모르겠어요."

"나도 그 이유를 모르겠구나. 설마 무녀장이 서국의 황제와 손을 잡고 역모를 꾀할 줄은. 키얀이 묘길의 이야기를 할 때 의심 갈 만한 정황은 듣지 못했나?"

"전혀요. 그저 14년 전에 자신들을 도와준 사람이 있다고만 했어요. 그 사람이 무녀장님이란 사실을 알게 된 건 탈출 직전 황후와 이야기하던 중이었고요. 매가 돌아오지 않아 연락할 방법이 없어서 서둘러 탈출을 하려 했는데, 그만 걸리고 말았어요. 제가 조금만 더 빨리 탈출해 사실을 알렸더라면 행림산성과 진한산성이 함락되는 것도 막을 수 있었을지 모르는데……."

"네 탓이 아니다. 그 상황에서 혼자 무엇을 할 수 있었겠느냐? 키얀을 상대로 3일의 시간을 번 것만으로도 대단한 일이다."

"그건 그렇죠? 대장군님이 그 자리에 계셨어야 하는데. 제가 무려 서국의 황제에게 한 방 먹였다고요."

"그런 소리 말거라. 심장이 철렁하구나."

"히히, 다시 생각해도 좀 무섭긴 하네요. 그런데 혹시 이상한 선물 같은 거 받지는 않으셨죠?"

윤조는 키얀이 준영에게 보낸다던 알 수 없는 선물을 기억해 냈다. 그녀의 물음에 준영이 영문 모를 표정을 지었다.

"이상한 선물이라니?"

"서국의 황제가 대장군님께서 좋아할 만한 선물을 보내겠다고 의미심장하게 말해서요. 못 받으셨다면 다행이구요."

"도착하기 전에 불타 사라진 거라면 좋겠구나."

"어! 저도 그 비슷한 생각 했었는데! 먼지 단위로 분해되거나 자연발화 해 버렸으면 좋겠다고!"

재미있는 윤조의 표현에 준영이 작게 웃으며 그녀를 바라봤다.

"다행이다. 여전히 내가 알던 윤조여서."

"네?"

"미안하다."

갑작스러운 준영의 사과에 윤조가 놀란 얼굴을 했다.

"대장군님이 왜 사과를 하세요."

"지켜 준다고 약속해 놓고 지켜 주지 못해서."

"대장군님……."

"함께 살아 달라, 혼인해 달라 해 놓고 너 하나를 지키지 못했다. 무능하고 한심하기 짝이 없는 지아비가 아니냐."

"그런 말씀 마세요. 저를 구하러 오셨잖아요. 나람성에서도, 지금도 저를 구하러 오셨잖아요. 그거면 됐어요. 이렇게 제 앞에 계시잖아요."

"녀석, 착해 빠져서는……."

오랜만에 만난 준영은 살이 조금 빠진 것 같았다. 이전보다 날이 서 있는 느낌. 윤조는 그동안 자책하며 자신을 걱정했을 준영이 안쓰러웠다. 슬프고 마음 아팠다.

그렇게 잠시 준영을 바라보던 그녀가 입술을 달싹였다. 묘길과 서국의 황제에 대한 이야기도 중요했지만 자신에게는 그보다 더 중요한 문제가 남아 있었다. 파이옌과 이 세계와 자신에 관한 이야기였다.

'말해야 해.'

언제까지 준영에게 비밀로 할 수는 없었다. 이 세계에 관한 진실을 알아 버린 이상 이제는 비밀로 해서는 안 되는 이야기였다. 준영과 진심으로 함께하기를 원한다면 비밀은 없어야 했다. 그가 그의 모든 것을 터놓고 자신을 대하듯 그리해야 했다. 함께 이 문제를 헤치고 나아가야 했다. 진심으로 그를 사랑한다면 그리해야 했다.

"대장군님, 저 드릴 말씀이 있어요."

"무슨 일이기에 그리 심각한 표정인가?"

"사랑해요."

"응?"

"앗! 아, 아니! 이게 아니라! 사랑해서 진심으로 진지하게 말씀드리려고 하는 이야기라구요!!!"

머릿속으로 할 말을 정리하던 윤조는 밑도 끝도 없이 튀어나간 속마음에 깜짝 놀라며 손을 내저었다. 갑작스러운 고백에 공격을 받은 사람처럼 굳어 있던 준영이 허허 웃으며 장난스럽게 그녀를 바라봤다.

"사랑해서 진심으로 진지하게 하려는 이야기라니. 그게 뭘지 정말 궁금하구나."

"놀리지 마시구요! 저 정말 진지해요."

"나는 네 앞에서 늘 진지하다. 늘 진심이고."

"놀리는 거 맞는 거 같은데."

"아니래도."

모른 척 고개를 돌려 작게 웃던 준영이 웃음을 멈추고 윤조를 바라봤다. 윤조는 그새 뚱한 표정을 짓고 있었다.

"사람이 진지하게 말하려고 하는데."

"미안하다. 좋아서 자꾸 웃음이 나오는 걸 어쩌란 말이냐?"

"대장군님 못 본 사이에 더 뻔뻔해지셨어요. 전에는 낯간지러운 말 하면 귀도 빨개지고 눈도 잘 못 마주치고 그러셨는데 이젠 쑥스러워하지도 않아."

"혼인한 사이에 감출 게 뭐가 있느냐?"

"하기 전이 더 귀여웠던 것 같기도 하고요. 흥."

토라진 윤조를 달래려 준영이 그녀의 손을 잡았다.

"마음 상했느냐? 하지만 네 앞에서는 늘 진지하고 진심이라는 말은 진심이다. 그러니 그리 염려할 것 없다. 네가 하는 말이라면 무엇이든 들어 줄 것이다."

그 말에 조금 감동한 윤조가 표정을 풀며 고개를 끄덕였다.

"조금 긴 이야기가 될 거예요."

이야기의 시작은 신채영의 죽음에서부터였다. 준영은 전생의 그녀가 죽었고, 다시 이 세계에 태어나 윤조로 살아가고 있으며, 이

전 생의 기억을 모두 갖고 있다는 말에 조금 놀란 눈으로 그녀를 바라봤다.

그러다 파이엔의 이야기가 나오고, 그가 윤조와 같은 세상에서 온 사람이며, 그와 그녀가 계속 엮이게 되는 이유가 두 사람이 한 쌍이 될 운명으로 이 세계가 선택한 이야기의 주인공이라는 부분에서 표정을 굳혔다.

"최근에서야 모든 사실을 알게 됐어요. 주인공에 대한 것도, 파이엔과 제가 이 세계의 알 수 없는 힘에 선택받았다는 것도, 우리가 원래는 한쌍이 될 운명이었다는 것도."

'우리'와 '한쌍'이라는 표현에서 준영의 눈썹이 움찔했다.

"끝까지 거슬리는군……."

"네?"

"아니다. 그가 너와 같은 세상에서 온 사람이란 건 어떻게 알았지?"

"파이엔이 하인으로 위장했을 때요. 그와 함께 대장군님의 말안 장을 찾으러 갔던 그날, 시장에서 알게 됐어요."

윤조의 말에 준영은 주먹으로 파이엔의 얼굴을 날려 버렸던 그때를 기억했다.

"왜 그때 말하지 않았던 것이냐?"

"죄송해요. 그때는, 그때는 말할 수 없었어요. 제가 그의 손목에 있던 문신을 발견하고 세작이라는 것을 알아차리자 갑자기 돌변해서 저를 협박했어요. 제가 자신과 같은 세상에서 온 사람이란 것을 알아차리고 그 이야기를 꺼냈어요. 그리고 사실을 알리면 제 비밀도 모두 밝히고 대장군님도 죽이겠다고……."

상황을 알 것 같았다. 준영은 파이엔의 협박이 오가던 때 자신이 두 사람의 앞에 나타났고, 파이옌과 싸움을 벌였다는 것을 알았다. 팔에 부상을 입은 자신의 상태를 들먹이며 윤조를 협박했으리란 것도, 위협을 받고 있던 상황에서 등장한 자신이 위험해질까 봐 말하지 못했다는 것도.

준영은 당시 자신과 파이옌을 떼어 놓으며 이상하리만치 간절하게 싸움을 멈춰 달라 부탁하던 윤조의 모습이 생각나 견딜 수가 없었다. 겁을 먹은 채 덜덜 떨고 있던 그녀의 작은 몸을 기억했다.

'내 탓이다.'

준영은 속으로 자신을 탓했다. 자신의 몸이 온전했다면 그런 위협 따위에 그녀가 두려워하며 굴복할 이유도 없었을 것이다. 말없이 침묵하는 준영의 모습에 그가 자책하고 있음을 깨달은 윤조가 다급히 그의 손을 잡았다.

"제가 잘못한 거예요."

그녀는 그렇게 말하며 준영의 눈을 똑바로 마주했다.

"대장군님이 나약해서라거나 대장군님을 믿지 못해서 그랬던 게 아니에요. 제가 그를 두려워했던 것뿐이에요. 그의 말로 대장군님과 사람들의 신뢰를 잃을까 두려웠고, 하룻밤 사이 혼자서 수비대 열 명을 죽였다는 그의 말이 두려웠어요. 가문의 하인으로 그를 받아 줬던 것도, 그를 끌어들인 것도 저예요. 결국 그런 저 때문에 대장군님이 다치게 될까 봐 두려웠어요. 죄송해요."

진심 어린 그녀의 사과에 준영이 고개를 끄덕였다.

"지금이라도 말해 주어 고맙다."

"용서해 주시는 거예요?"

"용서하고 말고가 어디 있겠느냐. 가장 괴로웠을 사람이 내 눈앞에 있는데."

그는 그렇게 말하며 가장 거슬리는 얼굴을 떠올렸다.

"파이옌 그자가 윤조 너와 함께 이 세계가 택한 인물이고 두 사람이 같은 운명으로 묶여 있다면, 어째서 그는 나투국이 아닌 서국의 편에 선 것이냐?"

"원래는 한 가지의 같은 목표를 이루기 위해 함께 싸워야 하는 아군이 되어야 할 운명이었지만, 제 선택으로 그와의 운명이 어그러졌다고 했어요."

"네 선택?"

"제가 선택한 사람은 대장군님이니까요."

윤조가 그렇게 말하며 준영의 손을 맞잡은 손에 더욱 힘을 주었다.

"시센은 그 선택이 잘못된 선택이라고 했지만 저는 그렇게 생각하지 않아요. 지금보다 먼저 이런 내용을 알았다고 해도 제 선택은 변함없었을 거예요. 제가 사랑하는 사람도, 평생을 함께 하고 싶은 사람도, 하나뿐인 지아비도 모두 대장군님이니까요."

"혹, 나 때문에 너의 세상을 버린 것이냐? 나로 인해 네가 그 세상으로 돌아갈 수 없게 된 것이라면……!"

"왜요. 간다고 하면 보내 주시려고요?"

"아니, 그건……."

안 된다고 말하려다 말고 심각하게 굳어진 준영의 모습에 윤조가 작게 웃음을 터뜨렸다.

"놔주지 마세요. 놔주시면 안 돼요. 대장군님 때문에 제 세상을 버린 게 아니라 대장군님 덕분에 제 세상을 찾은 거예요."

덕분에 찾았다. 내가 지키고 싶을 만큼 사랑하는 세상을. 누군가를 사랑하고 사랑받을 수 있는 세상을. 기쁠 때나 슬플 때나 함께 웃고 울어 주는 가족들이, 친구가, 동료가, 연인이 살아가는 이 세상을.

"그리고 파이옌이 서국의 황제를 선택한 이유는 원래의 세상으로 돌아가기 위해서예요. 선택받은 이야기의 주인공은 이야기의 결말을 맺어야만 원래의 세상으로 돌아갈 수 있는 자격을 얻을 수 있어요. 이 세계가 한 가지 소원을 들어준다고 해요."

"소원을 빌어서 돌아갈 셈인가?"

"맞아요. 하나의 결말에 하나의 소원. 이변은 없다고 했어요. 결말에 다다르지 못하면 소원을 빌 자격도 없는 거죠."

"그 '결말'이라는 건 누가 정하는 거지?"

준영의 물음에 윤조가 무겁게 입을 열었다.

"이미 정해져 있는 것 같아요. 이 세계가 미리 정해 놓은 결말이. 파이옌은 원래 세상에서 책을 통해 그 결말을 미리 읽었고요."

"어떤 내용이지?"

윤조는 자신이 이 말을 내뱉는 순간 어쩌면 지금보다도 더 힘든 일들이 펼쳐질지도 모른다는 것을 직감적으로 느꼈다. 그건 그녀의 머리와 입과 온몸을 강제하는 어떤 알 수 없는 힘이었다.

'시센이 말했던 운명의 강제라는 게 이런 건가.'

이 세계가 금기를 깨려 하는 자신을 위협 요소로 간주하는 것 같았다. 밧줄로 목을 옥죄는 것 같은 느낌에 그녀가 기침을 토하며 자신의 목을 부여잡았다.

"윤조야!!!"

놀란 준영이 비틀거리며 바닥으로 쓰러지려는 그녀를 안아 들었다.

"윤조야! 갑자기 왜 그러느냐! 윤조야!!!"

"허윽, 괜, 괜찮아요."

숨통을 조이는 감각이었다. 간신히 정신을 붙잡은 윤조는 그 힘에 저항했다.

'멋대로 나를 끌어들인 건 너잖아. 나는 책을 읽지 않았어. 결말도 진실도 알지 못했어. 그러니 내 이야기의 결말은 내가 정할 거야.'

그녀의 반항에 숨통을 옥죄는 힘이 더욱 강해졌다. 죽음의 위기에 잠잠했던 신력이 들끓기 시작했다. 윤조는 세계에 저항하는 자신의 의지에 반응하며 끓어오르는 신력에, 어드밴티지에 관해 이야기했던 시센을 떠올렸다. '주인공의 감정에 반응하는 힘'. 보통무녀의 신력이 그저 피에서 피로 전승되는 치유력일지 몰라도 주인공인 그녀는 달랐다. 그녀의 신력은 그녀가 지키고자 하는 이 세계의 사람들과 그녀의 의지에 반응해 성장했다.

이 세계가 주었으나, 이 세계를 거부하는 그 힘이 폭발적으로 그녀의 몸을 휘감았다. 회의실 안으로 바람이 불었다. 준영이 그것을 느낄 정도의 세기였다. 불꽃이 튀는 것처럼 산발적으로 그녀의 몸 안에서 터져 나오는 하얀빛에 준영이 그녀를 끌어안은 손에 더욱 힘을 주었다. 설명하지 않아도 느낄 수 있었다. 윤조가 지금 보이지 않는 무언가와 힘겹게 싸우고 있다는 것을.

'나는 이 사람을 지킬 거야.'

윤조는 아득한 정신 속에서 자신의 이름을 부르는 준영의 목소리와 그의 숨결과 그의 심장소리를 들었다. 생生의 소리였다. 거짓이 아니다. 그는 환영 같은 책 속 존재가 아니라 지금 이렇게 내 곁에 살아 있다.

책이 정한 결말이 그의 죽음이라면 뒤엎겠다. 이 이야기의 주인 공인 내가 그 결말을 선택하지 않겠다. 그 결말을 인정하지 않겠 다. 세계가 정한 죽음으로부터 그를 지키겠다. 세계가 정한 멸망 으로부터 나투국을 지키겠다. 세계가 정한 전쟁으로부터 사람들을 지키겠다. 그렇게 내가 사랑하는 이 세계를 지키겠다.

그 순간 그녀의 목을 옥죄던 힘이 사라졌다.

"콜록, 콜록, 콜록……!"

순식간에 저 아래까지 침잠했던 의식이 수면 위로 끌어올려졌다. 기침을 토하며 거칠게 숨을 몰아쉰 그녀가 자신의 목을 매만졌다.

'갑자기 왜.'

갑자기 왜 멈춘 거지? 금기를 깨려 하는 나를 왜 살려 준 거지? 그녀가 물리친 게 아니었다. 세계가 그녀를 죽이려던 것을 멈췄다. 이유는 알 수 없었다.

"윤조야, 괜찮느냐?"

"네, 괜찮아요. 후, 이야기 한번 하기 정말 힘드네요. 그죠?"

능청스러운 그녀의 말에 준영이 안도하며 그녀의 이마에 자신의 이마를 마주했다.

"너 때문에 내 심장이 남아나지 않는구나."

"안 돼요! 심장 잘 챙기셔야 해요!"

준영의 심장이 남아나지 않으면 다 소용없는 일이다. 윤조가 기 겁하며 그의 왼쪽 가슴에 손을 올렸다.

"너어, 앞으로도 잘 뛰어야 해!"

"협박하는 게냐? 내 심장을?"

"헤헤, 모른 척해 주세요."

준영의 입술이 가만히 그녀의 이마에 닿았다가 떨어졌다. 조금 전에 죽을 뻔했는데도 불구하고 배시시 웃음이 나왔다. 윤조가 준영의 머리카락을 쓰다듬으며 조용히 말했다.

"파이옌이 책에서 읽은 결말은 서국 황제의 손에 나투국이 멸망하고 그의 칼에 대장군님이 죽는 거라고 했어요. 그래서 그는 이야기의 결말을 책임질 키얀과 손잡은 거고요."

"나를 죽여야 한다라."

흉흉한 준영의 기세에 윤조가 조금 슬프게 덧붙였다.

"옳고 그름과는 관계없이 파이옌은 그런 선택을 할 수밖에 없었을 거예요. 저는 봐 버렸어요. 그가 그 선택을 위해 무엇을 포기했는지. 어떤 심정으로 짐승의 길을 걸어왔는지."

"무슨 일이 있었나?"

"지하 감옥에 갇힌 채 고문받은 그의 모습을 봤어요. 그는 서국 황실에 충성을 맹세한 게 아니에요. 키얀도 그 사실을 잘 알고 있고요. 그래서 키얀은 그를 자신에게 복종시키기 위해 오래전부터 그런 방법을 써 왔다고 했어요."

"노예처럼 길들이려 했군. 폭력과 공포에 길들여진 노예들은 주인을 벗어날 수 없다고 느끼지."

준영이 미간을 좁혔다.

"치졸하고 잔인한 방법으로 잘도 그런 자를 잡아 두려 했구나. 파이옌은 복종을 모르는 자다. 보면 알 수 있지."

"미웠는데 이제는 미워할 수가 없어요."

착잡한 윤조의 목소리에 준영이 그녀의 뺨을 가만히 쓰다듬었다.

"너는 어떻게 하고 싶은 게냐?"

"저는 대장군님과 나투국을 지킬 거예요. 그 사실만은 변하지 않아요. 하지만 할 수 있다면, 모두가 행복할 수 있는 선택지가 있다면 그걸 택하겠어요. 찾아보겠어요, 그 선택지를."

'모두가 행복하게 잘 살았습니다.'라는 결말은 없는지도 모른다. 하지만 이건 내 이야기다. 책이 정한 결말이 아닌 내가 정한 나의 이야기. 그러니 찾아보겠다. 정해진 이야기의 운명을 거슬러 보겠다. 내가 택한 결말을 이 세계에 증명해 보이겠다. 불가능하다고, 모두를 구할 수는 없다고 말하는 이 세계의 운명을 향해 최소한 모두가 행복으로 나아갈 수 있는 가능성을 지닌 결말이 있다는 것을 보여 주고 싶다. 그것이 내가 이야기의 주인공으로서 정한 결말의 목표다.

"네 선택이 그렇다면 있는 힘껏 도와주마. 살아서 너와 함께할 것이다."

"앞으로도 파이옌의 방해가 있을 거예요. 저와 대장군님을 떼어 놓으려 하겠죠."

"놈을 죽인다는 선택지가 사라진 게 천추의 한이로구나."

바드득 이를 갈던 그가 윤조를 안아 든 채로 몸을 일으켰다.

"그놈 이야기는 뒤로 미루자꾸나. 혼례식에서의 일을 생각하면 화가 치밀어 견딜 수가 없으니."

"저도 그것 때문에 그 인간 뺨을 한 열 대 이상은 치고 왔죠."

"놈의 뺨을?"

"그럴 기회가 있어서요. 하하."

윤조는 아마 지금쯤이면 정신을 차렸을 파이옌이 통통 부은 자기 얼굴을 확인하고 패악을 부렸을지도 모르겠다고 생각했다.

"이제 그만."

"네?"

"내 앞에선 내 생각만 하거라."

질투 가득한 준영의 한마디에 윤조가 폭소했다. 아이처럼 웃는 그녀를 보며 준영이 회의실을 나섰다.

"제가 걸어갈게요!"

"너 하나 들 힘은 있다."

"누가 보면 어떡해요. 안 좋은 말이라도 돌면⋯⋯."

"감히?"

준영이 입매를 당겨 웃는 모습에 윤조가 가만히 그를 바라보다 중얼거렸다.

"저도 그거 해 봐도 돼요?"

"무엇을?"

"방금 그거 좀 멋있어 보여서요."

"하하하, 얼마든지. 폐하의 앞에서만 빼고 말이다."

"그 정도는 저도 알아요!"

회의실에서 방까지 걸어가는 내내 두 사람은 서로의 귓가에 속삭임을 멈추지 않았다. 해가 지고, 저녁 시간이 되어 도백의 시종이 식사를 가져왔다고 문밖에서 알렸으나 윤조도 준영도 대답하지 않았다. 복도에 서 있던 시종이 돌아간 뒤에야 준영은 윤조를 놓아주었다.

"푸하!"

준영의 품 안에 갇힌 채 그의 입술로 입이 막혀 있던 윤조가 가쁜 숨을 몰아쉬었다.

"코로 숨을 쉬어야지."

웃음기 가득한 준영의 음성에 그녀는 숨이 막혀 죽는 줄 알았다며 그의 맨가슴을 아프게 때렸다. 제법 매운 그녀의 손길에도 아랑곳하지 않은 준영이 왼팔로 그녀의 허리를 감아 바짝 당겼다. 순식간에 가까워진 거리에 윤조가 당황하며 눈을 깜빡였다.

이미 한바탕 침대에서 구른 두 사람의 옷은 거의 벗겨져 있었다. 흘러내린 옷 위로 드러난 윤조의 동그란 어깨에 입을 맞추던 준영이 조심스럽게 그녀의 옷을 벗겼다. 준영은 그녀의 어깨를 시작으로 쇄골, 목, 볼, 귀에 차례로 입 맞췄다. 그리고 그녀가 아프다고 손으로 짚었던 부분에도 전부 입을 맞췄다. 윤조는 귓가에서 느껴지는 그의 뜨거운 숨과 자신의 몸에 닿았다 떨어지는 그의 입술을 느꼈다.

소중한 것을 다루듯 다정하게 뺨을 쓸어 오는 그의 커다란 손에 얼굴을 기대자 그의 손안에서 두근두근 하는 심장 소리가 울렸다. 스륵, 하고 묶여 있던 옷고름이 풀리는 소리가 났다. 조바심이 나더는 참지 못한 윤조가 눈을 뜨고 준영을 바라봤다.

"일부러 애태우는 거죠?"

"왜? 애가 타느냐?"

준영은 두려워할 그녀를 배려해 되도록 천천히 행동한 것이었으나 반대로 윤조는 조바심이 나 견딜 수가 없었다. 그녀가 무언가를 결심한 듯 눈을 빛내며 반쯤 벗겨진 준영의 옷깃을 잡았다. 그러고는 그대로 그의 몸을 침대 위로 쓰러뜨렸다. 놀란 준영의 표정을 바라보며 윤조가 야살스럽게 웃었다.

"남자만 리드하라는 법 있나요?"

"리드?"

"'이끌다'는 뜻이에요."

"그래?"

준영이 씩 이를 드러내며 미소 지었다.

"원한다면 마음껏 해 보거라. 뭐든."

재미있다는 듯 아예 자리까지 잡고 팔을 괴고 누워 버린 그의 모습에 윤조가 움찔했다. 흐트러진 옷 아래로 맨가슴과 복근이 드러난 그의 모습이 너무 선정적이어서 코피가 나올 것 같았다.

"뭐든 해 보래도?"

"대장군님 진짜……."

"내가 뭘?"

"와, 진짜 뻔뻔해졌어."

자리에서 일어나려는 윤조를 준영이 당겨 안았다. 그의 가슴 위로 엎드린 자세가 된 윤조의 얼굴이 홧홧 달아올랐다. 맞닿은 그의 몸이 뜨거웠다.

"리드 안 할 건가?"

"실언했어요. 죄송해요."

"하하."

준영이 마주한 윤조의 얼굴을 바라보며 고개 숙여 그녀의 이마에 입을 맞췄다. 가만히 그의 입맞춤을 받고 있던 윤조는 순간 자신의 상태를 떠올리곤 경악하며 그를 밀어냈다.

"왜 그러느냐?"

"목욕!!!"

"응?"

"저 목욕 먼저 할게요!!! 며칠 동안 제대로 못 씻었단 말이에요!"

"상관없다만."

"저는 상관있어요! 그래도 명색이 초야인데 이렇게는 안 돼-!"

귀여운 그녀의 모습에 준영이 큭큭거리며 웃었다. 침대에서 일어
난 그가 방울새처럼 지저귀고 있는 윤조의 입술에 짧게 입을 맞추
고는 그대로 그녀를 안아 들었다.

"가자, 목욕하러."

"에? 엑-!!!"

놀라 버둥거리는 그녀를 품에 안은 채 이번에는 준영이 야살스러
운 미소를 지었다.

"그러게 각오하라고 했잖느냐."

그날 밤 두 사람이 들어간 목욕탕에서는 첨벙첨벙하는 요란한 소
리가 났다.

❦

"너 이마가 왜 그래?"

그날 새벽, 지휘관 막사 안으로 들어오는 파이옌의 모습에 가료
가 자리에서 일어났다.

"장군, 지금까지 어디 계셨던 겁니까?"

"절벽에서 떨어졌어."

"예? 어쩌다가요?"

"나투국 정보원 놈들이랑 싸움이 있었어. 매를 날리려는 것을 막
았지. 그러다 잘못해서 떨어졌어. 놈들 쫓다가."

그는 윤조에 대한 이야기는 일부러 말하지 않았다. 그의 말에 놀란 가료가 그의 몸을 살피며 걱정했다.

"연락을 막았다니 다행입니다. 하마터면 큰일 날 뻔했군요. 몸은 괜찮으십니까?"

"괜찮아. 계곡에 떠내려가던 걸 낚시꾼이 구해 줘서 살았어. 기절해 있느라 좀 늦었지. 여기 상황은? 넌 어쩌다 다쳤어?"

"홍준영이 이끄는 지원군이 도착했습니다. 대치 중입니다. 저는 어쩌다 보니."

"조심해. 병사들 꼴도 말이 아니던데. 생각보다 부상자도 많고."

"죄송합니다. 나람성의 저항이 생각보다 거셌습니다."

"고작 8천 병력 아니었어?"

"2천의 민병대가 변수였습니다. 그리고 민병대를 이끄는 자가 이상한 능력을 사용해 공성병기가 불능이 되었습니다."

"이상한 능력이라니?"

"화살을 허공에서 멈추고, 돌이나 바위를 하늘로 들어 올려 던지는 기괴한 힘을 가진 자가 민병대를 지휘했습니다. 척후병들도 실종되었는데 그런 자에 대한 정보는 전혀 전달받지 못했습니다."

"그건 또 어디서 나온 놈이야. 염력을 쓴다고?"

놀라 중얼거리는 파이엔의 모습을 바라보던 가료가 키얀의 말을 전했다.

"폐하께서 도착하는 대로 찾아오라 하셨습니다."

"알겠어. 지금 나람성에 있는 병력은 얼마 정도 되지?"

"지원군의 수는 6만 5천입니다. 묘길이 체포된 영향으로 치료사 무녀는 없는 것 같습니다."

"그건 다행이네. 기존 병력 8천에 민병대 2천까지 하면 7만 5천인가. 부상자를 제외하더라도 7만은 넘겠군. 현재 전투 가능한 아군 병력은?"

"7만 2천 정도입니다."

"몸 좀 풀고 올 테니 날랜 놈으로 백 명만 준비해."

"하지만 폐하께서……."

"몸 먼저 풀고. 성 앞에 수비진 치고 있던데 이대로는 위험하잖아?"

고민하던 가료가 고개를 숙였다.

"송구합니다. 부탁드리겠습니다."

파이엔이 이끄는 백 명의 기마대가 땅을 박찼다. 그들은 모두 기괴한 도깨비 가면을 쓴 상태였다. 파이엔은 가면 너머로 보이는 나람성 외부의 수비군을 향해 그대로 돌진했다. 빠르게 다가오는 적의 모습에 성벽 위에서 북소리가 울렸다. 2천의 수비대가 장창을 든 채 도열했다.

준영은 북소리에 눈을 떴다. 적습을 알리는 신호였다. 급히 검을 챙겨 방 밖으로 나간 그가 소리쳤다.

"무슨 일인가!"

"괴혈단이 공격해 왔습니다!"

한편, 악명 높은 괴혈단의 등장에 그들을 마주한 수비군의 얼굴이 두려움으로 물들었다.

"창을 들어라!!! 적의 수는 많지 않다!!!"

수비군이 창을 들어 올리는 모습에, 거의 그들의 지척까지 당도했던 파이엔이 병사들을 향해 소리쳤다.

"흩어져라!!!"

동시에 그를 뒤따르던 기마대가 순식간에 양쪽으로 갈라졌다. 정면을 향해 있던 수비대가 당황한 사이, 파이옌이 들고 있던 창을 수비대의 정면으로 세게 내던졌다. 어드밴티지의 영향으로 순간적으로 강화된 그의 팔 근육이 엄청난 힘으로 창을 날렸다. 거의 화살이 쏘아지는 것처럼 세차게 날아간 창이 무려 네 명에 달하는 수비군의 머리를 꿰뚫었다.

"아아악!!!"

충격적인 상황에 혼란에 빠진 수비군을, 그들의 양쪽으로 갈라졌던 서국의 기마대가 치고 들어왔다. 화염병을 던지고, 창을 날리고, 철퇴를 날렸다. 수비대가 방향을 잡고 전열을 가다듬으면 다시 흩어져 다른 방향을 노렸다. 두 번째 창을 집어 던진 파이옌이 동시에 장창을 세우고 있던 맨 앞쪽의 수비군을 뛰어넘어 순식간에 흩어진 그들의 진영으로 뛰어들었다.

양손에 쥔 두 개의 곡도가 춤을 췄다. 빠르게 병사들의 목을 베고 그들의 틈으로 파고들었다. 순식간에 스무 명이 넘는 수비군이 바닥에 쓰러졌다. 대열의 중심이 무너지자 서국의 기마대가 양 측면을 파고들었다. 파이옌은 곡도를 양손에 들고 달려 나가며 늘어선 수비군을 그대로 베어 냈다.

비명과 불길과 피가 난무하는 가운데, 성벽 위에서 이 모습을 지켜보던 병사들이 급히 북을 울렸다. 파이옌이 손가락을 입에 넣고 휘파람을 불었다. 철갑옷으로 무장한 그의 군마가 수비군을 짓밟으며 전진했다. 빠르게 군마의 위에 오른 그가 말 위에서 곡도를 휘두르며 소리쳤다.

"퇴각한다!!!"

그를 따라 기마대가 급히 말을 돌렸다. 준영의 명령으로 출동한 궁수 부대가 성벽 위에서 화살을 쏘았으나 이미 파이옌과 그의 부하들은 나투국의 진영을 벗어난 뒤였다.

"적의 수는 고작 백 명이었다. 어찌 이리 수비가 쉽게 뚫린단 말이냐!"

처참히 당한 수비군에, 상황을 보고받은 도백이 화를 내며 수비 대장을 질타했다.

"죄송합니다. 괴혈단의 등장에 병사들이 겁을 먹었습니다."

"놈들이 드디어 모습을 드러낸 건가."

준영이 침음했다. 전날 민병대와 나람성의 병사들이 방어전을 펼쳤을 때는 괴혈단의 모습은 보이지 않았다고 했다. 준영이 고개를 들어 성벽 너머 서국의 진영으로 보이는 서국 황제의 깃발과 다수의 병사들이 진을 친 그의 막사를 바라봤다.

'키얏. 이제 총공세를 펼치려는 건가.'

침착한 준영과 달리, 옆에 선 도백은 잠깐 사이 2천의 수비대가 절반 가까이 병력을 잃었다는 사실이 믿기지 않는다는 눈치였다. 괴혈단에 대한 악명은 숱하게 들었지만 실제로 마주한 것은 이번이 처음이었다. 그는 사망한 수비대 중 두 개의 장창에 네 사람씩, 무려 여덟 명의 머리가 꿰뚫려 있는 광경을 보고 경악했다.

"괴물 같은 놈들……."

"도백."

"예, 대장군님."

주먹 쥔 손을 부르르 떨던 그가 준영을 향해 고개 숙였다.

"병력을 보강하고 수비군을 세 개 분대로 나눠 측면의 방어를 강화하라. 그리고 수비대의 후방에 궁수 부대 3백을 배치하라. 다음 공격은 총력전이 될지도 모른다. 대비하라."

"명 받듭니다."

성벽에서 내려오던 도백은 계단을 오르던 윤조를 발견하고 인사 했다.

"무녀님."

"도백."

"대장군님은 위에 계십니다."

그에게 짧게 인사를 한 윤조가 준영에게로 향했다. 성벽으로 올라오는 윤조의 모습에 준영이 그녀에게 다가갔다.

"더 자지 않고."

"잘 수가 없었어요. 대장군님도 곁에 안 계시고. 상황도 상황이 잖아요."

"많이 피곤할 텐데. 수도로 돌아가면 잠에서 깰 때까지 곁에 있어 주마."

"헤헤, 약속이에요."

"그래. 몸은 괜찮나?"

준영의 말에 윤조가 뚱한 표정으로 입술을 내밀었다.

"흥, 그만하라고 해도 그렇게 저를 괴롭히던 분이 어디의 누구시 더라?"

"많이 아팠느냐?"

"조금요. 괜찮아요. 많이 아프면 신력으로 치료하면 돼요."

"그 말에 안심된다면 나는 나쁜 지아비인가?"

"호색한 지아비죠."

"녀석, 말하는 것하고는."

두 사람이 도란도란 이야기를 나누던 때였다. 연락망으로 보냈던 매에게 받은 서신을 펼쳐 보던 도백이 급히 소리쳤다.

"대장군!!! 큰일 났습니다! 수도가, 황성이 함락되었다고 합니다─!!!"

"뭐라!!!"

급히 달려온 도백이 들고 있던 서신을 준영에게 내밀었다.

별동대 침공. 묘길 내전.

급하게 휘갈겨 쓴 글씨체로 짧게 적힌 서신에는 서국의 별동대가 수도를 침공했으며 무녀장 묘길이 내전을 일으켰다는 내용이 담겨 있었다.

같은 시각 나투국의 수도. 키얀은 비명과 불길에 휩싸인 시가지를 지나 나투국의 황궁에 입성했다. 그의 뒤로는 도깨비 가면을 쓴 3천여 명의 괴혈단이 함께였다.

"어서 오십시오."

황좌에 앉아 있던 묘길이 자리에서 일어나 그를 맞이했다. 그녀의 주변으로 50명의 호위 무녀가 함께였다.

"14년 만이로군."

키얀이 묘길을 바라봤다. 계단을 내려와 그의 앞에선 묘길이 전화에 휩싸인 수도를 바라보며 말했다.

"다시 뵙게 되어 기쁩니다."

─中권 完

비익조 中

초판 1쇄 인쇄 2019년 10월 18일
초판 1쇄 발행 2019년 10월 28일

지은이 이수연
펴낸이 신현호
편집부장 예숙영
편집 박상희
편집디자인 한방울
영업·관리 김민원 조은걸 조인희
물류 이순우 최준혁 박찬수

펴낸곳 ㈜디앤씨미디어
출판등록 2002년 5월 1일 제117-90-51792호
주소 서울시 구로구 디지털로 26길 111 JnK디지털타워 503호
대표전화 (02)333-2513 팩스 (02)333-2514
전자우편 dncbooks@dncmedia.co.kr
디앤씨북스 블로그 http://blog.naver.com/dncbooks

ISBN 979-11-264-4929-3 04810
ISBN 979-11-264-4927-9 세트